岩波講座　世界歴史　12

東アジアと東南アジアの近世

一五〜一八世紀

岩波講座

世界歴史 12

東アジアと東南アジアの近世

一五〜一八世紀

岩波書店

第12巻【責任編集】弘末雅士
吉澤誠一郎
【編集協力】上田　信

目次

コラム | *Column*

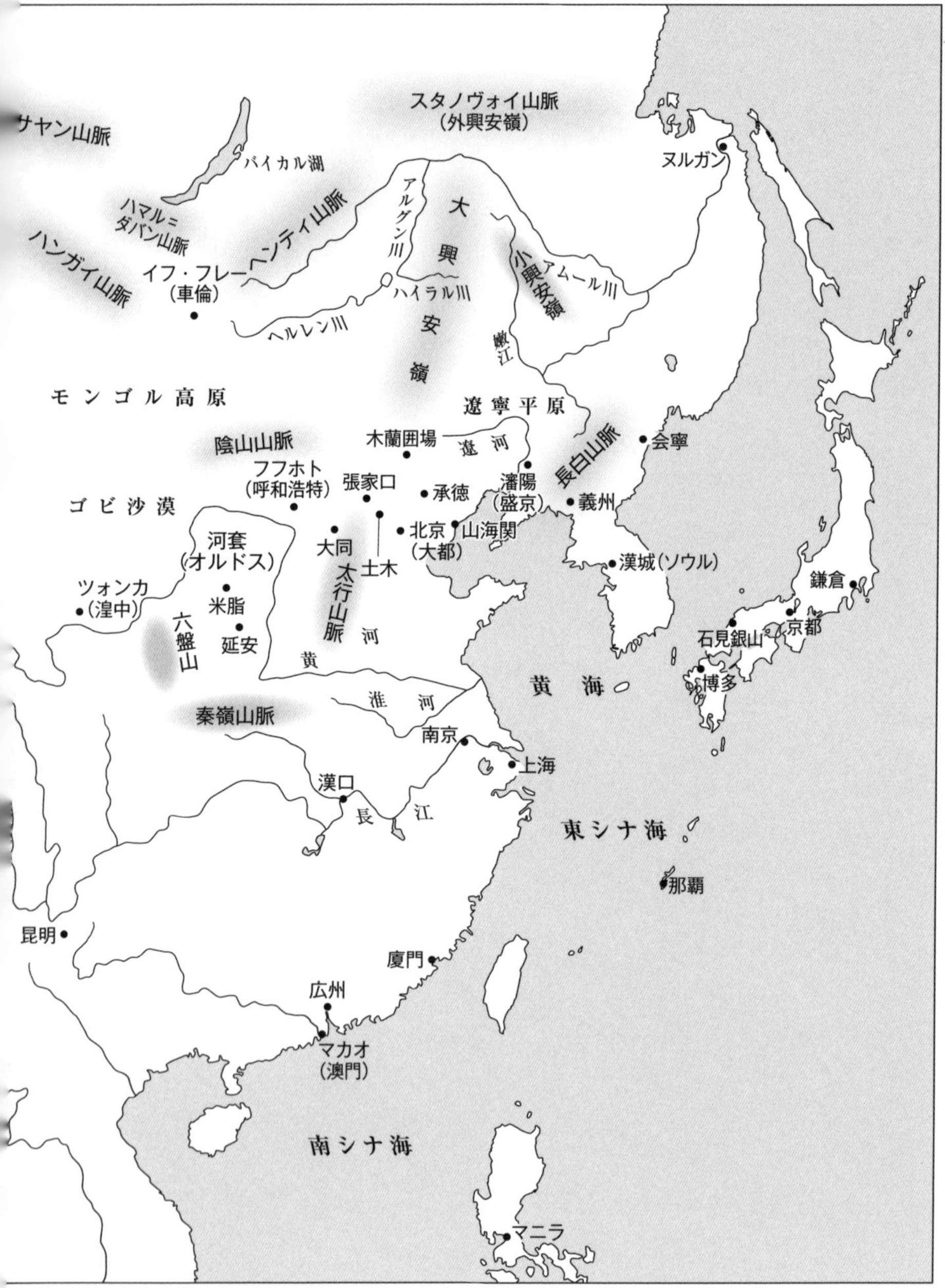
スタノヴォイ山脈
(外興安嶺)
サヤン山脈
バイカル湖
ヌルガン
ハマル=
ダバン山脈
ヘンティ山脈
ハンガイ山脈
アルグン川
大
興
安
嶺
小興安嶺
アムール川
イフ・フレー
(車倫)
ハイラル川
ヘルレン川
嫩江
モンゴル高原
遼寧平原
陰山山脈
木蘭囲場
遼河
長白山脈
会寧
フフホト
(呼和浩特)
張家口
承徳
瀋陽
(盛京)
義州
ゴビ沙漠
北京
(大都)
山海関
河套
(オルドス)
大同
土木
太行山脈
漢城(ソウル)
ツォンカ
(湟中)
米脂
延安
六盤山
黄河
鎌倉
京都
石見銀山
博多
黄海
淮河
秦嶺山脈
南京
上海
漢口
長江
東シナ海
那覇
昆明
廈門
広州
マカオ
(澳門)
南シナ海
マニラ

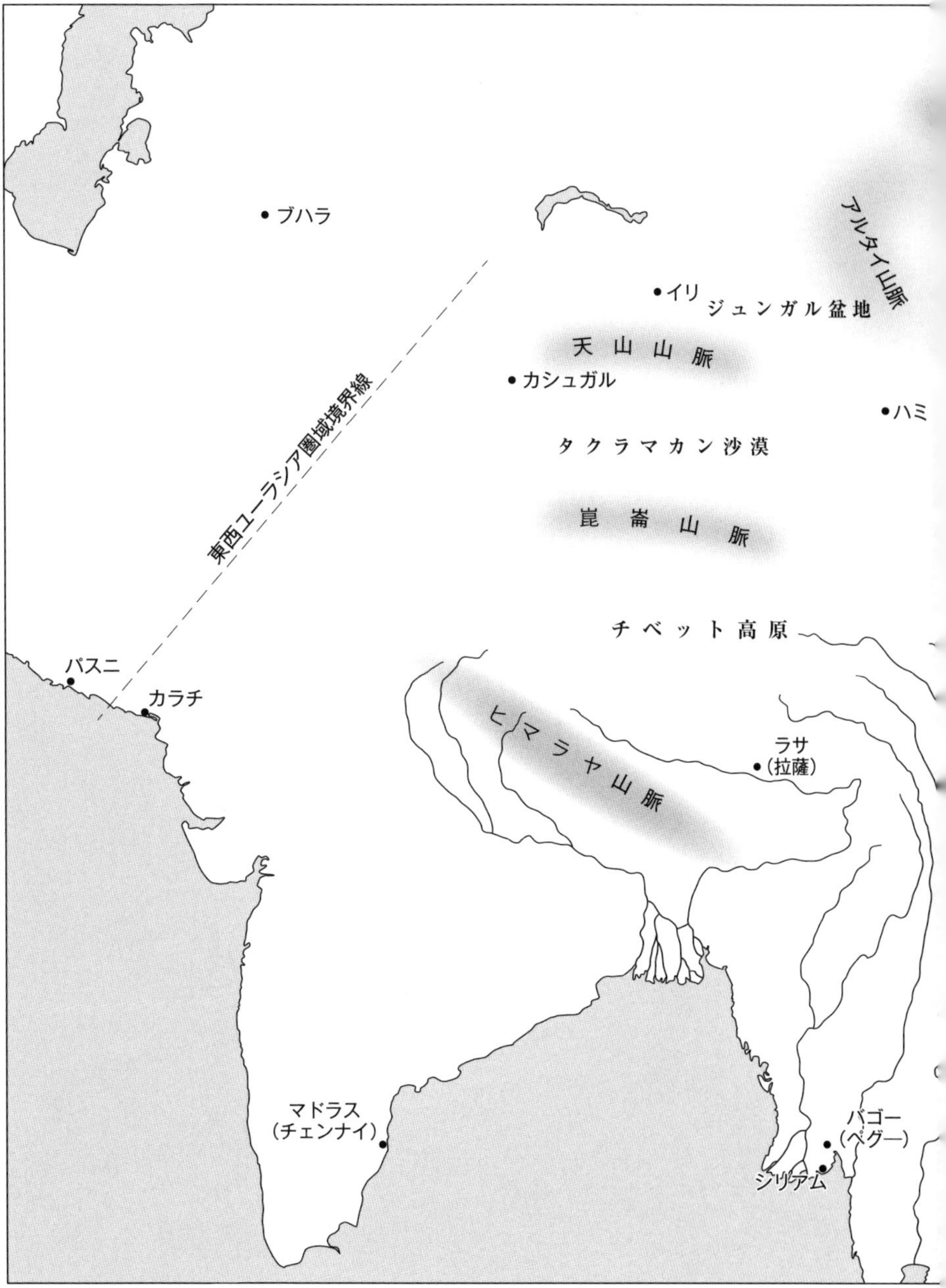
ブハラ
アルタイ山脈
イリ
ジュンガル盆地
天山山脈
カシュガル
ハミ
タクラマカン沙漠
東西ユーラシア圏域境界線
崑崙山脈
チベット高原
パスニ
カラチ
ヒマラヤ山脈
ラサ
(拉薩)
マドラス
(チェンナイ)
バゴー
(ペグー)
シリアム

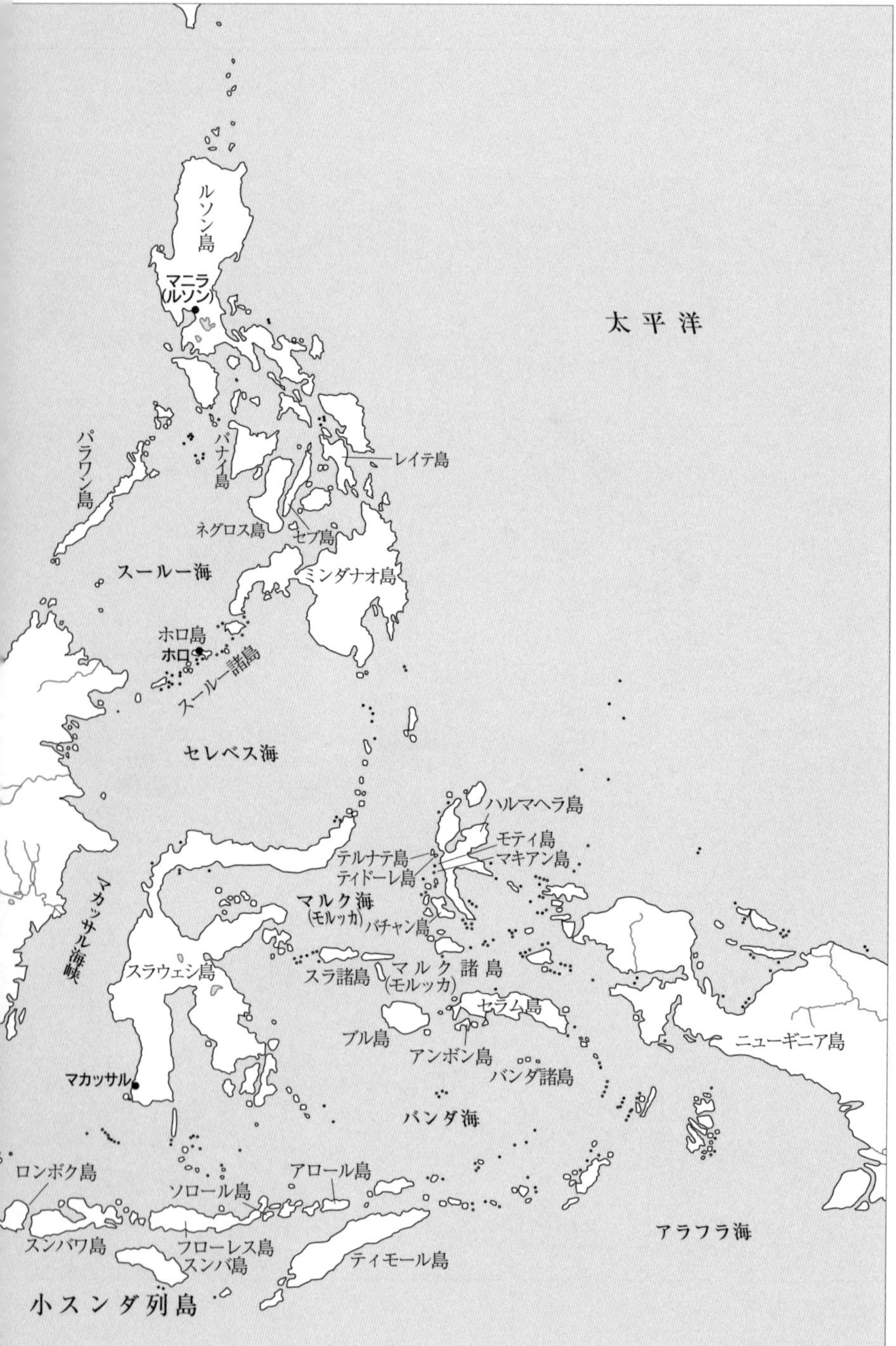

ルソン島
マニラ(ルソン)
太平洋
パラワン島
パナイ島
レイテ島
ネグロス島
セブ島
スールー海
ミンダナオ島
ホロ島
ホロ
スールー諸島
セレベス海
ハルマヘラ島
モティ島
テルナテ島
マキアン島
ティドーレ島
マルク海(モルッカ)
マカッサル海峡
バチャン島
スラウェシ島
スラ諸島
マルク諸島(モルッカ)
セラム島
ブル島
ニューギニア島
アンボン島
バンダ諸島
マカッサル
バンダ海
ロンボク島
アロール島
ソロール島
アラフラ海
スンバワ島
フローレス島
スンバ島
ティモール島
小スンダ列島

アヴァ
シャン高原
(トンキン)
ハノイ
紅河
トンキン湾
海南島
バガン
(パガン)
アラカン
エーヤーワディ川
(イラワジ川)
シッタウン川
タウングー
サルウィン川
バゴー
(ペグー)
チェンマイ
ルアンパバーン
タインホア
ベンガル湾
ウィエンチャン
マルタバン
スコータイ
チャオプラヤー川
ヤンゴン
(ラングーン)
ツーラン(ダナン)
フエ
ホイアン
メコン川
アユタヤ
タヴォイ
チャンパーサック
バンコク
トンブリー
アンコール
チャンパー
(10世紀～1471年)
トンレサップ湖
ウドン
アンダマン諸島
アンダマン海
メルギー
テナセリウム
プノンペン
(カンボジア)
スレイ・サントー
ホーチミン
(サイゴン)
チャンパー
(1474～1692年)
クラ地峡
タイ湾
(シャム)
オケオ
南シナ海
ニコバル諸島
ジャンク・セイロン
(プーケット)
パタニ
クランタン
アチェ
(バンダ・アチェ)
パサイ
クダー
ペナン
マラッカ海峡
マレー半島
トルンガヌ
パハン
ブルネイ
ムラカ
(マラッカ)
クアラルンプル
ジョホール
シンガポール
ランダック川
サラワク
バルス
シアク
ビンタン島
リアウ
リアウ諸島
ムンパワ
カンパル
ポンティアナック
インドラギリ
カプアス川
カリマンタン島
(ボルネオ)
リンガ諸島
ニアス島
バトゥ諸島
パダン
スマトラ島
ガラン島
シンパン
スカダナ
ジャンビ
バンカ島
カリマタ島
メンタウェイ諸島
パレンバン
ムシ川
ブンクル
タンジョンプラ
(バンジャルマシン)
エンガノ島
ジャワ海
ランプン
バンテン
ジャカルタ
(バタヴィア)
ジュパラ
スマラン
ドゥマク
マドゥラ島
スンダ海峡
インド洋
大スンダ列島
プリアンガン
グレシク
スラバヤ
マドゥラ海峡
ジャワ島
マジャパヒト
マタラム
(ジョクジャカルタ)
スラカルタ
バリ島

展　望 | *Perspective*

はしがき

本巻は、一五—一八世紀の東アジアと東南アジアを扱う。ここでは、第一〇巻「モンゴル帝国と海域世界」に続く時代の東アジアと、第四巻「南アジアと東南アジア」に続く時期の東南アジアが対象となる。第一一巻「構造化される世界」が提示するように、地球的規模で諸地域の往来が進展し始めたこの時期、近接するこの両地域は繋がりを強めた。本巻で東アジア(東ユーラシア)と東南アジアをまとめて扱うのは、生態環境や人口規模に違いはあるが、両者の社会形成が海と陸での交流をとおして、緊密に連関したためである(岸本 一九九八：五頁、上田 二〇〇五：三〇—五五頁)。

一五—一七世紀中葉、東南アジア海域とシナ海における交易活動は活性化した。東南アジアでは、香辛料や森林生産物を求めた東西商人が多数来航し、「商業の時代」(一四五〇—一六八〇年)を迎えた(Reid 1988: 93)。一方東アジアでは、明朝が鄭和《ていわ》の遠征(一四〇五—三三年)を実施するなど、東南アジアをはじめインド洋世界との対外関係を強化した。東南アジアの多くの国々が、明朝に朝貢し、中国との交易を進展させた。鄭和の遠征後も明朝は海禁政策を維持するが、一五六七年にそれを緩和すると、東南アジアに赴く華人が増えた。また一五—一七世紀前半には、琉球や日本からもシナ海域や東南アジアに赴く人々が増加し、さらに、一六世紀以降、東南アジアに来航したポルトガル人やオランダ人、イギリス人も、東アジアの交易に参入した。

海域世界の動向は、地域社会の展開と緊密に連関した。海洋交易をとおして流通した銀は、地域経済に少なからぬ影響を及ぼした。一六世紀後半にフィリピンに拠点を構えたスペインは、メキシコのアカプルコからマニラに銀を運ぶガレオン貿易に着手し、銀と交換に中国の絹製品や他のアジア製品を入手した。中南米の銀と当時世界の産出量の約三割を占めた日本の銀は、中国と日本の銅貨も加わり、東アジアと東南アジアの経済活動を活性化させた。明朝では税制改革が進行し、全国的に商品経済が広まり、東ユーラシアでは一七世紀に後金(のちの清)が台頭する交易活動の進展をもたらした。また東西商人を引きつけた東南アジアでは、港市が隆盛し、港市間ならびに内陸部とのネットワークが強化された。軍事技術の革新を経たヨーロッパ人のもたらした火器は、こうした東南アジアや東アジアの支配者の勢力拡大に寄与した。本巻「問題群」の中島論文は、大航海時代に東南アジア・東アジアに参入したヨーロッパ人と現地権力の関係や、彼らがもたらした文物や技術について検討する。

また第一〇巻「焦点」の渡邊論文が示すように、元朝による雲南制圧以降、中国と東南アジアは陸路でも緊密に結ばれた。このため、両者の交易活動が進展するとともに、政治関係がこじれると、衝突が起こった。明朝のベトナムや雲南さらに北タイへの遠征、清朝のビルマ遠征などがそれにあたる。なお、同じユーラシア大陸にありながら、東ユーラシアと大陸部東南アジアは、地勢的に異なる。本巻「展望」の上田論文ならびに「焦点」の柳澤論文は、東ユーラシアは遊牧民族の活動の場でもあり、近世においてもモンゴル高原や東北部の遊牧民族が、重要な政治勢力となったことを論じる。一方、ヒマラヤ山脈と雲南高原によりユーラシア草原地帯から隔てられた東南アジア大陸部は、中国やインドとの関係が重要になる。近年のグローバル・ヒストリー研究は、地球的規模での動向を踏まえつつ、地域間の関係や出来事の連関性を考察することの重要性を提起する(Lieberman 2003 and 2009; 島田 二〇一八:二一―一六頁)。

そうしたなかで、当該地域の人々が世界をどうとらえていたかは、検討するべき重要な課題となる。東アジアと東南アジアを包括する広域秩序原理は存在しない。東アジアでは中華を基盤とする華夷秩序が支配的であるが、多様な地域が存在し、その秩序観は一律でない。また東南アジアでは、明朝や清朝の華夷秩序に与するとともに、イスラム、上座部仏教、儒教、キリスト教が当該地域の支配原理として信奉されており、中華秩序と複合的な関係を形成する（弘末 二〇〇四：三六―四七頁）。本巻「問題群」の岡本論文は、清朝の属国、直省、互市、藩部への対応をとおして、その世界観や統治方法を論じる。また「焦点」の松井論文は、こうした複合的な国際関係の一翼を担った日本の事例を検討する。

　中華王朝の中央政治と地域社会の関係の検討は、王朝権力の実態と対外関係を考察する上でも、重要な作業となる。本巻「焦点」の岩井論文は、明朝が小農の保護のために導入した里甲制が、対外遠征に伴う郷村への負担増大のため、農民や地主の里甲からの離脱と里長や糧長の徴税職務の代行化を促し、地域社会を流動化させたことを示す。大木論文は、明代の士大夫文化の変容と大衆文化の台頭を検討し、都市を拠点に出版文化が成立したことを考察する。また杉山論文は、清朝がマンジュ人による支配と、漢地をはじめ各地在来の支配体制との両立をはかり、皇帝が諸地域を束ねる多面性と強い求心力を有したことを指摘する。

　東南アジア海域とシナ海の交易活動は、日本の「鎖国」や鄭氏に対抗した清朝の遷界《せんかい》令（一六六一―八四年）、一六七〇年代のヨーロッパでの胡椒価格の暴落により、一七世紀後半から終わりにかけて一時衰退した。ただし、明清交代の混乱の後政局が落ち着くと、活動は再び活性化する。清朝は遷界令を撤廃し展界《てんかい》令を発布して、海外貿易を許可した。一八世紀に中国経済は発展をとげ、人口が増加し、農業とともに諸産業の振興をみた。中国の経済動向は、周辺諸国に少なからぬ影響を及ぼした。東南アジアでは一八世紀以降、中国貿易が重要な比重を占めだし、近接する東南アジア大陸部は、一八世紀中葉―一九世紀初めにかけて大きな政治変動を経験した。新たな王国が形成されたビルマ、タイ、ベトナムでは、米をはじめ中国向け商品の生産が進展し、王国の統合が強化されたことを本巻「焦点」の岡田論文は明らかにする。一方、対外貿易を強い国家管理下においた朝鮮王朝では、農地の拡大を背景に一七世紀に税制が中央官府のもとに一元化され、一八世紀には商品作物栽培や市場活動が活性化したことを、六反田論文は論じる。

一八世紀以降、東南アジアで鉱山開発や商品作物栽培にあたる華人労働者も増えた。また一八世紀には、東南アジアでオランダやスペインの植民地支配が進行し、同世紀終わりから一九世紀初めにかけて、イギリスもマラッカ海峡に拠点を構える。ジャワやフィリピンさらに海峡植民地でも、中国向け商品の生産が盛んになる。東南アジアにやってきた外来者の多くは、現地人女性と家族形成した。本巻「展望」の弘末論文が論じるように、現地人女性やその子孫は、外来者と現地社会を仲介する役割を担った。一九世紀後半の植民地支配と異なり、この時代のヨーロッパ勢力には現地勢力の協力が不可欠であった。例えば、海上民に影響力をもつ現地勢力の存在を軽視すると、関係船舶がしばしば海賊に悩まされたことを、本巻「焦点」の太田論文は指摘する。

他方、東アジアの朝鮮王朝をはじめ清朝や日本は、外来者との交流を厳しい管理下に置こうとした(荒野 二〇二一、村尾 二〇一六)。東アジアでは、陸域を基盤としたこれらの国家が、海域をコントロールしようとした。ただし、中国経済が一八世紀に発展を遂げるなかで、中国商人だけでなく、東南アジアに拠点を有した華人やヨーロッパ人、さらにロシアにとっても、中国との貿易は重要となる。中国では朝貢を伴わない互市が活性化した(岩井 二〇二〇)。一八世紀の東アジアと東南アジアでは、海と陸の関係が一層緊密になるなかで、近代前夜の伝統社会が成熟していく。

(弘末雅士)

参考文献

荒野泰典(二〇二一)「東アジアの新国際秩序と日本型小帝国の構築」村井章介・荒野泰典編『新体系日本史5 対外交流史』山川出版社。

岩井茂樹(二〇二〇)『朝貢・海禁・互市——近世東アジアの貿易と秩序』名古屋大学出版会。

上田信(二〇〇五/二〇二〇)『海と帝国——明清時代』講談社/講談社学術文庫。

岸本美緒(一九九八)「東アジア・東南アジア伝統社会の形成」岸本ほか編『岩波講座 世界歴史13』岩波書店。

島田竜登(二〇一八)「総論 近世世界の変容」島田編『一六八三年 近世世界の変容』〈歴史の転換期7〉、山川出版社。

弘末雅士(二〇〇四)『東南アジアの港市世界――地域社会の形成と世界秩序』〈世界歴史選書〉、岩波書店。

村尾進(二〇一六)「境界を表象する――「広東システム」と水上居民女性」水井万里子・伏見岳志・太田淳・松井洋子・杉浦未樹編『女性から描く世界史――一七~二〇世紀への新しいアプローチ』勉誠出版。

Lieberman, Victor (2003 and 2009), *Strange Parallels: Southeast Asia in Global Context, c. 800–1830*, 2 vols., Cambridge, Cambridge University Press.

Reid, Anthony (1988 and 1993), *Southeast Asia in the Age of Commerce 1450–1680*, 2 vols., New Haven and London, Yale University Press.

展望 *Perspective*

東ユーラシア圏域の史的展開

上田 信

はじめに

本稿に与えられた役割は、かつての『岩波講座 世界歴史』第一三巻「東アジア・東南アジア伝統社会の形成」が出版された一九九八年から現在までの四半世紀において顕著になった歴史学界での新たな動向を踏まえて、地理区分で示すならば、マンチュリア・モンゴル高原・東トルキスタン・チベット高原、東アジア（大陸部「漢地」・朝鮮半島・日本列島・琉球列島・台湾島）および海域アジアを範囲として、この圏域[1]の大半を包摂した元朝が、一三六八年に大都（現・北京）を放棄してモンゴル高原に退いてから、一六四四年に清朝が山海関《さんかいかん》を越えて漢地に入るという転機を経て、一八世紀なかばに清朝の版図が最大になるまでの約四〇〇年間を展望するところにある。その期間を二分し、元朝北帰から清朝入関《にゅうかん》までを「元–清間期」として前半で概観し、清朝が当該域圏の秩序形成の中核となった時代を後半に位置づける。

近年の歴史学界における新動向として、まずグローバル・ヒストリーが深化するとともに、環境史・疾病史・ジェンダー史・歴史人口学などの新潮流が貫入したことを挙げることができる。また、個人の生き様に焦点をあてたミクロ・ヒストリーも現れるようになった。グローバル・ヒストリーとミクロ・ヒストリー、それら二つの動向に共通する点は、国の枠を越える視座を備えていることである。両者のあいだには、視点の取り方において本質的な相違がある。前者は地球のうえで展開してきた歴史を俯瞰するのに対して、後者は日常生活に立ち返って歴史を仰視しようとする。前者は「大きな歴史」、後者は「小さな歴史」となり、「鷹の目の歴史」・「蟻の目の歴史」に換言することもできよう。

これら二つの歴史を架橋する試みとして、ギンズブルグが提唱するミクロストリアを挙げることが可能であろう(ギンズブルグ 二〇一六)。ギンズブルグは、小さな歴史の研究は、あらかじめ総合することを視野に入れることで、大きな歴史を深化させられるという。さらにイーミック(行為当事者の分析)とエティック(観察者による分析)という文化人類学の用語を参考にして、次のように述べている。「歴史家たちはどうしてもアナクロニスティックなものにならざるをえない言葉を使った問いから出発する。そして調査の過程で、新たに発見された証拠にもとづいて、行為当事者たちの言語のなかで発せられている答えをよみがえらせ、このことによって当初の問いは修正される」(同:七五頁)と。ミクロストリアを参照して、二つの歴史を包摂する「歴史」を、仮にトータル・ヒストリーと呼んでおこう。

本稿ではアナクロニスティックな言葉遣いを見直し、当事者の言葉に可能な限り寄り添う。同一の事象に対して、異なる当事者が異なる言葉を用いている場合が多い。そのため同定する必要から、生物に学名を付し、人名は原則として本名で記載する(上田 二〇〇八)。

一、歴史の舞台

近年、中国を中心に据えた「東アジア」という歴史的空間が見直されている。筆者は拙著(上田 二〇〇五)において

「東ユーラシア」という圏域を提示した。ここでは「東ユーラシア圏域」の範囲を厳密に検討してみたい。参考にするのは、梅棹忠夫が「文明の生態史観」(梅棹 一九六七)のなかで提起した「理想大陸」としてのユーラシア像(上田 二〇〇九)である。

もともと動物学を専攻していた梅棹が、文明を論じるようになる契機は、今西錦司が組織した中国東北部の大興安《だいこうあん》嶺《れい》の探検に参加し、その後、ふたたび今西に声を掛けられて、今西が所長を務める張家口《ちょうかこう》に一九四四年に設立された西北研究所に嘱託として入所したところに求められる。梅棹が遊牧に関心を向けながら文明を論じる契機は、こうした戦時中の調査研究にあった。一九五五年にアフガニスタンからカイバル峠を越えてパキスタンを経てカルカッタまで横断した。そのときに見聞したことを考察するなかから、生態史観の発想が生まれたと、梅棹は回想する(梅棹 二〇〇二)。

梅棹の生態史観の骨格は、ユーラシア大陸を東北から西南に斜めに横断する巨大な乾燥地帯が存在し、それを挟んでその東西でシンメトリーに地域が配置される。この図のユニークなところは、気象学の基本概念「理想大陸」から出発している点である。北半球の大陸では、地球の自転の影響で偏西風がおこり、それが地球自転の偏向力によって北に曲がる。その結果、大陸の中央の乾燥地帯が斜めになる。この乾燥地帯を中心に、楕円形のユーラシア大陸モデルを描き、この図から歴史を解釈する。

梅棹の生態史観は、理想大陸の気候区分に規定されて、それぞれの地区で文明が植物群落のように遷移し、最終的に極相に落ち着くことを想定する。梅棹は乾燥地帯から現れてくる遊牧民を、文明の破壊者とする。しかし、近年の研究では、遊牧民が農耕地帯で繁栄した文明から多くを学び、人材を登用し、乾燥地帯を横断する交易を促進させたことを明らかにしている。一三世紀に忽然と登場するモンゴル帝国は、膨張する過程で抵抗する諸都市を破壊はしたが、支配が安定すると交易者を保護し、ユーラシア大陸の東と西の文明を橋渡しした。

表1　主要都市の降水量（ユーラシア大陸を中心として）

	秋田	瀋陽	天津	太原	酒泉	カシュガル
年降水量(mm)	1787	709	533	386	76	84
冬季合計(12-2月)	405	31	13	6	6	26
夏季合計(6-8月)	502	446	401	285	54	104
観測期間(年平均)	1951-80	1920-35	1905-30	1920-36	1934-40	1934-44
	ブハラ	アシハバード	イズミール	ナポリ	マドリッド	リスボン
年降水量(mm)	128	210	648	871	419	708
冬季合計(12-2月)	50	62	318	330	112	290
夏季合計(6-8月)	4	9	25	66	48	23
観測期間(年平均)	1894-2018	1931-60	1864-1949	1946-55	1913-47	1931-60

梅棹の生態史観の起点となる理想大陸ユーラシアの中央を、東北から西南に斜めに横断する乾燥地帯を、実際の地理と対応させるため、北緯四〇度前後に立地する地点の平均降水量の年間・冬季（一二―二月）・夏季（六―八月）を検討する［表1］。この緯度のばあい、おおよそ年降水量が四〇〇㎜よりも少ない地域は、乾燥地域（サバンナ・沙漠）となる。

季節による降水量の多寡を比べると、日本列島の秋田から東トルキスタンのカシュガルまでは夏季の方が冬季よりも多いが、ウズベキスタンのブハラから西では冬季の方が多くなっている。およそ東経七五度あたりで、降水量でみたユーラシア大陸は、東西に分かれるとみることができる。大陸の北回帰線上の地点で調べると、現パキスタンのカラチは年二〇四㎜、冬季二四㎜、夏季一五三㎜（一九三一―六〇年平均）、パスニは年一二七㎜、冬季八七㎜、夏季二一㎜（同平均）となり、この地点のあいだの東経六五度あたりで分岐線が引かれる。この降水量の分岐線よりも東を、自然地理学的な東ユーラシア圏域、西を西ユーラシア圏域とする。本稿の守備範囲は、東ユーラシア圏域である。

東ユーラシア圏域を、自然地理の観点から大きく区分しておこう（中国植被編輯委員会一九八〇）。北部のシベリア高原では、永久凍土から夏に水分供給を受けて寒温帯針葉樹林帯（秋に落葉する針葉樹が主要樹種）が広がっている。東北部のマンチュリアは、スタノヴォイ山脈（外興安嶺）でシベリアと、大興安嶺でモンゴル高原と区画された地域で、遼河とアムール川、およびそれらの支流が形成した平原が広がる。アムール川西岸に連なる丘陵地帯(小興安嶺)を挟んで、その北には常緑針葉樹林帯が、南には温帯針広混交樹林帯が広がる。西部のモンゴル高原・東トルキスタン・チベット高原は乾燥地帯に属し、ステップ・沙漠が連なる。

植物が繁茂する夏季に雨が多い東ユーラシア圏域では、年間降水量が四〇〇㎜程度であっても、かろうじて天水に依存する農耕が可能となる。その範囲は現在の河北省の北部から山西省の大同周辺、陝西省の延安《えんあん》・米脂《べいし》となる。この地帯は歴史のなかで、遊牧系民族と農耕系民族とが奪い合う農牧交錯地帯(2)と呼ぶことができる。

圏域の東部は、漢地・朝鮮半島・日本列島・琉球列島で構成される。大陸部の植生は、北緯三五度あたりの秦嶺《しんれい》と淮河《わいが》とを結ぶ線で、暖温帯落葉広葉樹林帯に属する華北と暖温帯常緑広葉樹林帯に属する華中・華東とに区分される。熱帯季雨林・熱帯雨林が広がる南部は、華南およびインドシナ半島から東南アジア島嶼部、インド亜大陸沿岸地域を含む。

一般的なアジア史では、元朝衰退後の歴史を、漢地で明朝が成立するところから描くが、そのダイナミズムを解明するためには、モンゴル高原の動向から描く必要がある。朱棣《しゅてい》(永楽帝)が南京から遷都した結果、明朝の首都は農牧交錯地帯に位置する元朝の大都を踏襲した北京に置かれることになった。その結果、常に西北からの脅威に、首都がさらされることになった。朱棣はモンゴルに遠征したが、一五世紀なかば以降は、常に守勢に立たされた。歴史の主導権はモンゴル側にあったと言えよう。

二、元–清間期の東ユーラシア圏域西部

モンゴル高原遊牧社会の変容

遊牧社会に起源を持つモンゴル帝国が、グローバル化の起点とされることが多い(秋田 二〇一九)。しかし、遊牧社

会のイメージは固定的であり、歴史的な変化は十分には解明されていない。遊牧社会の変化を明らかにするためには、彼らの日常生活を支えた自然環境から検討を始め、フィールドワークに基づいて描かれる日常生活から過去を照射し、農耕社会で記された他者の記録、口頭伝承を下敷きにして後世に書かれた年代記との整合性を図りながら、遊牧民の「小さな歴史」を再構成する必要がある。

乾燥地帯における日常生活を理解するためには、湿潤な地域の常識から自由になる必要がある。乾燥が植物の生育を制約する乾燥地帯において、樹林限界以下の山地で、植物の生育に最も適した土地は、北半球の場合、山の上の北斜面となる。標高が高いために気温が低く、北斜面のために直射日光を受けず、土壌の水分が蒸発しない土地では、冬の積雪が最後まで残り、融雪とともに植物が育ち始めるのである。こうした山の樹林から伏流水として下った水が、山麓に豊かな草原を形成する。乾燥地帯の歴史を見ると、数多くの部族名が登場するが、どの山のふもとで遊牧を行っているかを見極めることが重要となる。

遊牧のありかたは、先に示した東・西ユーラシア圏域の境界線を挟んで、大きく異なる。主な牧畜がヒツジ・ヤギとウマである点は共通しているが、西ユーラシア圏域ではヒトコブラクダ(学名 *Camelus dromedarius*)、東ユーラシア圏域ではフタコブラクダ(家畜種の学名 *Camelus bactrianus*)とウシを飼育する。夏に降水量が少ない西ユーラシア圏域では、夏季に平地が極端に乾燥するため、高山に移動する。一方、夏に比較的降水量が多い東ユーラシア圏域では、夏に牧草が生える平野で放牧し、冬になると山地で雪の下で保存されている枯れ草を求めて移牧する(小貫 一九八五)。飼育する家畜の組み合わせや移牧の季節的な相違によって、東・西ユーラシア圏域の遊牧社会も、その成り立ちが異なる。

モンゴル高原は一面に草原が広がっているようなイメージで語られることが多いが、実際には起伏に富んでいる。高原の北部には東からヘンティ山脈、バイカル湖の南に連なるハマル＝ダバン山脈、シベリアと隔てるサヤン山脈が走っている。高原の東はマンチュリアと隔てる大興安嶺の大樹林帯が広がる。西はアルタイ山脈が連なり、高原の少し西に寄ったところでは、ハンガイ山脈が連なる。南にはゴビ沙漠が広がる。そこから西南に下るとトルファン盆地のハミに出る。西南部のアルタイ山脈と天山山脈に挟まれたジュンガル盆地には、遊牧に適した草原が広がっている。天山山脈の南にはタクラマカン沙漠が広がり、山脈から供給される伏流水に支えられたオアシス都市が連なる。

モンゴル高原の中央部には、モンゴル語で沙漠を意味する「ゴビ」が広がる。この沙漠の南北の草原地帯を本稿では「漠南」「漠北」と記す。漠南では陰山山脈の山麓に草原が広がり、遊牧が行われていた。ここから南東に下ると、黄河が北流してから湾曲する河套に抜け、中原との回廊を形成している。古くからモンゴル高原の遊牧勢力は、この河套を経由して中原に侵入してきた。

モンゴル高原に居住していた人々は、一二世紀末ごろにテムジン（一二〇六年以降にチンギス・ハンと称する）が建てた帝国のなかに包摂された。テムジンが属していたフレー（幕営時に氏族の首長を中心に編成した円陣）は、もともとヘンティ山脈周辺の森林と草原の交錯する地域で、森林での狩猟採取と草原での放牧を組み合わせていたと考えられる。一〇世紀から顕著になったユーラシア大陸での気候の温暖化を背景として、豊かな牧草をもとめて遊牧する生活へと移行し、機動的に移牧し、家畜をきめ細かく飼育するのに適合したアイル（近親関係で結ばれ、いくつかの移動式住居ゲルで共同生活する世帯）が社会の単位となった。遠征に際しては、アイルから兵士が調達され、軍団に続く輜重《しちょう》隊とともにアイルが移牧をしながら付き従う。こうした編成を取ったために、征服した遊牧地ですぐに生活を始めることが可能となる。千人の兵士の母体となるアイルのまとまりを、ミンガン（千戸制）(3)と呼ばれる社会・軍事組織に編成し直すことで、テムジンの帝国は膨張を始め、モンゴル高原で暮らしていた部族を吸収していった。

テムジンの出自となる氏族ボルジギンの系譜を引くものは、その標識によってモンゴル高原の全遊牧民から別格と認識され、特にテムジンの男系の子孫であることが遊牧社会の盟主たるハーンとなる要件と見なされた。歴史家はこれを「チンギス統原理」と呼んでいる。また、チンギス・ハンの男系子孫と婚姻関係を結んだものも、名家であるという標識を獲得した。それ以外の異姓貴族は、ノヤンと呼ばれる。

一三六八年に明軍の北伐で大都を撤収したハーンのトゴン・テムルは、漠南の応昌《おうしょう》に移動した。『蒙古源流』(原題『エルデニイン・トブチ(宝石の綱要)』)は、南京に居て漢人を束ねた朱哥《しゅか》ノヤンが、財宝を大都に届ける車両に兵士を潜ませ、トロイの木馬のような策略でハーンを追い落としたという物語を記す(岡田 二〇〇四)。このときハーンは、元朝の玉璽を袖にして落ち延びたという。モンゴル高原に引き上げたモンゴル政権は、一般に「北元」と呼ばれるが、モンゴル側は依然としてみずからを「大元」と認識していた。

一三八八年にハーン位を継いだトグス・テムルは明軍に敗れて逃走する途中で、かつてフビライとハーン位を争ったアリク・ブケの子孫イェスデル配下の軍勢に殺害された。このイェスデルが後ろ盾にした勢力が、当時はハンガイ山脈山麓を遊牧地としていたオイラトである。オイラトはモンゴル系の部族で、チンギス・ハンの子孫と姻戚関係を結ぶことで、支配の正統性を確立し、タイシ(太師)などの標識を獲得した。明朝はモンゴル勢力を「韃靼《だったん》」、オイラトを「瓦剌《わら》」と区分する。一五世紀はじめに朱棣のモンゴル制圧が頓挫すると、明朝は両者を互いに反目させる政策を採り、劣勢に立たされた側に朝貢を認めるなどしてもり立て、両者の均衡を持続させた。

一五世紀なかば、オイラトの首長のトゴンは、フビライの系譜に属すると目されるトクトア・ブハを招聘してハーン位に即けた。正統ハーンを傀儡として権威を獲得したトゴンは、勢力をモンゴル高原の東部まで伸張させることに成功する。さらにモンゴル高原からみて東トルキスタンの入り口に位置するハミのスルタンに、娘を嫁がせた。トゴンから地盤を引き継いだ子のエセンは、自分の甥が統治していたハミを制圧してタクラマカン沙漠に進出し、一四四六年には大興安嶺を越えて覇を唱えた。

トゴンとエセンとの二代をかけて築いた帝国は、おらくチンギス・ハンの事績を参考にしたものだろう。すなわちモンゴル高原から西にシルクロードと接合し、東では河套とマンチュリアに進出して漢地の物産を獲得するルートを確保、東西の交易を掌握することで財政基盤を構築し、ユーラシアの帝国を再興するというプランである。『明実録』によると、オイラトのトクトア・ブハとエセンが明朝に送った使節には、「回回《かいかい》」（ウイグル系ムスリム商人）三五九八名が同行していた（『明英宗実録』巻一七三、正統一三年一二月庚申）という。明朝はこうした朝貢が財政負担となり、朝貢の回数や使節の同行者の制限を加えようとした。業を煮やしたエセンは、一四四九年に明朝領域内に侵攻し、明朝の正規軍を包囲殲滅し、土木堡《どぼくほ》（現在の河北省張家口市懐来県土木鎮）で皇帝を捕虜にする。皇帝を人質にして交渉するも埒があかなかったため、エセンは再び侵攻して今度は北京を包囲するが、城を破ることはできなかった。

この戦役の失敗は、エセンの権威を失墜させた。擁立していたハーンのトクトア・ブハとも対立し、一四五二年にハーンを殺害、翌年にみずからがハーンに即位した。明朝が伝える称号は「大元天盛大可汗」であり、元朝のハーンと名乗ったことになる。エセンの即位は、チンギス統原理に反していた。エセンのハーン即位はオイラトを含めモンゴルの諸部族の支持を得られず、一四五四年に起きた反乱のなかで命を落とすことになる。その後、一四八〇年代にモンゴル中興の祖バト・モンケが歴史の表舞台に登場するまでのあいだ、『蒙古源流』などが記す物語は貴種流離譚といってもよいであろう。オイラトの勢力は衰退して西に退き、ジュンガル盆地を主な移牧の範囲とするようになる。

一五世紀なかばごろ、モンゴルの社会・軍事組織の単位がミンガンから一桁あがって、トゥメン（万戸）という大きな括り方が重要になり、ミンガンという表現はしだいに使われなくなる。トゥメンは語源の「万人の兵士を出す社会集団」という意味を失い、一個の「くに」として分立していく。

モンゴル高原における社会通念

モンゴル族のあいだでは、チンギス・ハンが信仰の対象となっていた。六盤山のふもとで死去したテムジンの遺体は、出身地のヘンティ山脈で埋葬されたが、その地は現在にいたるも明らかになっていない。陵墓の代わりに礼拝の場となったものが、ナイマン・チャガン・オルド(「八つの白いオルド」)。漢語では「八白室」である(楊 二〇二〇)。白いオルドとは、巨大な移動式ゲルで、ハトン(ハーンの后妃)が居住するモンゴル社会の宮廷である。チンギス・ハンには四つの宮廷オルドがあり、ハーンの死後はハトンたちが管理する神聖な空間となった。さらにチンギス・ハンの遺品を収めたオルドが加わり、合計八つとなった。なおオルドの複数形は、オルドスである。八白室はヘンティ山脈南麓を流れるヘルレン川流域を移動していた。権威の継承などは、この八白室で行われる。その統括をまかされたのが、ハーンに次ぐ権威を持つジノンである。ジノンは漢語の「晋王」が転じたものだとされる。

一五世紀なかばに八白室はジノンの配下の集団とともに南下して、河套に移動する。これ以降、河套はオルドスとも呼ばれる。この時期にはユーラシア大陸では気候が寒冷化していたと指摘されており(中島 二〇一九)、南下の要因であった可能性もある。エセンが担ぎ上げたトクトア・ブハは、弟のアクバルジをジノンに任命した。エセンの死後、東トルキスタンと接するモンゴル高原西南部から勃興した遊牧部族が漠南に進出してヨンシエブと呼ばれる部族を吸収して、トクトア・ブハの弟のマンドールンをハーンに擁立し勢力を拡大した。

『アルタン・ハーン伝』(原題『エルデニ・トゥヌマル・ネレト・スドゥル・オロシバ(宝の清澄という名の書)』)や『蒙古源流』などのモンゴル年代記(森川 二〇〇七)によれば、マンドールン・ハーンが男児を残さずに死去したとき、アクバルジの曽孫バト・モンケはチンギス・ハンの血統を引く唯一の男児と目されていた。そのためその身柄を誰が擁するかは、重要な政治的な意味を持った。幼いバト・モンケを確保したのは、ヨンシエブ首長であったイスマイルである。マンドールン・ハーンのハトンであったマンドフイは年下のバト・モンケと再婚し、その直後にバト・モンケはハーンに即位したとされる。

『蒙古源流』には「〔求婚者の〕ハサル(テムジンの弟)の子孫と結婚すれば、暗い道をたどり、すべての御自身の領民から離れて、ハトンの称号を失いますよ。ハーンの子孫を守れば、天の神様のご加護を受け、すべての御自身の領民を支配して、ハトンの名誉をたたえられますよ」(岡田 二〇〇四)と論されたというエピソードが記載されている。ハトンは遊牧集団を領有し、その首長として政治的な判断が求められていた(牛 二〇二二)。マンドフイに関する伝承も、こうした伝統を背景にしている。

『アルタン・ハーン伝』には、バト・モンケはハーン即位にあたって、ダユン・ハーンの称号をモンゴル諸部族から奉られたとある。「ダユン」は元朝の国号「大元《ダーユアン》」に由来する。『明実録』にも、「大元大可汗と自称した」(弘治元年五月乙酉の条)と記されている。一七世紀になると「すべての、あらゆる」という意味の「ダヤン」にすり替わり、ダヤン・ハーンと呼ばれるようになったと考えられる。

モンゴル勢力は伝統的な軍事的体制に基づいて、本拠地から遠征方向に向かって左翼と右翼とに分ける。バト・モンケのもとで左翼は漠北、右翼は漠南に配置された。ハーン即位後、バト・モンケは、まず左翼に配された三つのトゥメンを統合した。左翼三トゥメンとは、モンゴル高原東南部を拠点とするチャハル、大興安嶺西麓を遊牧地とするハルハ、チンギス・ハンの埋葬地を守護する役割を担ってヘンティ山脈山麓を遊牧地とするウリヤンハイからなる。右翼に属する漠南のトゥメト・オルドス・ヨンシエブの三トゥメンは反抗的だった。バト・モンケは右翼を抑えるため息子をジノンとしたが、即位のために八白室に赴いたところをヨンシエブが取り囲み射殺してしまう。バト・モンケは右翼討伐を行い、一五〇九年または一五一〇年に仇敵を下した。

ダユン・ハーンは遊牧民を左翼・右翼の六トゥメンに編成し直し、みずからはチャハル・トゥメンの首長として全体を統括、その他のトゥメンを構成する有力部族のもとに息子たちを婿入りさせた。チンギス統原理の通念によれば、フビライ後裔を婿に迎え入れることは、その部族全体の格を上げることになる。その後、モンゴルの有力者のほとんどが、フビライの子孫と称するようになった。バト・モンケが「モンゴル中興の祖」と讃えられるのは、それ故である。

『アルタン・ハーン伝』の記載からは、大規模な遠征を行うときには、事前に力を蓄えるために遊牧に専念すること、そして戦勝すると八白室の前に一同が集まり、有力者の地位を追認し、政治体制の確認が行われることなどを、うかがい知ることができる。左翼を率いるハーンといえども、八白室を管理するジノンの存在は、無視することができない。バト・モンケはジノンに三男を指名し、オルドス・トゥメンの首長とした。その長男がジノン位を継承し、次男のアルタンは漠南トゥメトの首長となった。一五四二年にジノンであった兄が死去すると、アルタンは右翼全体を統合する実力者となった。チャハル首長であった正統ハーンは八白室に全トゥメンを集め、アルタンにトゥシェートゥ・センチェン・ハーン(「補佐する賢明なハーン」の意)の称号を授けた。アルタンの勢力を恐れたチャハルは大興安嶺の東側に移住し、ハルハは分裂し、内ハルハは大興安嶺山脈の東に移住した。残った外ハルハは、ヘンティ山脈とハンガイ山脈のあいだの広大な草原で遊牧した。

一五五〇年、アルタンは明朝領内への侵攻を開始した(庚戌の変)。これが契機となり、中国で邪教として迫害されていた白蓮教徒が、アルタンのもとに流れ込んできた。モンゴル高原に流入した中国人は、バイシン(板升)と呼ばれる土塁で囲まれた居住区ごとに組織された。バイシンとは中国語で人民を意味する「百姓」(バイシン)に由来する。中国側の史料によると、大小の定住区域に暮らす人々は五万を超えたという(『万暦武功録』)。一五六五年には漢族を定住させるために、大きなバイシンが建設され、フフホトとして発展することになる。外征が多いアルタンに代わってフフホトを管理した人物は、アルタンの三番目の妃となったジュンゲン・ハトンである。明朝側もその実力に敬意を示して「三娘子」と表記する。

アルタンと明朝とは一五七一年に隆慶和議を結び、アルタンは順義王に冊封され朝貢することを認められる。『アルタン・ハーン伝』は和議が成立したことを、「キタド(明朝)とモンゴルの大政は定まり、全大オルスは手足を大地につけて安らい、大元大オルスを大いに楽しませ、泰平の大政が定まったことは、このようであった」と言祝ぐ。

「大元大オルス（ウルス）」とは、フビライが創建した元朝を盟主とするモンゴル帝国である。しかし、アルタンは正統ハーンではない。あらたな権威のより所となったのが、チベット仏教ゲルク派であった。

元朝の統治が揺らいでいた一三五七年、チベット高原東北部のアムド地方のツォンカ（湟中）で誕生したロサン・タクペーペル（ツォンカパ）は、各宗派の僧侶との争論を経たあと、一四世紀末に仏教の広範な教えを修行の階梯のなかに位置づける体系を創生し、一四〇九年にゲルク派として立宗した。ゲルク派では教育カリキュラムが確立され、その学習と修行の場として僧院が重要な施設となる。

一五七八年、チベット高原の東北でアルタンは、ツォンカパの直弟子が転生したというソナム・ギャムツォと会見し、ダライラマという称号を献じた。ソナム・ギャムツォはツォンカパの直弟子から三人目の転生者であったために、ダライラマ三世となる。ダライラマに帰依したアルタンは、パクパがフビライに灌頂《かんじょう》を賜ったように、ダライラマがアルタンに灌頂を授けるようにもとめた。チベット・モンゴルの観念における時間は、循環的である。ゲルク派チベット仏教は、この循環的な時間を統御した。アルタンはダライラマの力を借りて、フビライと同等の権威を身につけたと考えられる（池尻 二〇二一）。

一方、ハトンのジュンゲンには、アーリア・ターラーという称号がダライラマから与えられている。これは古代チベットの王ソンツェンガンポの妃にちなんだ標識である。この会見の翌年（一五七九）、アルタンはダライラマの言葉に従い、フフホトでシャカムニ仏を造らせ、それを祭るために寺院を建立した。モンゴルで現存する最古の寺院（通称「大昭寺」）である。仏像と寺院の建立にいたる経緯は、ソンツェンガンポの妃の事績に倣ったものだと考えられる（石濱 二〇〇一）。寺院と結びついた都市の出現は、遊牧社会に決定的な変容をもたらした。ゲルク派の僧侶は僧院で生活し、生産を行わない完全な消費者である。さらに寺院には多くの参拝者が、遠方から巡礼してくる。こうした人々の生活を支えるために、大量の物資が漢地から運ばれてくる。この交易を担ったのは、旅蒙商と呼ばれる山西に拠点を置く商人であった。

灌頂で力を得たアルタンは本拠地にもどると、ただちにタクラマカン沙漠のオアシス都市に使者を遣わした。明朝とは和議を結んで朝貢貿易を行い、東トルキスタンのオアシス都市と接合させるという大交易圏構想が動き始めた一五八二年、アルタンは病に斃《たお》れた。その構想は、ついに実現されることはなかった。

三、元―清間期の東ユーラシア圏域東部

元朝の遺産

一四世紀、東ユーラシア圏域東部では政権交代と動乱がほぼ同時に起きる。日本列島では一三三〇年代に鎌倉武家政権が崩壊し、動乱を経て、一三九〇年代に京都を中心とする武家政権が確立する。一四世紀前半期の琉球列島の沖縄本島では、島内の按司《あじ》とよばれた地方豪族の統合が進み、三山時代を経て一四二九年に琉球王国の統一へと向かい、奄美を統合する。漢地では明朝が一三六八年に建国されたあと、朱棣のクーデタ「靖難の変」が終結する一四〇二年まで戦乱が続いた。一三九二年に朝鮮半島では高麗から朝鮮へと政権が交代した。なぜ同時期に政権交代が続いたのか、フビライの時期に誕生した物的・人的ネットワークを介して、元朝衰退の影響が周辺地域に波及したということを、本項で検討してみよう。

日本における政権の移行は、フビライが行った二度にわたる日本侵攻が遠因となった。元朝の遠征軍は、一回目は高麗、二度目は南宋滅亡後の江南から徴用して編成したもので(中島 二〇一三)、おそらく士気が高くはなかったため、元寇は失敗に終わる。しかし、第三の侵攻がないという保証はなく、防衛を強化するために、鎌倉政権は九州在住する直属の武士(御家人)を動員するとともに、東国在住で九州に所領を持つ御家人を、九州に赴かせた(新田 二〇〇一)。

その結果、九州を中心に武家政権の基盤が形成されることになった。

東国の源氏宗家に属し、鎌倉政権の御家人であった源高氏(足利尊氏)が、あらたな政権構想を描いていた天皇の尊《たか》治《はる》(後醍醐天皇)の動きを封じるために京都に向かう途中で反旗を翻すと、源義貞(新田義貞)が東国で呼応して、鎌倉政権を滅ぼすことになる。天皇と対立した高氏は西国に退いたあと、中国地方・九州の武士を糾合して京都を征圧する。高氏に始まる新政権は、西国の武家と強い関係を持つようになる。

一四世紀なかば、元朝は衰退し東シナ海を統制できなくなる。日元間の交易は不安定となった。塩の密売を行っていた方国珍《ほうこくちん》が一三四八年に浙江で、一三五三年に張士誠《ちょうしせい》が江蘇で反乱を起こすと、寧波と博多を結ぶ正規の航路を迂回し、朝鮮半島を経由する交易路や、琉球列島を経由する南島路が重要性を持つようになる(榎本 二〇〇七、伊藤 二〇二二)。薩摩半島の交易港を擁した島津(鎌倉政権御家人の出身)や、百済の王子の後裔と自称し、朝鮮半島との関係を深めた周防の大内などが、勢力を持つようになる。西国の新興勢力の登場が、動乱の帰趨を決することになる。また、南島路交易は沖縄本島の統一を促進した。

漢地においては、いわゆる紅巾の乱のなかから頭角を現した朱元璋《しゅげんしょう》が、浙江(銭塘江)の東に連なる盆地地域に進出したときに、その地で朱子学を講じていた知識人を顧問として招き、その献策を受けて王朝の創建に成功する。その政権は、朱の旗揚げのときから加わった「淮西派」と、政権構築に関わった「浙東派」に二分されていた。一三六八年に南京を首都として明朝を創建し、元朝皇室をモンゴル高原に退去させると、朱元璋は両派を対立させながら力を削ぎ、科挙によって登用した官僚による統治機構が整うと、両派の粛清を行って独裁体制を敷いた。一三八〇年代にフビライの後裔が統治していた雲南を攻略して版図に加え、先住民の首長と世襲的な統治者「土司《どし》」に指名して間接的に統治を行った。

モンゴル勢力への防衛を図るため、朱元璋は農牧交錯地帯に王朝の拠点を置こうと試みている。遷都を視野に長子の朱標《しゅひょう》を西安へ派遣するが、病没してしまう。元の旧都の地に四男の朱棣を封じて燕王とした。その施策が朱元璋の死後に即位した朱標の長子の朱允炆《しゅいんぶん》（建文帝）と、朱棣とのあいだの長期にわたる戦役を結果することになった。

朱棣が第三代皇帝に即位したとき、その政権の周辺には有能な科挙官僚は少なく、宦官《かんがん》が皇帝の取り巻きとして勢力を伸張させた。朱棣は元朝の勢力圏を、回復しようと動く。モンゴル高原に遠征しただけではなく、ハッジ（メッカ巡礼を成し遂げたものに与えられた尊称）の息子で、明朝の雲南攻略の戦乱のなかで去勢され宦官となった鄭和を、シナ海域・インド洋の沿岸諸国に派遣し、朝貢を促した。マンチュリアのアムール川の下流には宦官の亦失哈《イシハ》を派遣し、元代に東征元帥府が置かれた地に、奴児干《ヌルガン》都指揮使司を設置した（菊池・中村 二〇〇八、アルテーミエフ 二〇〇八）。いずれの試みも、一五世紀なかばには放棄される。

元朝勢力が収縮するに従い、マンチュリアではジュシェン（女真《じょしん》・女直《じょちょく》）、黄海では海上諸勢力が活発に動き始める。元寇を契機に九州や瀬戸内海の小領主は、互いに連携して海に乗り出し、その一部は黄海沿岸での海賊・略奪を行うようになり、倭寇と呼ばれた。朝鮮半島では高麗が一三五六年に元朝から自立する方針へと転換した。元軍の侵攻を防御して名を挙げた李成桂《イソンゲ》《りせいけい》は、ジュシェンや倭寇、半島に侵入した紅巾軍に対する軍事活動で勢力を増強し、一三九二年に政権を奪取、翌九三年に明朝に伺いを立てた上で、国号を「朝鮮」とした。しかし、明朝皇帝の朱元璋は正統性を認めず、冊封しなかった。冊封されるのは一四〇一年、朱棣によるものであった。朝鮮王朝は明朝に認められる必要から、明朝に倣って朱子学を国家の支柱に据えた。

明朝と朝鮮がともに国家の理念として採用した朱子学は、「気」の流れが身体から宇宙までの森羅万象を形づくるという思想体系である。気は万物の条理に従って流れ、気が流れることによって万物に潜在していた条理が発現する。朱子学が「理気」の学と呼ばれるゆえんである。宋濂《そうれん》や劉基《りゅうき》などの浙東知識人の多くは、朱子学を奉じていた。しかし、元朝のもとではその理念を実践できないと考え、官僚となる路を放棄し、同族集団「宗族」が開設した家塾の教師となることが多かった。族人以外の地域の住民も、家塾で学ぶ機会が与えられていた。宗族と地域のなかで彼らは朱子学を講じ、朱子学に基づく秩序を形成すべく働いたのである(上田 一九九五)。

朱元璋は紅巾軍に加わる前に、仏僧として教養を身につけていた。その発想は理念的であり、その信念に根ざした理想が人々を糾合させたと考えられる。その信念はときにリゴリステックな裁定をもたらすが、紅巾軍の頭目の養女から朱元璋の妻となった馬氏が取りなすことで、朱の軍団が崩壊することはなかった(上田 二〇二〇b)。

浙東知識人が示した朱子学の理念に、朱元璋は共鳴した。人民は親族や郷里の生活のなかで、理気に基づく序列を身体的に習得する。身体化された序列を、朱子学のテキストを学ぶことで体系的に理解する。朱子学の理解度を測る科挙に合格して官僚となると、朱子学の理念に基づいて政治を実践し、人民を訓育する。さらに理念に沿って朝貢国の序列を定めれば、夷国のあいだにも秩序が生まれる。朱子学に基づく政治は、国家に朱子学的な序列を根付かせ、国際関係は秩序を回復する。朱元璋が目指した社会は、「修身・斉家・治国・平天下」(朱熹が『礼記』から抜き出した「大学」の一節)という言葉に要約される。それは、日常生活から国際関係まで同一の理念によって秩序づけられる体制であったのである。

高麗でも科挙が行われ、文班と武班の二つの系列から成っていたため「両班《ヤンバン》」と呼ばれた。高麗後期、科挙を受験して官僚となる社会層は、地方在住の地主に限定された。朝鮮では朱子学に基づいて文班の登用が行われたが、高麗の時期の身分制的な枠組みが踏襲された。明朝の科挙はごくわずかな賤民を除いて、すべての人民(男性のみ)に開かれていたのに対して、朝鮮の科挙は、両班・中人(職能層)・常民(農民)・賤民からなる身分制を強化することになった。

「大きな歴史」と「小さな歴史」とを結びつける研究課題の一つに、貨幣史がある。貨幣は国家財政の根幹、国際経済の基底を構成するだけではなく、民衆の日々の暮らしに直結している。あるモノが貨幣となる条件は、均一性・希少性・持続性の三点である（上田 二〇一六）。貨幣には価値尺度・交換手段・価値保存の三つの機能があるが、価値の尺度となるためには、そのモノが均一であるか、あるいは完全に均一でなくても換算レートが成立している必要がある。あるモノが交換の手段となるのは、交換に参加する者のあいだで、そのモノが希少であるという認識が共有されていなければならない。しかし、過度に希少となると、手放す者がいなくなり、死蔵されてしまう。持続的にそのモノが投入されるという条件のもとで、希少性が過度に増すことはないという予測が生まれ、貨幣として使用され続ける。持続性には新規にそのモノが投入される場合と、フローとして循環する場合とがある。

一五—一八世紀に東ユーラシア圏域東部を巡った貨幣には、銅銭・紙幣（交鈔《こうしょう》・宝鈔《ほうしょう》）・銀錠《ぎんじょう》がある。その全体像を把握するためには、元代にさかのぼる必要がある（池 二〇〇一、伊原 二〇〇九、黒田 二〇一四）。元朝では遠距離交易に銀錠「元宝」が用いられる一方、漢地では南宋の会子《かいし》を継承した交鈔が発行された。一二六〇年に発行された中統交鈔は銀や布との兌換紙幣であったが、南宋を征圧後に交換を停止したため、価値が急落した。一二八七年に発行した至元宝鈔は、塩課や商業税として徴収することで流通する数量を調整し、その希少性を保った。

一三五〇年代に淮河流域で紅巾の乱が起きると、反乱鎮圧や物資輸送のために大量に発行された交鈔は、塩課・商業税の徴収による回収もできず、市場に滞留して希少性を損なうようになり、貨幣の条件を失った。遠隔地貿易も不調となり、銀錠のフローが滞り持続性という条件を失い、銀錠は死蔵されるようになる。明朝が成立したとき、漢地の貨幣経済は壊滅的な状況であったと考えられる。

明初の財政は貨幣に拠らず、現物納付と役務供出によってまかなわれることになった。人民を戸籍によって把握し、農民は里甲に編成して、国家への奉仕として成年男子を徴用し、穀物や織物を現物で徴収した。兵士も軍戸から徴用する。王朝が必要とする陶磁器や絹織物は、匠戸《しょうこ》に納品させる。専売制となっていた塩は、竈戸《そうこ》が生産する責務を負った。農牧交錯地帯の防衛ラインを維持するために、明朝が採った政策が塩を介した「開中法《かいちゅうほう》」と呼ばれる制度である。食料などの軍糧を、商人が指定された前線の駐屯地に運んで納入すると、塩の受取証「塩引」と照合証明書「勘合」が発給される。商人は指定された塩の産地に赴き、役所に塩引を提出して塩を受け取り、販売区域「行塩地」で塩を販売して、その収益を用いて軍糧を仕入れるのである。開中法のもとで勃興した商人グループが、前線に近い山西省出身の山西商人であった。

明朝は「宝鈔」と呼ばれる紙幣を一三七五年に発行した。元朝は塩課を鈔で徴収することで鈔の希少性を保ったが、明朝の開中法は鈔と無関係な制度である。一五世紀に朱棣が対外遠征や北京遷都などの大事業を行うなかで宝鈔が大量に発行されるが、塩課・商業税でほとんど回収されることはなく、宝鈔の希少性は失われ、一五世紀前半には貨幣の条件を失う。

日本列島の九州の領主や京都の武家政権は明朝との朝貢を求めたが、朱元璋は認めなかった。その端緒を開いたのは、源義満(足利義満)が第二代皇帝・朱允炆のもとに送った同朋衆《どうぼうしゅう》(阿弥号を有する武家政権の取り巻き)の祖阿《そあ》を正使、博多商人を副使とする使節であった。このとき義満は出家しており、「准三后《じゅさんごう》源道義」として交渉を進めた。准三后とは太皇太后・皇太后・皇后の三后に准じるという標識であり、その多くは皇族か摂関家であるが、平清盛もその一人であった。義満は日宋貿易で銅銭を輸入した清盛を先例として、日明貿易を始めようとしたとも考えられる。

義満が祖阿を正使に据えた理由は、同朋衆が威信財として明朝から輸入した唐物《からもの》を管理し、その価値を算定する職能者であり、金融業者であったところにある。たとえば一三九四年に義満が日吉社に詣でたときの費用を捻出するために、善阿弥という坂本の富者から銭一二〇〇貫を借りている。同じく善阿弥の名は、応永九年(一四〇二)正月に義満が北山第で祈禱を行った際の供料について記した文書にも、見ることができる。

義満はその身辺の出費をまかなうために、銅銭を渇望していたと想像される。義満は一四〇一年に朱棣から冊封されて日本国王の称号を得るが、明朝は銅銭ではなく宝鈔を下賜した。日本使節は明朝に銅銭を要求したとみられ、一四〇七年になって二万貫の銅銭を得た(川戸 二〇一七)。銅銭は明朝との朝貢貿易のほかに、密貿易や琉球経由でももたらされた。朝貢以外のルートで日本に流入した銅銭は明銭とは限らない。宋銭などの「精銭」とともに民間で鋳造された私鋳銭ももたらされ、日本国内で流通した(大田 二〇二一)。

漢地では一四三〇年ごろから、全国的な商品流通が回復し、銀錠のフローも徐々に再生し、死蔵されていた銀がふたたび貨幣として用いられ始めた。江南地域で税の銀納化が始まり、その費目がしだいに労役に及ぶ。一五世紀末、開中法が変更され、塩の産地で銀を納めれば、塩引が支給されるようになる。淮塩の産地や浙江省沿海部の塩田地帯を商圏としていた徽州《きしゅう》商人は、その地の利を活かして塩商として富を蓄えることになった。

石見銀山での灰吹法の導入により日本の銀産出量が急増し、一五三〇年代後半以降、日本から銀が漢地に流入し、その流れとは逆に生糸・絹織物・陶磁器など、多様な物品が日本に輸出されるようになる。民間の交易は、明朝の海禁政策のもとでは密貿易とならざるを得ない。江南を商圏とする徽州商人のなかから王鋥《おうとう》(王直)などの密貿易商人が官憲の取り締まりに抗して武装し、日本の五島・平戸などに拠点を置いて活動した。ここにポルトガル出身者、おくれてマニラに拠点を置いたスペイン人が介入してくる。一五六七年に明朝は海禁を緩和し、日本を除く国々との交易を認めるようになる。海禁から互市への転換である。

銀の奔流は、漢地の社会に大きな影響を与えた。一六世紀なかばには経済的先進地であった江南から、銀納化された地税と人頭税を一括して銀で納める「一条鞭法《いちじょうべんぽう》」が始まる。一五六八年には浙江で、納税者が自ら銀を封印して県の役場に納める「自封投櫃《じふうとうき》」が始まり、知県に徴税の責務が課されるようになった。江南や浙江・福建の都市では、消費文化が開花した。知識人のなかには科挙を受験せず、その才覚で文筆業や官僚の顧問として生計を立てるものが現れるようになる。

一六世紀なかばに銀を産する日本と銀を必要とする明朝とのあいだの交易が活発になると、精銭とともに福建で鋳造された私鋳銭が大量に流入するようになる。さらに日本国内でも私鋳銭が造られたり、摩滅・破損した銅銭が使われたりすることで、貨幣としての均一性が保てなくなった。精銭と悪銭を区分してレートを定める撰銭（えりぜに）が行われるとともに、地域差を伴って通貨体系が変容した。精銭のストックが大きい畿内では精銭の使用が維持される一方、東国では永楽銭が基準通貨として価値の尺度となった(大田 二〇二二)。畿内の周縁部では均一性という貨幣の条件を失いつつあった銅銭の代わりに、一五七〇年代になると米を基準とする取引に置き換わっていった(中島 二〇一二)。全国統一を成し遂げた豊臣政権が始めた壬辰戦争(壬辰・丁酉倭乱、文禄・慶長の役・万暦朝鮮戦争)の軍事資金は、諸大名からの金銀上納に支えられた。これが契機となり、金・銀・銭・米を貨幣とする時代へ、日本は転換した(本多 二〇一二)。

私的な経済活動が貨幣の趨勢を決定した漢地や日本とは異なり、朝鮮では国家が貨幣を統制する傾向が強かった(須川 一九九九、李 二〇〇〇)。漢地と国境を接するという地政学的条件のもとで、経済的自立を維持するためには、宋銭・明銭の流通は認められない。独自に銅銭を鋳造する試みは行われたが、朝鮮の通貨の主流は布貨である。一五世紀なかばに従来の麻布に代わって綿布が主流となった。布の品位は「升」(縦糸八〇本)を単位として示され、常五升布が貨幣として流通した。三―四升の布は麤《そ》布と呼ばれ、常五升布との交換レートが成立した。一六世紀末の壬辰戦争の際に明軍が朝鮮半島に銀錠をもたらしたことが契機となり、朝鮮でも銀が貨幣として使用されるようになる。日本から銀が流入し、貨幣としての持続性が保たれた。

四、清朝下の東ユーラシア圏域

西北部における地政学的変化

一三世紀にモンゴル帝国が金朝を攻略する過程で、マンチュリアはモンゴル勢力に緩やかに統合された。モンゴル高原東北部からマンチュリアへと流れるアルグン川・ハイラル川流域の草原は、テムジン次弟のジョチ・ハサルが率いるホルチンの遊牧地に指定された。先に記したマンドフイ・ハトンに求婚して拒否された人物は、このホルチンの首長である。ホルチンとは別に、大興安嶺東麓ではモンゴル系の部族が遊牧を行うようになった。朱元璋は東麓の部族を服属させ、ウリヤンハイ三衛を設定し、境界線上には交易を行う「馬市」が立った。

朝鮮半島北部から遼寧平原にかけて広がる平原は、ジュシェンの生活圏であった。彼らはトクソと呼ばれる集落を拠点に農業を行うとともに、周囲の山野で狩猟と採取を行った。毎年三―五月と七―一〇月には、集団で河川をさかのぼり、温帯針広混交樹林の密林で幕営をしながら漁労・遊猟・採取にいそしんだ(承志 二〇〇九)。毛皮やチョウセンニンジンを朝鮮や漢地と取引した。一五世紀初頭には朝貢貿易の権利を得るために、明朝に服属して衛所に編成された。衛所の区分に基づいて、南から建州・海西・野人と呼ばれる。ジュシェンの首長はホルチンなどのモンゴル部族と婚姻関係を結び、モンゴルを経由して一六世紀にはチベット仏教を受け入れていった。

小興安嶺以北ではツングース系民族のオロンチョンなどの部族が、狩猟・採取によって生活していた。アムール川流域の落葉針葉樹林帯には、クロテン(学名 *Martes zibellina*)が生息している。その毛皮はジュシェンの生活圏で獲れるキエリテン(学名 *Martes flavigula*)とは比較にならないほど高額で、取引された。毛皮がたまるころ、冬に大地が凍てついて移動が楽になると、ジュシェンの交易者が集めてまわった。建州ジュシェンが毛皮を明朝・朝鮮と交易し、富を獲得した。こうした交易を背景として、清朝の基を築くヌルハチが登場する。

明代の北京では一五世紀なかば以降、厳冬期に臣下に貂皮の帽子が支給され、翌日に下臣はその帽子を被って参内して感謝するという行事が行われていた。しかし、壬辰戦争に起因する財政難のためであろう、この行事は中止となり(『万暦野獲編』巻九「内閣・貂帽腰輿」)、毛皮などの取引量が減少したと推定される。このころにヌルハチが明朝との対決姿勢を明白にした背景には、あるいはこうした経済的な事情があるかも知れない。ヌルハチがジュシェンを統一してグサ(旗)で編成し、一六一三年までにマンジュ・グルンを建て、一六一六年にハン位を得て後金という国号を用いるようになる。

一六一〇年代にチャハル・トゥメン正統ハーンのリグダン・ハーンは、チベット仏教のサキャ派の高僧から灌頂を受けたのち、モンゴル諸部族の再統一に立ち上がった。この動きに反抗したホルチンと後金が連合すると、リグダンは西に進みフフホトを占領しオルドス・トゥメンを服属させ、さらにチベットに遠征しようと青海に向かったところで病死する。ヌルハチからハン位を引き継いでいたホンタイジは、リグダン病死の知らせを受けると、追撃してフフホトを占領し漠南を勢力下に収める。リグダンの三番目のハトンのスタイはリグダンの長子となるエジェイを伴い、「大元伝国の玉璽」と、かつてフビライがパクパに鋳造させたとされるマハーカーラ仏とを携えて、一六三五年に投降する。

真贋はともかく玉璽は政治的権威を、マハーカーラ仏は宗教的権威を象徴する。その二つを獲得したホンタイジは、民族名ジュシェンをマンジュ(満洲)と改め、翌一六三六年に遊牧社会の盟主たるハーン、農耕社会に君臨する皇帝と称し、大清(ダイチン・グルン)の国号を定めたのである。ホンタイジがもしチンギス統原理に則ったら、エジェイをハーン位につけて傀儡とし、モンゴルに号令したのだろうが、そうはしなかった。チンギス・ハンの権威にたよることをやめた清朝にとって、モンゴルを統治する理念は、チベット仏教しか残されないことになる。一六四三年にホンタイジがダライラマ五世に送った書簡(石濱 二〇〇一)で、仏教に基づく政治を目指していることを明言している。

清朝に服属する前のモンゴルでは、軍事動員するときの編成をホショーと呼んでいた。一六三六年以降、ホンタイジはそれを常設の統治制度ホショー(旗)とした。遊牧地を指定し、指定区域を越えることを禁じた。遊牧の方法は、この制度に合わせて変化した。数家族が指定された区域内を、山中南斜面の冬営地、山麓の南側の草原の春営地、川筋の夏営地、川筋から山中に向かう途中の秋営地と循環する。初冬に家畜を屠って凍結させ、厳しい冬を数家族が力を合わせて乗り切る。こうした社会の基層をホタ・アイルと呼ぶ(小貫 一九八五)。

チベットではアルタンの死後、主導権争いが激化していた。そのなかでオイラトのホショートの首長トゥルバイフはダライラマ五世を支援し、対抗勢力となっていた外ハルハ左翼を打倒し、一六三七年にダライラマからグシ・ハーンの称号を授かった。チンギス・ハンの後裔でないものが、宗教的権威のもとでハーンを獲得したのである。その後、ダライラマはラサを首都として政権を成立させ、グシ・ハーンの子孫は青海湖の周辺で勢力を保持した。

明朝と対立した後金は、明朝に朝貢することができないため、朝鮮から威信財を入手しようとした。朝鮮領域の島に拠点を置いた明側の軍閥を孤立化させる必要もあり、ホンタイジは一六二七年に朝鮮に軍を派遣し(丁卯戦争)、後金を兄とし朝鮮を弟とする関係を認めさせ、国境の義州《ウィジュ》《ぎしゅう》・会寧《フェリョン》《かいねい》に交易場を設置させた。この時点での後金と朝鮮のあいだは、朝貢関係ではない。往来する使節は「信使」とよばれ、高麗・朝鮮から日本の武家政権のもとに派遣された使節と性格を同じくする。

一六三六年に挙行されたホンタイジ皇帝即位の儀礼に、朝鮮の使節は参列することを拒絶したが、力ずくで引き立てられた。抵抗する姿を見た漢人が、朝鮮使節を賞賛したという(鈴木 二〇二二)。さらに朝鮮の朝廷は、清朝に臣従することを拒絶した。こうした事態を見過ごせば、皇帝の権威は崩壊する。ホンタイジは同年に大軍を自ら率いて朝鮮を攻略し、屈服させた(丙子戦争)。戦後に漢城郊外の三田渡《サムジョンド》《さんでんと》で結ばれた盟約では、明朝との往来を絶つこと、清国に対する儀礼は明朝の旧例に従うことなどの条項のほかに、「日本国(oodzi gurun)との貿易は旧例に照らして行え、その使節を導いて朕に会わせ、朕もまた使節を遣わしたい」ともある。

ホンタイジがハーンに即位してからのち、一八世紀なかばに清朝がダライラマ政権をほぼ完全に掌握するまでの百年あまりの歴史は、チベット仏教の宗教的権威と結ぼうとする他の勢力を、清朝が打倒する過程だと要約することができる。最大の敵対勢力は、ジューンガルであった。なお、一八世紀の清・ジューンガル戦争では、清軍が漢地から持ち込んだ天然痘が猛威を振るい、ジューンガルの人口を激減させた。一七五九年にジューンガルを平定すると、ジュンガル盆地のみならず天山山脈より南のオアシス諸都市も勢力下に収め、天山山脈北部のイリに総統伊犁等処将軍を置き、「新疆《しんきょう》」として版図に加えた。

モンゴル・チベットに対してダイチン・グルンのハーンは、ゲルク派ダライラマの最大の施主であったが、マンジュのハンとして古来のシャーマニズムに基づく儀礼を行い(陶 一九九二)、清朝の皇帝(天子)として北京の天壇において天を祭り五穀豊穣を願う祭祀を行った。皇帝の側面は北京で示し、ハーンの側面は北京から東北に長城を越えたところに置いた承徳《しょうとく》避暑山荘と、その北に位置する草原に設けられた木蘭囲場で示した。

「木蘭」は満洲語で鹿狩りの方法を意味するムーランに、漢字を当てたもの。オロンチョンなどのマンチュリア北部の狩人は、秋になると鹿皮をまとい、黎明前に山林で身を潜め、木製の呼び子で雄鹿の鳴き声をまねて雌鹿をおびき寄せる。軍事訓練を兼ねた巻き狩りを行うときには、軍人として動員されてその技量を披露した。木蘭囲場は一六八一年にモンゴルのホショーから土地の寄贈を受けて開設、康熙(一六六二―一七二二年)・乾隆(一七三六―九五年)・嘉慶(一七九六―一八二〇年)年間には秋に巻き狩りが挙行され、招待したマンジュ・モンゴルの有力者に、清朝の武威を示す機会としたのである(羅 一九八九)。

承徳の避暑山荘では、一七一三年からチベット寺院の建立が進められた。乾隆年間になると、ハーンのフンリ(弘暦・乾隆帝)は普陀宗乗之廟《ふだそうじょうのびょう》などをチベット様式で建て始めた。ここで清代最大のイベントが、一七八〇年に行われた。フンリ七〇歳の誕生日に合わせた、パンチェンラマ(ダライラマに次ぐ宗教的権威)の訪問である。このときパンチェンラマ四世(本名ペルテンイェーシェー、転生の数え方によっては六世)はハーンに一度も叩頭を行わず、同じ高さの座についた。清朝の臣下はパンチェンに三回の叩頭を行った(石濱 二〇〇一)。この場に朝鮮の使節も立ち会わされ、叩頭することを強要された。随員として立ち会った朴趾源《パクチウォン》《ぼくしげん》は「使臣が拒絶の意志を上奏すれば、(清朝皇帝は天子にふさわしくないという)義声が天下を動かす」と期待したが、結局は礼部官僚の説得に屈して叩頭せざるを得なかった(平野 二〇〇四)。なお、パンチェンラマはこのあと、北京で病死している。

人口から見た東アジア

「大きな歴史」と「小さな歴史」を架橋する研究課題の一つは、人口史である。教会文書や宗門改帳、族譜などの資料にもとづいて、過去の個人がいつ生まれ、どのような家族構成を経て何人の子をもうけて、いつ死んだかというミクロレベルの情報を積み上げることによって、歴史人口学は、人口動態を論じようとしている。一人の女性がその一生のあいだに何人の子を産み育てたのか(合計生育率(4))に基づいて、人口の自然増は決定され、一人の人間がどのように死去したのかによって人口の自然減が明らかとされる。大きな人口史は、個々人の生育と死亡というミクロな動向が決定している。

「大きな人口史」の視点からみると、日本は一七世紀初頭に一二〇〇万人ほどであった人口が一七世紀に急増して三〇〇〇万人を超えたところで停滞した(鬼頭 二〇〇〇)。漢地では清朝入関時に推計一億六〇〇〇万人であった人口が、一八世紀なかばから急増しはじめ、その世紀末には四億人を突破、一九世紀なかばの太平天国などの叛乱と社会混乱で激減するものの、戦乱のあとは回復基調が続いた。朝鮮では壬辰戦争後に人口の増加が見られる。三年毎に集計される戸籍に基づくと、一七世紀なかばに二〇〇万ほどであった人口が、一八世紀末には七五〇万へと増加するが、一九世紀から二〇世紀にかけて停滞あるいは減少する(善生 一九二五)。ただし、戸籍の記録がどれほど実態を反映しているかは不明である。

一七世紀の日本では、江戸武家政権のもとで社会が安定し、新田開発が進んだことが人口増加の背景にあるとされる。一八世紀に停滞する理由として、「家督」が挙げられる。家督という通念は、武家社会のなかで長期にわたって形成され、江戸武家政権のもとで社会全体に及んだ。家督とは、「家《いえ》」と関連付けられた経済的・社会的な関係の束であり、武家であれば「役」、商家であれば「のれん」、農家であれば耕地・薪炭林などの権利などで構成される。歴史人口学の分析に基づく地域ごとの傾向に共通することは、家督を維持するために相続者以外の子を未婚のまま労働力として家に留めたり(東北地方)、奉公人として衛生環境が劣悪な都市に送り出したり(中部地域)した(速水 二〇〇九)。家督が人口増加に箍をはめたと考えられる。

一七世紀なかばから漢地の人口増加が停滞せずに持続した背景として、次のようなことが考えられる(上田 二〇二〇a)。「小さな人口史」において人口増に直接に寄与する要素は、女性の数と生育率である。漢族は死後に祖先として祭られるためには男子の子孫が必要だとする観念から、男児を重んじ女児を軽んずる傾向が強い。この父系原理が強調されるとともに、女児を殺す「溺女」の風習が広がった。ところが一八世紀になると、男女比のアンバランスが解消される傾向が見られる。溺女の風習は根絶されてはいないが、抑制されたものと推定される。

溺女抑制の要因として、マンジュに溺女の風習がなかったため、悪習として清朝が禁止し、地方官が溺女禁止令を繰り返し出したこと、地域社会の有力者が慈善事業を展開したこと、また民間に善行を勧め悪行を戒める「善書」と総称される通俗道徳書が流布したこと、さらにこうした動向に応じて、宗族も溺女禁止を族規で明示するようになったことなどが連鎖したことが挙げられる(山本 二〇二一)。

経済的な背景としては、次のような見通しが立てられる。銅銭をあまり鋳造しなかった明朝とは異なり、清朝は大量の銅銭を発行した(黒田 一九九四、上田 二〇〇九)。明朝のもとでは遠隔地交易に適した銀錠が流通したため、都市は繁栄したが地域社会から富が吸い出されていた。清代では銀錠が遠隔地交易で、銅銭が地域経済でそれぞれ流通するようになり、地域内での経済循環が保たれ、地域社会のなかで副業や雑業に従事し、資産を形成しやすくなった。

一方、欧米との交易の窓口に指定された広州に銀が持ち込まれ、華南と華中とを結ぶ江西商人によって長江の漢口に持ち込まれ、そこから長江の諸支流をさかのぼり、四川・湖北や貴州・雲南などの山間地域での林業・鉱業を勃興させた(Rowe 1984)。製材や製鉄などの作業場「廠《しょう》」に、独身男性が賃労働者として流入した。族譜の分析によれば、女性の婚姻年齢は満一七歳前後で変化はないが、男性の未婚率が上昇傾向にある。漢族の女性は纏足《てんそく》していることが多く、移出できない。資産を持たない未婚男性が移出し、地域に残った女性が資産を有する男性に嫁ぐことで、合計生育率が増えたと推定される。

男性の移住は海外や辺境に及んだ。清朝は入関後、海外在住の華人が明の復興を支援することを警戒し、海外への渡航・帰国を認めなかった。しかし、一八世紀なかばになると、増える人口を前にして、東南アジアからの米穀の輸入を認めざるを得ず、段階的に華人の往来を認めるようになった。また、マンチュリア・モンゴル・新疆などに漢族が流入することを禁止しようとしたが、一八世紀後半になると人口圧に押し出された人口移動を食い止めることは困難となったのである。

朝鮮の戸籍には妻・子女のほかに奴婢・雇工などの親族以外の構成員について、生年の干支が記されるが、婚姻・出産・死亡などの記載はない。歴史人口学的な分析に堪える資料として、一五世紀の安東権氏を嚆矢《こうし》として多く作成された族譜、両班上層で婚姻の際に交わされた婚書、正妻の行状を記した記録などがある。中国よりも階層が固定した社会であった朝鮮では、下層を含めた社会全体の人口動向を分析することは困難である。

一七世紀には両班女性の合計生育率は五・〇九であるが、一八世紀以降は持続的に減少している。ヨーロッパでは婚姻年齢が上がることで生育率が減少することが知られているが、朝鮮の場合は婚姻年齢と人口動向とは関連しない。一八世紀を通して両班上層の女性の婚姻年齢は一六・二―一八歳であった。死亡率は一八世紀以降、継続的に増えている。死亡率は飢饉と非常に密接な関係を示している。耕地の面積がほとんど変動がない状態で、一七世紀に人口が増加した結果、一八世紀なかば以降には人口圧力が高まり、飽和的な状況になったと考えられる。一方で耕作面積が少ない貧農層を中心に、綿花など商品作物を栽培する傾向が高まり、農村で織物業が展開するといった状況も生まれた(朴 二〇一四)。

おわりに

本稿では、本巻がタイトルとして掲げる「東アジア」を包含する東ユーラシア圏域を設定し、一四世紀後半から一八世紀までのトータル・ヒストリーを素描することを試みた。圏域南部については、本稿に続く「展望」弘末論文で取り上げられる。圏域北部の東シベリアからは、清朝と同様にモンゴル帝国の屈折した継承者であるロシアが、一七世紀以降マンチュリアに南下しはじめ、一六八九年に清朝とのあいだでネルチンスク条約を結ぶ。また新疆にも一八世紀にロシアが迫っている。露清関係は本稿で取り上げるべき課題ではあるが、紙幅が尽きてしまった。

本書のタイトルにある「近世」として歴史を描くことを自制した。その理由は二つある。第一に近世として東アジア・東南アジアを把握する論点は、すでに岸本美緒の所論ですでに尽くされているためである(岸本 二〇二一)。

第二に「近世」は early modern の訳語として理解され、近代 modern にいたる階梯に位置づけられ、歴史叙述に際して近代に直結する事象だけが選択される恐れがあるからである。近世という用語は、ギンズブルグの言葉を借りるならば「アナクロニスティック」である。近代を経て成立した現在の世界は、地球温暖化・経済格差・パンデミック・難民・水源枯渇・飢餓など深刻な問題に直面している。現代世界が抱える病理を分析し、オルタナティブな路を過去に探るためには、近代に直結しない歴史の豊かさを理解する必要があろう。

注

(1) 文化・社会的な一体性のある地域が他と交渉しあうなかで形成され、複数の地域を包摂する地理的範囲を、本稿では「圏域」(sphere)と呼ぶ。

(2) この農牧交錯地帯は、一〇―一三世紀に遼・金と宋とが争った燕雲十六州と重なる。

(3) ミンガンという名称は、「千」を意味する金朝の社会・軍事組織名称ミンガン(猛安)を踏襲している。おそらくテムジンが金朝に服属していた時期に、借用したのであろう。

(4) 近代社会の人口統計では、幼児死亡率が低いため、合計出生率が重要な指標となるが、前近代社会では生殖年齢まで生存する「生育率」が重要であり、これを「合計生育率」とした。

参考文献

秋田茂編(二〇一九)『グローバル化の世界史』〈MINERVA 世界史叢書〉、ミネルヴァ書房。

アルテーミエフ、A・R(二〇〇八)『ヌルガン永寧寺遺跡と碑文――一五世紀の北東アジアとアイヌ民族』菊池俊彦・中村和之監修、垣内あと訳、北海道大学出版会。

池享編(二〇〇一)『銭貨――前近代日本の貨幣と国家』青木書店。

池尻陽子(二〇二一)「ダライ・ラマ政権成立前後のチベットと東方ユーラシア」岩尾一史・池田巧編『チベットの歴史と社会』(上)、臨川書店。

石濱裕美子(二〇〇一)『チベット仏教世界の歴史的研究』東方書店。

伊藤幸司(二〇二一)『中世の博多とアジア』勉誠出版。

伊原弘(二〇〇九)『宋銭の世界』勉誠出版。

上田裕之(二〇〇九)『清朝支配と貨幣政策——清代前期における制銭供給政策の展開』汲古書院。

上田信(一九九五)『伝統中国——〈盆地〉〈宗族〉にみる明清時代』講談社。

上田信(二〇〇五/二〇二〇)『海と帝国——明清時代』講談社/講談社学術文庫。

上田信(二〇〇六)『東ユーラシアの生態環境史』山川出版社。

上田信(二〇〇八)「史的システム論と人格流——『海と帝国』列伝篇のために」『駒沢史学』七〇号。

上田信(二〇〇九)「文明史としての中国近現代史」飯島渉・久保亨・村田雄二郎編『シリーズ二〇世紀中国史4 現代中国と歴史学』東京大学出版会。

上田信(二〇一六)『貨幣の条件——タカラガイの文明史』筑摩書房。

上田信(二〇二〇a)『人口の中国史——先史時代から一九世紀まで』岩波新書。

上田信(二〇二〇b)「馬皇后——天下を慈愛で包んだ大姉御」同編『侠の歴史〈東洋編 下〉』清水書院。

梅棹忠夫(一九六七)「文明の生態史観」『文明の生態史観』中央公論社。

梅棹忠夫編(二〇〇一)『文明の生態史観はいま』中央公論新社。

榎本渉(二〇〇七)「元末内乱期の日元交通」『東アジア海域と日中交流——九—一四世紀』吉川弘文館。

太田由紀夫(二〇二一)『銭躍る東シナ海——貨幣と贅沢の一五～一六世紀』講談社。

岡田英弘訳注[サガン・セチェン著](二〇〇四)『蒙古源流』刀水書房。

小貫雅男(一九八五)『遊牧社会の現代——モンゴル・ブルドの四季から』青木書店。

川戸貴史(二〇一七)『中近世日本の貨幣流通秩序』勉誠出版。

菊池俊彦・中村和之編(二〇〇八)『中世の北東アジアとアイヌ——奴児干永寧寺碑文とアイヌの北方世界』高志書院。

岸本美緒(二〇二一)『明末清初中国と東アジア近世』岩波書店。

鬼頭宏(二〇〇〇)『人口から読む日本の歴史』講談社学術文庫。

ギンズブルグ、カルロ(二〇一六)『ミクロストリアと世界史——歴史家の仕事について』上村忠男訳、みすず書房。

黒田明伸(一九九四)『中華帝国の構造と世界経済』名古屋大学出版会。

黒田明伸（二〇一四）『貨幣システムの世界史――〈非対称性〉を読む 増補新版』岩波書店。

承志（二〇〇九）『ダイチン・グルンとその時代――帝国の形成と八旗社会』名古屋大学出版会。

鈴木開（二〇二一）『明清交替と朝鮮外交』刀水書房。

須川英徳（一九九九）「朝鮮時代の貨幣――『利権在上』をめぐる葛藤」歴史学研究会編『越境する貨幣』〈シリーズ歴史学の現在1〉、青木書店。

杉山清彦（二〇一五）『大清帝国の形成と八旗制』名古屋大学出版会。

善生永助（一九二五）『朝鮮の人口研究』朝鮮印刷株式会社出版（広瀬順皓編〈二〇一〇〉『日本植民地下の朝鮮研究』第三巻、クレス出版所収）。

寺田浩明（二〇一八）『中国法制史』東京大学出版会。

陶立璠（一九九二）「清代宮廷の薩満祭祀」『比較民俗研究』五号。

中島楽章（二〇一二）「撰銭の世紀――一四六〇～一五六〇年代の東アジア銭貨流通」『史学研究』二七七号。

中島楽章（二〇一三）「元朝の日本遠征艦隊と旧南宋水軍」中島楽章・伊藤幸司編『寧波と博多』汲古書院。

中島楽章（二〇一九）「一七世紀の全般的危機と東アジア」前掲『グローバル化の世界史』。

新田一郎（二〇〇一／二〇〇九）『太平記の時代』講談社／講談社学術文庫。

牛瀟（二〇二一）「元代における宮室女性の活躍」櫻井智美ほか編『元朝の歴史――モンゴル帝国期の東ユーラシア』勉誠出版。

速水融（二〇〇九）『歴史人口学研究――新しい近世日本像』藤原書店。

平野聡（二〇〇四）『清帝国とチベット問題』名古屋大学出版会。

本多博之（二〇一二）「戦国豊臣期の政治経済構造と東アジア」『史学研究』二七七号。

森川哲雄（二〇〇七）『モンゴル年代記』白帝社。

山本英史（二〇二一）『郷役と溺女』汲古書院。

楊海英（二〇二〇）『モンゴルの親族組織と政治祭祀――オボク・ヤス（骨）構造』風響社。

吉田光男（二〇一〇）「戸籍で見る朝鮮の近世社会」同編著『東アジアの歴史と社会』放送大学教育振興会。

李碩崙（二〇〇〇）『韓国貨幣金融史――一九一〇年以前』鈴木芳徳監修、藤田幸雄訳、白桃書房。

中国植被編輯委員会編（一九八〇）『中国植被』科学出版社。

羅運治（一九八九）『清代木蘭囲場的探討』（台湾）文史哲出版社。

박희진（朴熙振）（二〇一四）「역사인구학 관점으로 해석하는 조선후기（歴史人口統計学の観点で解釈する朝鮮後期）」『역사와현실（歴史と現実）』九三。

Rowe, William T. (1984), *Hankow: Commerce and Society in a Chinese City, 1796-1889*, Stanford University Press.

展望｜*Perspective*

近世東南アジア社会の展開

弘末雅士

はじめに――東南アジア史研究の課題

歴史研究の課題も、時代のなかで育まれる。第二次世界大戦後、東南アジアでは多くの新生独立国家が誕生し、国民統合を進展させた。こうしたなかで本格化した東南アジア史研究は、欧米の植民地史観を払拭し、東南アジアを主体に据えた歴史研究を目標に掲げた(1)。とりわけ一九六〇年代以降、社会の全体的な動きをその内側から捉えようとする、自律的歴史の解明が目指された(石井 一九九一、池端 一九九四)。こうした研究姿勢は、現地語史料に基づく研究を進展させ、多様な東南アジア社会の歴史を提示するに至った(東南アジア学会 二〇〇九)。

一方、その後グローバル化が進展するなかで近年の東南アジア史研究は、地域の特質を周辺世界との交流をとおして検討することの重要性を提起している。なかでも近年の海洋交易史研究は、近世東南アジア史研究に新たな光を投げかけた。のちに述べるように、東南アジアでは一五世紀中葉―一六八〇年に活性化した東西海洋交易の形成した海域ネットワークにより、この地域の特質が形成されたことが提示された(Reid 1988 and 1993)。また、従来一八世紀―一九世紀前半の東南アジアは、のちのヨーロッパの植民地支配の前段階にあり、衰退期と見なされてきた。しかし、一八世紀以降の中国経済の発展により、東南アジアの交易活動が再び活性化し、華人も商品生産に参入するなかで、諸王国が隆盛したことが近年の研究で指摘されている(桜井 二〇〇一、Lieberman 2003)。

こうした自律史観と交流史研究は、ただし必ずしも矛盾するものではない。むしろ、歴史像構築のための欠かせぬ車の両輪のように思われる。この両者を統合的にとらえるために、地域間や外来者との交流を担った存在の検討は重要になる。一五—一九世紀前半の東南アジアには、中国人をはじめアラブ人、インド人、ヨーロッパ人など多様な人々が参入した。東南アジアの港市や王都は、コスモポリスとなった。これらの都市を拠点に、東西世界を繋ぐネットワークが形成された。他方、王都や港市は外部世界への窓口となることで、地域の結節点となり、地域社会の形成を促した。王国はこうした地域社会を基盤にしており、そこでは「はしがき」で述べたような広域秩序原理が掲げられるとともに、往々に在地の観念に基づき君臣関係が形成された。支配者は、外来者と地域住民を仲介することで権力を構築した(Kathirithamby-Wells 1990; 弘末 二〇〇三)。

また来航した外来者と家族形成した現地人女性やその子孫は、外部世界と現地社会の仲介役となった。現地人とヨーロッパ人の間の子孫のユーラシアンは、現地とヨーロッパ本国を結びつける役割を担い、現地生まれの華人は、中国と現地とともに、植民地勢力と現地住民の経済的仲介役も兼ねた。ポルトガルをはじめスペインやオランダ、イギリスなどのヨーロッパ勢力は、一九世紀前半まで多くが現地勢力と協働関係にあった。現地人支配者をはじめユーラシアンや華人系住民をとおして、港市や都市での交流が進展し、同時にそれを支える地域の自律性が形成されたのである。

本稿ではこうした観点を踏まえて、一五—一八世紀の東南アジアにおける交易活動や政治的動向を検討する。

一、一五－一七世紀の東南アジアにおける交易活動の活性化と近世国家の展開

一五世紀東南アジア大陸部の変動

一五世紀の東南アジアは、明朝の対外政策の強化、大陸部におけるタイ人の活動の拡大、東西海洋交易の活性化により、陸域と海域との関係が強まる。

元明交代に伴う国際秩序の動揺は、大越国《ダイベト》《だいえつ》(陳《チャン》《ちん》朝)の南シナ海交易に参入するための南進を促し、チャンパー(占城)との抗争を激化させた。陳朝は一三七〇年代にチャンパーに侵攻したが、逆にチャンパーはそれを撃退し、七八年から九〇年にかけて紅河《ホンハ》デルタに侵攻した。大越国は存亡の危機に陥ったが、黎季犛《レークイリ》《れいきり》がこれを撃退し一四〇〇年に陳朝に代わって王位に就き、胡《ホー》氏を称して国号を大虞《ダイグ》とした。胡氏は、紅河デルタを離れて故地のタインホアに王都を構えた。人口調査を厳密に行い、官吏制度と税制を確立し、刑律を公布し、新戸籍に基づいた徴兵制を導入した。また陳朝下で定着した科挙制度を確立させ、新たなベトナムの国家体制の建設を目指した(桜井 一九九九：一八四－一八六頁)。

胡氏はさらに一四〇一－〇二年にチャンパーの王都ヴィジャヤに進軍した。これに対し、明朝に朝貢したチャンパーの要請を受けた永楽帝は、一四〇六年、大軍を紅河デルタに侵攻させた。支配体制が確立していなかった胡氏政権では裏切りが相次ぎ、一四〇七年に胡氏季犛父子は明軍に捕えられた。またチャンパー軍も北上し、胡氏の占領地を取り返した。

しかし、明軍は陳氏一族の抵抗を受けた。また一四一八年にはタインホアの黎利《レーロイ》《れいり》が反乱を起こし、陳氏の反乱勢力と連携した。紅河デルタ全域に反乱が広がった。明軍は、一四二七年ベトナム軍に降伏し、黎利は翌年ハノイで黎《レー》《れい》朝

を開き、国号を大越に復した。

黎朝は、戦乱中に生じた難民や帰休兵士に、主がいない陳朝王族の田庄や荒蕪地を分給して耕作させた。こうした田は、公田と呼ばれ、課税の対象となった。公田の受給者は、納税と徴兵義務を負った。公田制は、黎朝の経済基盤となった。黎朝は、中央政権を確立するため、聖宗《タイントン》(在位一四六〇―九七年)の時代に、唐や明の中国法を基礎とし、ベトナムの伝統法を加味した国朝刑律を公布した(八尾 二〇二〇：四二―四七頁)。体制を確立した黎朝は、一四七一年に再びチャンパーに侵攻し、王都ヴィジャヤを陥落させた。チャンパーは、南部のパンドゥランガに拠点を移した。また黎朝は、一四七九―八〇年にタインホアと隣接するラオスに兵を入れ、その地のラーンサーン王国とも戦った。

しかし、国内ではタインホアの軍人勢力と、紅河デルタ地域出身の官僚勢力との対立が、聖宗の死後顕在化した。結局一五二七年に、後者の勢力である莫登庸《マクダンズン》《ばくとうよう》が、黎朝の一〇代皇帝を自殺させ、莫朝《マク》《ばく》を開いた。一方タインホア勢力は、ラオスにいた黎氏の遺裔荘宗《チャントン》(在位一五三三―四八年)を擁立して対抗した。

大陸部におけるタイ人の活動も活性化していた。一三世紀後半に成立したラーンナー(「一〇〇万の水田」)王国は、チャオプラヤー川上流域のチェンマイを拠点に一四・一五世紀に勢力を拡大した。王国は立地を活かして、中国やラオス、ビルマ、チャオプラヤー川中・下流域との交易を行なった。第九代王ティローカラート(在位一四四二―八七年)の時代には、これから述べる南部タイのアユタヤと抗争しつつ、ベトナムの侵略を受けていたラーンサーン王国に進軍し、ベトナム軍を追い払った(飯島・石井・伊東 一九九九：一四四―一五二頁)。

一三世紀の中葉にチャオプラヤー川中流域に建国したスコータイは、同世紀後半ラームカムヘーン(在位一二七九?―九八?年)の時代に、チャオプラヤー川下流域やマレー半島、ラオスにまで影響力を拡大した。こうしたラーンナーやスコータイの活動に刺激され、一三五一年にチャオプラヤー川下流のロッブリー川とパーサック川の合流する場所に、アユタヤ王国が建国された。アユタヤは、チャオプラヤー川の流域で産出される米や森林生産物を輸出でき、シャム湾をとおして南シナ海とつながり、またマレー半島西岸をとおしてベンガル湾へとつながる要衝にあった。一五世紀に入るとアユタヤは、スコータイを併合し、さらにカンボジアのアンコール王国を滅ぼし、マレー半島へも影響力を拡大した。

また一四世紀に建国されたラオスのラーンサーン王国は、第二代王サームセーンタイ(在位一三七三―一四一六年)の統治時代に、王国の軍事的編成や徭役《ようえき》・租税徴収制度の基礎づくりがなされた。ラーンサーンは、上述のように黎朝の侵攻を受けたが、ラーンナーの支援によりこれを撃退した。メコン川流域の王都ルアンパバーン(一五六〇年以降ヴィエンチャン)は、中国やタイ、カンボジア、ベトナムからの商人が集う交易地となった。

また元との戦いによりパガン(パガン)が弱体化し、拠点がアヴァへ移るなかで、エーヤーワディ川平原北部からサルウィン川にかけて勢力を扶植したタイ人の動きが活発になった。なかでも強大となったのが、ムンマーオだった。ムンマーオは、中国からビルマ、インド方面にいたる交易ルートの中継点をおさえ、一四世紀中葉から隆盛した。しかし一五世紀には、雲南南部にまで影響力を持つ王国を警戒した明朝と三次にわたる戦争を経て、王国は事実上解体した。ムンマーオ影響下にあったタイ人のうちから、モーガウンがその後自立し、北部ビルマの翡翠や金、琥珀の産地に勢力を扶植し、一六世紀初め隆盛した。その後モーガウンは、次に述べる「商業の時代」に海洋交易で隆盛した下ビルマのタウングー王朝に、一六世紀中葉に制圧される(同：一三八―一四〇頁)。

「商業の時代」の到来とムラカの台頭

一五世紀中葉から一六七〇年代にかけて東南アジア海域世界では、香辛料をはじめとする東南アジア産品を求めて来航する商人が増えた。東西海洋交易の中継港や地元産品を輸出する港市が隆盛した。このため東南アジアは、従来の自給的生産活動に重点を置いた時代から、商業を経済活動の中核に据えた「商業の時代」に移行する(Reid 1988 and 1993)。

東南アジアの商業活動を進展させた要因の一つは、明朝の永楽帝と宣徳帝の時代に行われた鄭和《ていわ》の遠征である。すでに一四〇三年に明の永楽帝が、東南アジア諸国に明朝への朝貢を促した。一四〇五年から開始された七回におよぶ鄭和の遠征のうち第一–三回は、インドまで使節が派遣され、第四–七回は西アジアおよび東アフリカまで遠征がなされた。七回のいずれも、東南アジアを寄港地とした。

また西方世界との関係で重要だったのが、東南アジア産の香辛料である。胡椒をはじめマルク(モルッカ)諸島のクローブとナツメグは、古くから他地域で薬用または香料として需要があった。一四世紀中葉、マムルーク朝とヴェネチアとの交易関係が形成されると、ヨーロッパで越冬用に解体した家畜の肉の味付けのために香辛料の輸入が増加した。一四世紀の終わりから一五世紀はじめには、毎年平均で三〇トンのクローブ、一〇トンのナツメグがヨーロッパにもたらされ、一五世紀終わりには、クローブ七五トン、ナツメグ三七トン、メース(ナツメグを包む仮種皮)一七トンに増加する(Reid 1993: 13-14)。東南アジアの胡椒は、当初主に中国向けの輸出品であったが、一五世紀後半にはインド産だけではヨーロッパの需要を満たせなくなり、ヨーロッパへも輸出されるようになった。

すでに建国されていた北スマトラのパサイをはじめ東部ジャワのマジャパヒト、アユタヤが繁栄するとともに、東南アジアの域内産品を商うムラカ(マラッカ)が興る。パサイは、北スマトラで産出される胡椒や森林生産物の輸出港となり、ムスリム商人を引きつけた。パサイは、第三次、第四次、第六次の鄭和の遠征隊の寄港地となり、第六次遠征隊が寄港した際には、その支隊をアデンに導いた。また東部ジャワを拠点に中・東部ジャワに覇権を有したマジャパヒトは、一四世紀に版図を拡大し、東部インドネシアも影響下においた。一方アユタヤは、建国以降明朝に盛んに朝貢し、森林生産物を中国や琉球に輸出した。また上述のように、一五世紀後半にマレー半島西岸のテナセリウム、タヴォイを勢力下におき、ベンガル湾・インド洋交易に参入した。

東西交易の中継港としてムラカが台頭するのは、こうした状況下である。マラッカ海峡の中央部に位置するムラカは、東西商人の出会いの地になりやすく、東南アジア域内産品を効率よく集荷できる場所にあった。一四世紀末に建国したムラカは、マジャパヒトとアユタヤの勢力圏に挟まれていた。その存在を、周辺に認めさせる上で、明朝の冊封体制に服することは、重要であった。永楽帝の呼びかけに応え、ムラカは一四〇五年に明に朝貢し、ムラカ国王を認める勅書と印綬を明朝よりもらった。これに対しアユタヤは、ことわりなく明朝に接近したムラカに攻撃をしかけた。その際ムラカは、明朝より授受された印綬を奪われた。一四〇七年チャンパーの使節より、アユタヤのムラカ攻撃を報告されていた明は、アユタヤに戒諭を発した。翌一四〇八年、アユタヤは使節を明に送り、謝罪した。鄭和の第三回遠征隊が一四一〇年にムラカに到着し、印章をはじめ衣冠と袍衣を国王に与えた。

鄭和はその後も第四回(一四一三―一五年)、第五回(一四一七―一九年)、第六回(一四二一―二二年)、第七回(一四三一―三三年)の遠征中、毎回ムラカに寄港した。中国側史料によれば、一四二一年、二六―三一年の間にシャムの侵攻があったとムラカは訴えた。明朝はその度にシャムに戒諭を発し、ムラカの存在を対外的に保障した(藤原 一九八六：七四―七六頁、生田 一九六六：五九六頁)。

鄭和の遠征後も、明朝は海禁政策を維持し、民間人の海外渡航を禁じた。このため、西方諸国の商人との関係が、ムラカにとって重要となった。ムスリム商人の来航が増えたムラカは、一五世紀の中頃支配者がイスラムに改宗した。中国側史料や一五一〇年代にこの地を訪れたポルトガル人のトメ・ピレスによれば、スルタン・ムザッファル・シャー(在位一四四五―五九年頃)の時代に、東南アジアにおいてムラカが重要なイスラム王国になったとしている(ピレス 一九六六：四〇五―四〇七頁)。

ムラカは、食糧すら輸入する貿易立国であった。ジャワの米、東部インドネシア産のクローブ、ナツメグ、白檀は、ジャワ商人やムラカを拠点とするマレー商人によってムラカにもたらされた。ムラカの発展は、ジャワ北岸港市をマジャパヒトの影響下から独立させ始めた。ドゥマク、ジュパラ、グレシク、スラバヤなどの港市は、ムラカと緊密なネットワークを形成し、イスラムを受容した。一方影響力を後退させたマジャパヒトは、一五二七年頃以降その名が現れなくなる。

ムザッファル・シャー以降、一五一一年にポルトガルに占領されるまでが、ムラカの全盛期であった。ムラカには、様々な地域から商人が来航した。多様な商人がもたらす商品を扱うために、ムラカには外国商人のなかから四人のシャーバンダル(港務長官)が任命された。すなわち、第一はグジャラート商人の代表者、第二はマラバール、コロマンデル、ベンガル、下ビルマのバゴー(ペグー)やパサイの商人の代表者、第三はパレンバン、ジャワ、カリマンタンのタンジョンプラ、ブルネイ、マルク諸島、ルソンの商人の代表者、第四はチャンパー、中国、琉球の商人の代表者であった(同:四四五頁)。彼らシャーバンダルは、担当地域から商船が来ると、倉庫を割り当て、商品価格の算定と市場への搬出を仲介した。また商人間の争いの調停者となった。

ムラカの交易ネットワークに沿って、イスラムとマラッカ海峡周辺で使われていたマレー語が、東南アジア海域世界に広まった。ムラカが台頭するまでの東南アジアのイスラムの中心地は、北スマトラのパサイであった。ムラカの隆盛によりイスラムは、一五世紀中葉以降マラッカ海峡域をはじめ、ジャワ北岸やスラウェシ、カリマンタンの沿岸部、さらに東部インドネシアやフィリピン南部にも広がっていった。マレー語が通じ、ムラカの商業慣行を共有し、イスラムが信奉された東南アジア海域世界を、一般にマレー世界と呼ぶ(西尾 二〇一二)。

大航海時代と東南アジアの交易活動の活性化

一五〇九年にはじめてムラカに到達したポルトガルは、この港市の重要性に着目した。一五一一年七月アルブケルケは、この港市を占領するために一六隻の艦隊を率いて来航した。ムラカもこれに対抗したが、ムラカ在住のジャワ人や中国人のうちにポルトガルと内通する勢力が生じ、結束できなかった。またポルトガルの火器の性能が優っていたこともあり、ポルトガルは八月にムラカを占領した。ポルトガルは、翌一二年にマルク諸島のテルナテに至り、テルナテ王と交易関係を形成した。ポルトガルは、ムラカ、ゴア、ホルムズの拠点をもとに喜望峰回りで、ヨーロッパ向けのマルク諸島の香辛料の独占取引を試みた。

しかし、この長大なルートをコントロールすることは、およそ不可能であった。マルク諸島では、当初ポルトガルの香辛料取引は順調に進んだ。しかし、一五二一年スペインのマゼラン艦隊が、テルナテと対抗関係にあるティドーレに到達し、同島の王と友好関係を築いた。またテルナテも、ポルトガルの独占取引を嫌うようになり、ポルトガルの香辛料取引は悪化した。マルク諸島のアンボンやバンダ諸島では、ジャワ商人がポルトガル人に対抗して、香辛料の取引にあたった。また一六世紀後半以降マカッサルが、マルク諸島をつなぐ中継港となり、多様な商人を引きつけた。一六世紀後半にはポルトガルの香辛料貿易は、独占交易とは程遠い状態になった(Meilink-Roelofsz 1962: 160-163)。

またポルトガルは、要塞を維持するために寄港するアジア商人に高関税を課したので、西アジア、インド、東南アジアの各地で、アジア商人との対立を深めた。彼らはムラカを避け始めた。代わって北スマトラのアチェや西ジャワのバンテン、マレー半島南端のジョホールが、彼らの寄港する港市として台頭した。

一五世紀終わりにアチェ川の河口に成立したアチェは、遅くとも一五三四年以降オスマン朝と交流し、北スマトラの胡椒を輸出した。その返礼に兵士や大砲を得たアチェは、しばしばポルトガル領ムラカと抗争したが、ポルトガルの追放はならなかった。アチェは、一六世紀終わりから一七世紀前半にかけてスルタンを中心とする集権体制を確立し、北スマトラだけでなく中部スマトラの胡椒や金の産地を有する港市を統制下に置いた。

また一五二五年ごろ建国されたバンテンは、西ジャワと南スマトラの胡椒生産地を影響下におき、中国商人やインド商人、西方ムスリム商人をひきつけた。一五六〇年代にはポルトガル人とも胡椒取引するようになり、一六世紀末にアジア交易に参入したオランダ人やイギリス人、デンマーク人も寄港する地となった。

ムラカを追われた旧ムラカ王家は、ビンタン島に拠点を構えて、ポルトガル領ムラカに対抗した。その後ポルトガルにビンタン島を追われると、一五三〇年ごろマレー半島南端のジョホールに拠点を構えた。ジョホールは、スマトラ東岸の胡椒産地に影響力を行使し、マレー商人をとおしてマルク諸島のクローブやナツメグを取引した。ポルトガルやアチェと抗争しながらも、ジョホールは勢力を維持した。のちに述べるように、一六四一年にはオランダのムラカ包囲を援助し、同地からポルトガルを追放した。

こうした海域世界の動向に対応して、食糧となる米を産出した王国が隆盛し始めた。ジャワ北岸のドゥマクやジュパラ、スラバヤが米の輸出港となるなかで、一六世紀後半に中部ジャワの稲作地帯にパジャンとマタラムの二王国が台頭した。このうちマタラムは、同世紀の終わりに前者を併合し、第三代王アグン(在位一六一三―四六年)の時代に、バンテンとオランダ領のバタヴィア(ジャカルタ)を除く北岸港市を制圧し、東部ジャワや西部ジャワに版図を拡げた。また森林生産物とともに米を輸出したアユタヤも、周辺諸国との交易により勢力を拡大し、ポルトガル人も米を求めてこの地に寄港した。

アユタヤと隣接した下ビルマでは、シッタウン川流域のタウングー朝がダビンシュエティー王(在位一五三一―五〇年)の時代に、米作を基盤に人口を増大させて版図を拡大し、一五三九年にバゴー王国を攻略し、バゴーに遷都した。バゴーには、西アジア、南アジア、北スマトラの商人や、ポルトガル人、ヴェネチア人、アルメニア人らが寄港し、タウングーは、バゴー王国が抱えたポルトガル人を傭兵とした。またタウングーは、一六世紀中葉以降シャン高原、ラーンナーを攻撃して、制圧して服属国とした。上述したモーガウンは制圧され、ラーンナー王国も瓦解した。さらにタウングーは、一五六三―六九年にアユタヤを攻撃しこれを攻略し、一五七四年にラーンサーン王国も影響下においた(伊東 一九九九：二七九―二八三頁、飯島・石井・伊東 一九九九：一六八―一六九頁)。

しかし、度重なる戦役により、王国の住民が疲弊して離散し始め、デルタ地域の労働力が減少した。さらに一五九〇年に独立した後期アユタヤによって、ベンガル湾交易に重要なメルギー、マルタバンが攻略された。またラーンサーン王国にも影響力が及ばなくなった。結局諸勢力が離反し、一五九八年タウングー朝は滅亡した。その後ビルマでは、エーヤーワディ川の中流域アヴァを拠点とする第二次タウングー朝（アヴァ王国とも称される）が興り、下ビルマも勢力下においた。一方ベンガル湾に面するアラカンでは、一四三〇年に設立されたムラウー朝が、タウングーが滅亡するとベンガル湾交易で隆盛した。

ポルトガルに次いでスペインも、上述のように一五二一年にマゼラン艦隊がティドーレ島に到達した。以降スペインは、太平洋経由で季節風と偏西風を利用して東南アジアに至る航路を見出し、一五六五年にフィリピンのセブ島に拠点を構えた。スペインは一五七一年マニラに拠点を移し、そこを拠点に、アカプルコから銀をマニラに運ぶガレオン貿易を開始し、中国の絹製品や他のアジア製品を輸入した。一方ポルトガルは、東アジア貿易に参入し、一五五七年マカオに居住区を認められ、また七〇年に長崎でも貿易が許可された。東アジアと東南アジアとの交易が、従来以上に盛んになった。

日本の朱印船貿易と東南アジア

一六世紀に鉱山開発を進展させた日本は、世界の銀の約三割を生産した。日本人も同世紀後半より海外渡航に積極的になり、生糸、蘇木、鹿皮、鮫皮などを買い付けるため、マニラ、トンキン、交趾《コーチ》（広南《クアンナム》《こうなん》）、アユタヤ、カンボジア、パタニなどに来航した。一六三五年に海外渡航禁止令が出されるまでに、三百数十隻にのぼる朱印船が出され、これらの町に日本町（日本人町）が形成された（永積 二〇〇一）。また明朝が一五六七年に海禁政策を緩和すると、中国商人がマニラをはじめ、バンテン、アユタヤ、パタニ、ジョホール、ブルネイなどに寄港した。中国商人は、生糸や絹織物をもたらし、銀を入手するとともに、東南アジアの胡椒や森林生産物を買い付けた。

こうした朱印船や中国船の来航は、南シナ海に面した東南アジア諸国の王権強化に寄与した。ベトナムでは、一五二七年に王朝を開いた莫氏が、その存在を確立しようとした。しかし、タインホアの軍事勢力との抗争が続き、一五九二年に莫氏は鄭《チン》《てい》氏にハノイを追われた。鄭氏は、紅河デルタとタインホアを統一した。その鄭氏に命じられた阮《グエン》《げん》潢《ホアン》《こう》は、一五五七年フエに駐屯し、一七世紀になると、南シナ海の交易活動の活性化のなかで、独立した勢力を形成した。この時期、鄭氏のトンキン、広南のツーラン(ダナン)やホイアンには、生糸を求めた日本の朱印船が盛んに訪れ、中国の生糸を運ぶジャンク船も寄港した。

一方、パンドゥランガに拠点を移したチャンパーは、沈香や黒檀、象牙、金を輸出し、ポルトガル船や朱印船を引きつけ、繁栄した。しかし、隣接する阮氏は南進を続けた。最終的にチャンパーは、一六九二年に阮《グエン》《げん》朝に併合される(桃木 一九九九：六八－七一頁)。

またアユタヤの影響下で政情不安定だったカンボジアが、一六二〇年以降ウドンを拠点に王権を確立できたのも、朱印船や中国船の来航が影響した。一七世紀前半のカンボジア王国は、米をはじめ鹿皮や漆、蘇木を輸出し、日本人や中国人、ポルトガル人、マレー人、オランダ人らを引きつけ隆盛した(北川 一九九九：二四六頁、遠藤 二〇一〇)。またマレー半島東岸のパタニは、明の海禁緩和以降、東南アジアと東アジアの中継港として重要になり、朱印船も寄港した。胡椒を生産したパタニは、一七世紀になるとこれから述べるオランダ船やイギリス船も引きつけた。

一六世紀終わりには、オランダやイギリスも東南アジアに参入した。一五九六年に初めて東南アジアに来航したオランダは、一六〇二年に世界初の株式会社オランダ東インド会社(一六〇二－一七九九年)を創設し、東南アジアにおける香辛料貿易を本格化した。オランダは一六〇五年に、ポルトガルからアンボンを奪った。さらに一六一一年にジャカルタに商館を設けた。その後同じくこの地に進出したイギリスと競合するようになり、一八年にオランダはイギリスの商館を焼き払った。オランダは、翌一九年にその地をバタヴィアと改名し、アジアにおける拠点とした(永積 二〇〇〇:九六―九八頁)。

日本人は大量の生糸や鹿皮、鮫皮、蘇木を購入した。またヨーロッパ人も、独占交易を試みて大量の香辛料を入手しようとした。日本の朱印船やヨーロッパ人の参入により、東南アジアにおける商業活動は一層活性化した。

二、港市の社会統合と王権の強化

社会統合と女性

多様な来航者を抱えた東南アジアの港市は、コスモポリスとなった。ポルトガル占領直後にムラカを訪れたピレスによると、その地で八四の異なる言語が話されていたという(ピレス 一九六六:四五五頁)。また一六八四年にフランス人使節がアユタヤを訪れた際には、四三カ国の人々が挨拶したという(ショワジ・タシャール 一九九一:一八六頁)。

一般に外来者は、出身地ごとに居住区を割り当てられた。それぞれの居住区ごとに頭領が任命され、出身地の慣習に従って滞在することが認められた。ただし、各集団の隔たりは決して固定的なものではなく、市場での商業活動をとおして他地域出身者との交流さらには通婚もしばしばなされた。

近世の東南アジアには、有力者が外来者に現地人女性との一時結婚を斡旋する慣行が存在した。当時東南アジアにおいて、地元の商業活動を担っていたのは女性であった。東南アジアには、女性も財産や家督を相続できる双系制社会が多く、女性は比較的高い経済的自律性を有した。すでに一三世紀終わりにカンボジアを訪れた周達観《しゅうたっかん》は、その地の商業活動が女性によって担われており、やって来た中国商人は必ず彼女らと結婚することを記す(周 一九八九:五八頁)。またオランダが初めてバンテンに到達した時、市場で香辛料などの主要商品を商うのも女性であった(ハウトマ

ン 一九八一：一六六―一七〇頁）。あとで述べるようにオランダがジャワで活動を展開するにあたり、オランダ人の多くは現地人女性や女奴隷と家族形成した。彼女らは、外来者に現地の言語や慣行を教え、市場での商業活動を仲介した。

「商業の時代」の東南アジアには来航する商人が増え、現地の男女双方に経済活動を拡大させた。支配者には、それが典型的に現れた。

商品の集荷体制を確立することができた支配者は、王権を強化した。またヨーロッパ人が来航して以降、支配者はポルトガル人や西方世界のムスリムを傭兵にし、その武器の入手や製造に努めた。そうした軍事力は、王国の拡大と競合する勢力を抑え込むことに寄与した。先に述べたタウングーのダビンシュエティーやその後のバインナウン（在位一五五〇―八一年）、胡椒の輸出で全盛期を迎えた一七世紀前半のアチェのスルタン・イスカンダル・ムダ（在位一六〇七―三六年）とスルタン・イスカンダル・タニ（在位一六三六―四一年）、米や森林生産物の輸出で繁栄した後期アユタヤのプラサートーン（在位一六三〇―五六年）、米の輸出で隆盛したマタラム王国のスルタン・アグンやアマンクラット一世（在位一六四六―七七年）などは、そうした支配者の代表である。彼らは、交易独占を志向して、宮廷の高官たちと確執を起こした（弘末 二〇〇四：八七―九六頁）。

他方で、一六―一七世紀に東南アジアでは、女性の支配者もしばしば登場した。上述のように、女性は地元の商業活動を主導した。その頂点にいたのが、王家の女性である。胡椒貿易が活性化した一六―一七世紀のパタニでは、一五八四年から一六八八年まで四代にわたり女性のスルタンが即位した。パタニの全盛期であった。またイスカンダル・ムダとイスカンダル・タニの強権的な統治を経験したアチェでは、宮廷高官たちが多様な交易活動を容認する女性スルタンの即位を支持した。ここでも、一七世紀後半に四代の女性スルタンが即位した。そのほか同じく胡椒の貿易で栄えたマレー半島のクランタンでも、一七世紀に二代にわたり女性のスルタンが即位し、白檀の交易で栄えたソロール島でも二代にわたり、女王が即位した(Reid 1988: 170-171)。また王母や王妃などの宮廷高位女性も、交易活動に関与した。彼女らの活動に、国王は干渉できなかった。

イスラムの展開

多様な来訪者を抱えた港市で、支配者は統合のための原理を模索した。イスラムと上座部仏教の受容は、その一環である。

多様な出身地からのムスリム商人を抱えたムラカ王国の王統記『ムラユ王統記(スジャラ・ムラユ)』は、ムラカ王がムハンマドより直接啓示を受けたとして、王家のイスラム世界における正統性を唱える。それによると、ムラカ王ラジャ・トゥンガは、ある夜夢でムハンマドから、「アッラーの他に神はなし。ムハンマドは神の使徒」という信仰告白の文言を唱えるよう、命じられたという。さらにムハンマドは、翌日ジェッダより船がムラカに到着するので、その乗船者の教えに従うよう説いたという。お告げどおり、翌日ジェッダから船が到着し、上陸したサイイド・アブドゥル・アジズの導きにより、王はイスラムに改宗し、スルタン・ムハンマド・シャーを名乗った。以降、西アジアから東南アジアに至るまで、ムラカの存在は広く知られるようになったという(Brown 1970: 43)。

中国側史料やピレスの記述では、先に述べたように、スルタン・ムザッファル・シャーの時代に、ムラカが東南アジアで重要なイスラム王国になったとする。『ムラユ王統記』のラジャ・トゥンガのイスラム改宗の話は、ムザッファル・シャーのイスラム改宗をより正当化するために、挿入されたのであろう。ピレスによれば、ムザッファル・シャーは、パハン、カンパル、インドラギリなどの諸王を影響下におき、イスラムに改宗させた(ピレス 一九六六:四〇四–四〇五頁)。以降ムラカがイスラムを広める端緒となった。

ムラカがポルトガルに占領されると、アチェやバンテン、ジョホールが台頭したことは述べた。そこではポルトガルに対抗して、イスラム世界との紐帯が希求された。とりわけアチェは、上述のようにオスマン朝と交流し、一六世紀後半にはアラブ出身のウラマーたちを積極的に受け入れた。アチェは東南アジアムスリムのメッカ巡礼への玄関口となり、またメッカから帰還したムスリムの逗留する地となった。一七世紀には、アチェのほか、バンテンや中部ジャワのマタラム、マカッサル、パタニでも支配者が熱心にイスラムを信奉した。バンテンやマタラム、マカッサルは、いずれも一七世紀前半にメッカに使節を送り、王はスルタンの称号を得た(弘末 一九九九：一九三―一九五頁)。

アラブ出身のウラマーや中東でイスラムを学んだ東南アジアのムスリムは、王家に抱えられ、王権の強化に寄与した。またイスラム法官として商業をめぐるルールの整備をはかり、係争の処理に当たった。

上座部仏教の展開

同じ頃、大陸部では上座部仏教が支配者に信奉されていた。上座部仏教は一一世紀にビルマのバガン朝に受容されたのを皮切りに、シャム、ラオス、カンボジアで信奉された。東南アジアで受容された上座部仏教は、スリランカのマハヴィハーラ派(大寺派)の流れをくみ、アショカ王の王子がスリランカに仏教を伝えた歴史に起源をもつ。この大寺派は、歴代のスリランカ王の帰依をえて発展し、ベンガル湾を介して東南アジアにも伝わる。上座部仏教は、戒律を重んじる僧侶と俗人とを厳格に区分し、俗人の王は、僧侶組織であるサンガの保護者としてのみ、その正統性を主張できた。王は、仏法の擁護者であり、また王国に安寧と繁栄をもたらすよう努めねばならなかった。上座部仏教は、交易活動により国を豊かにしようとした王の活動を正当化した(石井 一九九八：一五五―一五八頁)。

支配者は海外交易に熱心となった。タウングー朝やアユタヤ朝はその代表である。一六世紀にダビンシュエティー王およびバインナウン王のもとで隆盛したタウングー朝の王都バゴーには、上述のように、西アジアや南アジア、スマトラなどから商人が寄港した。バインナウンは、仏教の擁護者であることを自認し、僧院や寺院を建設し、僧侶を保護した。彼はまた法典や判決集を整備し、商業活動を進行させるため度量衡の統一をはかった。

王都にムスリムやキリスト教徒も含めた多様な人々の滞在を許すことは、王がその偉大な功徳を示す行為の一環とみなされた。一六世紀後半タウングー朝の影響下におかれたアユタヤは、ナレースエン(在位一五九〇―一六〇五年)の時代に独立し、一七世紀には隆盛期を迎える。一七世紀前半に後期アユタヤに滞在したオランダ人ファン・フリートは、アユタヤの人々が、キリスト教徒やムスリムに対して非常に穏和な態度をとり、他宗教を攻撃したり、仏教を強制しないことに注目している。同朝の王プラサートーンが、数名のムスリムを仏教に改宗させようとすると、僧侶たちはこれを戒め、あらゆる種類の信仰が喜ぶべきものであることを王に説いたという(ファン・フリート 一九九八a:一八六頁)。

また当時の東南アジアの支配者の多くは、中華の国際秩序も重視した。パサイやムラカはイスラムを熱心に信奉するとともに、明朝にも(パサイは元朝にも)入貢した。また上座部仏教を信奉したアユタヤも同様である。アユタヤにとって、森林生産物の主要輸出先であった中国との関係は重要であった。

このように東南アジアの港市支配者は、しばしば複数の秩序原理に関心を払った。すべてが神に帰一することを説くイスラム神秘主義や、諸原理共存の寛容性を説く仏教が重視されるとともに、婚姻や血縁の伝承も彼らにとり重要な統合の原理となった。アユタヤの王統をめぐるある語りによると、初代王のウートンが中国の出身で、中国皇帝の娘を娶ったという(ファン・フリート 一九八八b)。また『ムラユ王統記』は、ムラカを隆盛に導いたスルタン・マンスール・シャー(在位一四五九頃―七七年)が、中国皇帝の娘と結婚したとする(Brown 1970: 82)。いずれの場合も、史実として中国王室との婚姻関係は確定できないが、これらの港市には富裕な華人のコミュニティが存在し、両王家は華人系住民と血縁関係を有した可能性が高い。中国王女との婚姻話は、そうしたなかで王家の正統性を高めようとしたものであった。

三、「商業の時代」の終焉とオランダとスペインの植民地経営

オランダの交易独占の試みと東南アジア海域世界の商業活動の衰退

バタヴィアに拠点を構えたオランダは、海域世界における勢力の拡大をはかった。マルク諸島では一六二三年のアンボイナ(アンボン)事件でイギリスを追放し、一六四一年にはジョホールとの同盟により、ポルトガルをムラカから追放し、そこをオランダ領とした。オランダは一六五〇年代に、南部マルク諸島のクローブ生産の大半を管理下におき、一六六〇年代には北部マルク諸島のテルナテやティドーレも勢力下においた。また一六六九年には、マルクの香辛料貿易をめぐって競合関係にあったマカッサル王国を滅ぼした。

またジャワのマタラム王国に対しても、オランダは優勢になりつつあった。バタヴィアに拠点を構えたオランダは、版図を拡大していたマタラム王国と確執を起こした。一六二八年と二九年にマタラム王アグンは、二度バタヴィアを包囲してオランダを駆逐しようとした。しかし、マタラムの攻撃は失敗し、バタヴィア攻略はならなかった。その後アグンが亡くなると、米を輸出したいマタラムと、それを効率よく輸入したいオランダの利害は一致し、一七世紀中葉以降両者の関係は好転した。

アグンの後のアマンクラット一世は、王都を中心とする集権化をはかり、地方の有力貴族を王都に住まわせ、またジャワ北岸港市を厳重な監督下においた。これに対し、マドゥーラ王の息子トルーノジョヨが、マタラム王国に反乱(一六七五―七九年)を起こした。反マタラム勢力が加わったトルーノジョヨ軍は、勢いを増し一六七七年王都を占領した。この反乱中にアマンクラット一世は亡くなり、亡き王の息子は、オランダに支援を求めた。オランダはこれに応え、反乱軍を撃退し、王子をアマンクラット二世(在位一六七七―一七〇三年)として即位させた。オランダは一六七七

ー七八年のマタラムとの交渉で、見返りにジャワ北岸港市スマランと西ジャワの後背地プリアンガンを獲得し、インド綿布・アヘンの独占販売権および米買い付けの独占をマタラムに認めさせた(永積 二〇〇〇：一六〇ー一六一頁)。またオランダは、バタヴィアとしばしば確執を起こしていた西隣のバンテン王家の内紛に介入し、一六八二年に同王国を影響下においた。一六七〇年代・八〇年代にオランダは、インドネシアとマレー半島の海域において最も優位な地位を確立する。

　しかし、一六七〇年代にヨーロッパ市場で胡椒価格が暴落し、胡椒貿易は急速にその重要性を失った。ほぼ時期を同じくしてオランダのアジア交易を揺るがす事件が起きた。一六六一年に明朝の遺臣鄭成功《ていせいこう》によってオランダは、台湾のゼーランジア城から追放された。清朝は鄭氏に対抗して遷界《せんかい》令(一六六一ー八四年)を実施し、海上貿易禁止令を発布した。胡椒価格の暴落、清朝の遷界令や日本の「鎖国」により、東西交易活動は衰退し、さらに一七世紀の寒冷化に伴う天候不順により農業生産が低下した。東南アジアの「商業の時代」は終わりを迎えた(Reid 1993: 285-319; リード 二〇二一：二二六ー二四八頁)。

オランダのジャワ支配

　こうした状況下、オランダにとってジャワ島経営は、重要になった。オランダは、マタラムから獲得した西ジャワのプリアンガンに、一七世紀末に南インドのマラバールからコーヒーの苗を移植し栽培を始めた。やがて栽培は軌道に乗り、コーヒーは重要なヨーロッパ向け輸出品となった。オランダは、プリアンガンの現地首長をとおして、コーヒー栽培を請け負わせた。後の一九世紀に展開する、強制栽培制度のはしりといえる。

　オランダは、さらにマタラム王家との関係を深めた。一八世紀の前半にマタラム王家は、三度の王位継承戦争(一七〇四ー〇八年、一七一九ー二三年、一七四九ー五五年)を起こした。最初の二度の戦争では、いずれもオランダが支援した候補者が王位に就いた。オランダは見返りとして、一七〇五年に一六七七・七八年の協定をマタラムに再確認させ、さらに毎年八〇〇コヤン(約一三〇〇トン、三三年に一〇〇〇コヤンに増量)の米の無償提供、オランダ軍の王都常駐を認めさせた。また一七〇九年に米、木材、藍、三三年に胡椒、綿糸などの供出義務を課した。

これに対しマタラム王パクブウォノ二世(在位一七二六―四九年)は、オランダに与えた特権を回復するため、次節で述べるバタヴィアの華人虐殺を逃れた華人とともに、一七四一年にオランダ軍を攻撃した。しかし、体勢を立て直したオランダ軍に、翌年王や王族の多くが帰順させられた。オランダは代償に、翌四三年ジャワの北岸沿岸部の支配権をマタラムに割譲させた。他方、パクブウォノ二世の弟マンクブミならびに甥のマス・サイドは、利害の対立からパクブウォノ二世に反旗を翻した(Ricklefs 1981: 91-93)。

オランダはパクブウォノ二世を支援した。一七四九年にパクブウォノ二世は死去する直前、マタラムの領土をオランダ東インド会社に譲渡したいと申し出た。話を聞いたオランダは、その領地を王の遺児に譲り、パクブウォノ三世として即位させる。しかし、オランダはマンクブミとマス・サイドの攻勢から王都を守るのがやっとの状態であった。長引く軍事行動は、東インド会社の財政を悪化させた。オランダは交渉により事態を打開させる方策に転じた。その結果、一七五五年にマンクブミとパクブウォノ三世との間で和平が成立した。マタラム王家はパクブウォノ三世のスラカルタのススフナン王家と、マンクブミのジョクジャカルタのスルタン王家に分裂した(マタラムの名称は消滅)。さらに一七五七年には、マス・サイドがスラカルタ王家の東部を分けてもらい、マンクヌガラ王家を開設した。オランダは諸王家を内陸部に封じ込めつつ、彼らと共存する政策を採った。

スペイン領フィリピンの植民地経営

フィリピンにおけるスペインの植民地経営も、現地の有力者を取り込みつつなされた。フィリピンのスペイン支配は、マニラの総督府を拠点に地方に州を設けた。州知事にはスペイン人が任命され、管轄地の司法、行政、軍事を掌握した。州の下には、プエブロ(町)とバランガイ(村)が存在し、プエブロは、スペインのフィリピン統治上の最重要単位となった。植民地政庁は、原住民に貢税、労役、強制売り渡しなどの諸義務をプエブロ単位に割り当て、町長がその徴税義務を負った。町長や村長は原住民のなかから選出された。

スペインの支配は、教会と政庁の両輪から構成されていた。カトリック教会は、マニラ大司教を中心に四教区が設けられ、その下の教区は、プエブロの単位とほぼ一致した。教区を管轄した主任司祭は、ヨーロッパの修道会より派遣された。主任司祭は、プエブロでほぼただ一人のスペイン人であり、宗教活動の統括だけでなく、選出された町長や村長の承認権を有し、徴税業務の監督、納税通知票の訂正権を司り、町評議会の顧問であり、プエブロ予算の監査役をつとめ、学校の教員採用試験官でもあった(池端 一九八七：一六一—一九頁)。

スペインは一七・一八世紀をとおして、北部フィリピンと中部フィリピンの島々の低地部に支配を広げた。他方これらの島々の山岳部や、南部フィリピンのミンダナオ島やスールー諸島を、その勢力下に置くことはできなかった。カトリシズムは北部・中部のフィリピン人に徐々に根付いた。住民の日常生活が、カトリシズムの儀礼や年中行事・慣習に結びつけられた。それらをとおしてプエブロ内のスペイン人教区司祭、プリンシパリーア(町の長老)層、一般民衆という聖俗両面にわたる支配・権威秩序が確認された。

スペインのフィリピン経営は、ガレオン貿易に依拠した。中国人によるマニラ—福建間貿易とポルトガル人によるマカオ貿易は、これに欠かせなかった。また中国人は、諸島内の商業や種々の手工業と関わり、植民地の経済活動は総じて中国人に依拠していた。

こうした経済活動を中国人の手から奪い、スペイン人植民者、中国系メスティーソ(中国人とフィリピン人の通婚者の子孫)、フィリピン人による経済開発を進める一連の改革(「ブルボンの改革」と呼ばれる)が、一八世紀後半から進められた。その第一段階としてスペイン政庁は、一七五四年に非カトリック中国人のフィリピンからの追放を開始した。折しもヨーロッパの七年戦争(一七五六—六三年)がフィリピンにまで波及し、一七六二年にはイギリスがマニラを一時占領した。七年戦争の終了に伴い六四年に占領地はスペインに返還されたが、この期間、中国人の反乱が相次いで起こり、イギリス占領に協力する中国人も少なくなかった。そこでスペインは、再び中国人の追放を一七六七年の勅令で開始し、七〇年代に中国人は植民地領内からほぼ姿を消した。

ブルボン改革は一七八〇年代終わりより本格化し、天然資源の開発、商業の拡大、貿易の多角化を目指した。砂糖・藍・綿花・肉桂・胡椒などの奨励栽培、鉱物資源の開発が進められた。また八一年末、タバコの強制栽培・専売制度がルソン島に導入された。それにより、九〇年代までに年に四〇万ペソ、旧貢税制度以外の収入の二倍の額を本国に送金するほどの利益を上げ、中国系メスティーソの商業把握や商業的生産・流通の拡大を促した。

四、近世後期の対中国貿易の拡大と東南アジア社会の変容

一八—一九世紀前半の大陸部東南アジア

「商業の時代」の後、中国の情勢が落ち着き、清朝下で経済活動が活性化すると、中国貿易が東南アジアにとって重要な意味を持ち始めた。一八世紀初め以降、ビルマでは雲南からやってくる中国商人が、綿花や森林生産物、宝石を買い付けた。またアユタヤでは、中国への米や森林生産物の輸出が増加した(Lieberman 2003: 170, 289)。とりわけ一八世紀中葉から一九世紀前半の東南アジアにとって、中国貿易が、政治的変動とも連関することとなった。

この時期、ビルマでは第二次タウングー朝が、重税に反発したバゴーの地方反乱により、一七五二年に滅亡した。代わってコンバウン朝(一七五二—一八八五年)のアラウンパヤー王(在位一七五二—六〇年)が、中央平原一帯に覇権を樹

立した。一七五七年にはバゴーを陥れ、五八年までにシャン高原を制圧した。第三代シンビューシン王(在位一七六三―七六年)は、さらにチェンマイ、ウィエンチャンに遠征し、一七六七年にはアユタヤを占領した。コンバウン朝のシャンの制圧は、支配権をめぐって清朝の介入を招いた。乾隆帝は、一七六六―六九年に四回にわたり遠征軍を派遣したが、ビルマ側はすべて退け、清朝と停戦にこぎつけた。コンバウン朝は、諸遠征による捕虜をエーヤーワディ川中央平原に連行し、彼らを活用して農業生産を高め、中国貿易に重要な綿花の栽培を進展させた。

一方、シャムではその後タークシンが、ビルマ軍を退け、対中国貿易に有利なチャオプラヤー川河口近くのトンブリーを拠点に新たな王朝を開く。しかし、その後タークシンは奇行が目立ち始め、彼の武将だったチャクリが、タークシンから政権を簒奪《さんだつ》し、一七八二年にバンコクを首都とするラタナコーシン朝(チャクリ朝)を樹立した。彼はラーマ一世(在位一七八二―一八〇九年)として即位する。バンコクは、チャオプラヤー川流域で生産された米を集荷し、年間一〇〇隻以上の中国船が訪れる港となった。

また南北に勢力が分立していたベトナムでも、統一政権が樹立された。南進を展開した広南阮朝に対し、不満を有した土豪や流民たちが結集して、一七七三年に西山《タイソン》党の乱が生じた。西山党の乱は、阮朝さらに北ベトナムの鄭氏を滅ぼし、リーダーの阮文恵《グエンヴァンフエ》《げんぶんけい》は一七九〇年に清朝より、安南《アンナム》《あんなん》国王に封ぜられた。これに対し、広南阮氏の一族であった阮福瑛《グエンフックアイン》《げんふくえい》は、シャムのラーマ一世とフランス人宣教師ピニョー、さらに華人勢力に支えられ、西山党勢力を破り、南北ベトナムを統一する。一八〇二年彼は、フエで嘉隆《ザーロン》《かりゅう》帝(在位一八〇二―二〇年)として即位した。同時に清朝に使節を派遣し、一八〇四年に嘉隆帝は越南《ベトナム》《えつなん》国王として認められた。ベトナムも、メコンデルタの米の中国への輸出に熱心になった。第二代明命《ミンマン》帝(在位一八二〇―四〇年)は、清朝から授けられた「越南」の呼称のほかに、国内では南へのさらなる勢力拡大を示唆する「大南《ダイナム》《だいなん》」を用い、中国に朝貢しながら相対的な独立性を表明した(嶋尾 二〇〇一)。

大陸部のビルマ、シャム、ベトナムの諸王国は、今日のミャンマー、タイ、ベトナムの基盤となる領域に影響力を行使し、王国の統合を進展させた。シャムとベトナムの影響力は、カンボジアやラオスにも及んだ。カンボジアでは一七世紀終わりに、シャム寄りのウドンとベトナム寄りのスレイ・サントーの二王家が分立した。またラオスのラーンサーン王国も、一八世紀にルアンパバーン、ウィエンチャン、チャンパーサックに分立し、シャムとベトナムの双方に朝貢した。(2)

近世後期の東南アジア島嶼部と華人の活動

中国との交易の発展は、島嶼部の経済も活性化させた。一八世紀には、東西交易の中継地にパレンバン王国とジョホール・リアウ王国が隆盛する。ムシ川河口に位置するパレンバンは、上流部の内陸地で生産された胡椒とバンカ島の錫を中国やヨーロッパに輸出した。ジョホール王国の王位を一六九九年に簒奪し、その後ビンタン島に拠点を構えたジョホール・リアウ王国は、東南アジア海域世界に広くネットワークを形成したブギス人の支援を得て王国を安定させた。ビンタン島で栽培された胡椒やガンビールをはじめ、ブギス人のもたらす東部インドネシアの産品やマレー半島の錫が、中国やヨーロッパ向けの重要な商品となった(鈴木 一九九九:一四九―一五七頁)。

華人も一八世紀以降、東南アジアに多数到来する。ジャワ島では、すでにオランダがバタヴィアに拠点を構えて以降、寄港する華人船の関税を半額にし、彼らの関心を引こうとした。一七世紀中葉以降、ジャワでサトウキビ栽培が展開し始めると、砂糖農園や製糖所で働く華人が増える。一八世紀初めには、バタヴィアの華人は一万人を超えた。オランダは彼らのなかから、カピタン(首領)とライテナント(副首領)を任命し、華人の取り締まりや裁判、徴税を彼らに委ねた。しかし、華人移住者はその後も増え、移住者として登録されない「不法滞在者」が増えた。

バタヴィアの治安は悪化した。バタヴィアでは少数派のヨーロッパ人の間で、彼らは華人に包囲され、皆殺しにされるという噂が流れ始めた。噂を気にしたオランダが、一七四〇年一〇月九日華人居住区に立ち入り調査をしたとき、一軒の家に大火が起こり、それを華人の総決起の合図と誤解した。オランダ人は、九日と翌一〇日に華人を手当たり次第殺戮した。およそ一万人の華人が殺戮されたと推定されている(Blussé 1988: 95)。

その後やってくる華人は、ジャワを避けマラッカ海峡域に赴く者が増えた。上述のビンタン島の商品作物栽培をはじめ、バンカ島の錫の採掘、マレー半島の金や錫鉱山の採掘、胡椒栽培などに、彼らは従事した。また一八世紀中葉に西カリマンタンで金鉱が発見されると、鉱山開発に従事する華人が増えた。一方、中部ジャワのジョクジャカルタとスラカルタの王家も、一八世紀後半にサトウキビ栽培を進展させた。そこでの労働や製糖業を華人が主に担った。王家はまた、華人に王国の徴税業務を請け負わせた。

またフィリピン南部のスールー諸島を拠点としたスールー王国は、一八世紀の後半から一九世紀前半にかけて、ナマコなど中国向け海産物の輸出で栄えた。一八世紀の終わりからイギリス人カントリートレーダー(イギリス東インド会社からアジア域内貿易を許可された私貿易商人)は、この地にアヘンや武器弾薬、綿布をもたらし、中国向けの海産物や森林生産物を買い付けた。またブギス人は、オランダの交易独占をくぐり抜けて香辛料や火薬をもたらした。持ち込まれた武器弾薬を利用してスールー王国は、人的資源を獲得するために、東部インドネシアやマラッカ海峡周辺で奴隷狩りを行った(Warren 1981)。

またスペインの植民地支配下にあったフィリピンのルソン島でも、マニラ周辺で中国向けの米の栽培が盛んになった。フィリピンの商業活動を担ったのは、現地人と家族形成したカトリック教徒の中国系メスティーソである。一方、一八世紀後半からのカントリートレーダーの活動により、フィリピンではスペインの交易独占が困難となり、一八一五年のガレオン船を最後に、ガレオン貿易は終焉を迎えた。一八三四年マニラは、関税のかからない自由港として開港された。スペイン政庁は再び中国移民を受け入れ、中国商人が地方商業に進出し始める。そのため中国系メスティーソは、高利貸しや土地所有に転進する(菅谷 二〇〇一:二三〇―二三一頁)。

イギリスの海峡植民地形成

こうして活性化した中国との交易に、インドを拠点としたイギリスが参入し、マラッカ海峡に拠点を構える。一七八六年フランシス・ライトは、ラタナコーシン朝に対抗しようとしたクダーのスルタンに接近し、ペナン島を獲得した。イギリスは、ヨーロッパにおけるフランス革命の影響がオランダに及ぶと、一七九五年にオランダ領のムラカとスマトラのパダンを、一八一一―一六年にはジャワも占領した。その後ジャワはオランダに返還され、イギリスは一八一九年にスマトラからも撤退したが、同年シンガポールを領有した。イギリスはペナン・ムラカ・シンガポールを自由港とし、海峡植民地(一八二六―一九四六年)とした。とりわけ、海洋交通路の要衝に位置したシンガポールは、東西世界の商船を引きつけた(坪井 二〇一九:五四―五五頁)。

シンガポールの開港は、マラッカ海峡域をはじめ、バンコクやマレー半島のトルンガヌ、カリマンタンのポンティアナク、ベトナム、カンボジア、マニラ、バリ島、ブルネイなどの東南アジアの諸地域との交易活動を活性化させた。バタヴィアに寄港していたジャンク船の多くが、シンガポールを訪れるようになった。東南アジアの現地人勢力とヨーロッパ勢力が、対中国貿易が活性化するなかで隆盛する状況を呈した。

外来者・現地人女性・その子孫

上述した東南アジアにやってきたヨーロッパ人や華人、アラブ人は、ほとんどが単身赴任者であった。彼らの多くが、現地人女性あるいは女奴隷と家族形成した。当時の東南アジアの慣行であった現地人女性との一時結婚を、外来者は必ずしも正式結婚とみなしたわけでないが、現地側はこうした女性を妻と了解した。なおスペイン領フィリピンでは、キリスト教会がこの慣行を規制し、教会が正式とみなす結婚へ移行させた。

こうした女性は、家事を担うとともに、先に述べたように外来者と地元の商業活動を仲介した。一八世紀終わりにバタヴィアに寄港した王大海は、この地に根を張り使用人や奴隷を差配する現地女性に、華人の夫は逆らえないことを記す(Ong-Tae-Hae 1849: 9)。そもそもバタヴィアにやってきた外来者は、一七・一八世紀に多くが風土病で命を落とした。ジョーンズの研究によれば、一七三三年以降バタヴィアにやってきたヨーロッパ人の約半数が、到着後六カ月以内で死亡している(Jones 2010: 35)。バタヴィアの養魚池にわいたマラリア蚊が、その大きな原因の一つと考えられている。華人についてはデータが残されていないが、ほぼ同様であろう。外来者は、現地人女性の生活の知恵に頼らざるを得なかった。

こうして家族生活を営むと、外来系住民の子孫が誕生する。ヨーロッパ人の父親に認知された子供は、法的にヨーロッパ人とみなされ、オランダやスペインとの交流が長かった東インドやフィリピンの主要都市には、ユーラシアンやスペイン系メスティーソのコミュニティが形成された。一九世紀前半まで、彼らは植民地と宗主国を繋ぐ重要な存在であった。また現地生まれの華人は、対中国貿易において重要な役割を担うとともに、スペイン領フィリピンやオランダ領東インド、海峡植民地でヨーロッパ人と現地社会の経済的仲介役となった。

現地生まれの彼らは、母親や乳母に育てられ、その地の風習に馴染んだ。彼らが最初に話せるようになる言語は、現地語であった。東インドにやってきたヨーロッパ人男性は、昇進のためその後バタヴィアを離れるものが多く、また男子はオランダに教育のため送られる者もいた。他方女子は、そのままバタヴィアにとどまり、新来のヨーロッパ人男性の結婚相手となった。こうしてバタヴィアに女系家族を核とする、ヨーロッパ人社会が形成された。バタヴィアで死去したり、この地を去ったヨーロッパ人男性の資産の少なからぬ部分が、女性親族にも配分された。バタヴィアの現地生まれのヨーロッパ人の力は強く、彼らは東インド会社の総督の選出にも、少なからぬ影響力を行使した(Taylor 1983: 71-75)。

東インドのヨーロッパ人コミュニティでは、ユーラシアンが多数を占めた。彼らの多くは、オランダ東インド会社の下級職員や東インド軍の兵士となったが、一九世紀前半まではヨーロッパ出身者が限られたため、東インド会社や植民地政庁の中級・上級職にも進出した。彼らのなかには、土地を購入したり、ジャワ王家より土地を貸借し、砂糖農園の経営者として少なからぬ影響力を行使する者もいた。またスペイン領フィリピンでも、同様であった。代々フィリピンに居住したスペイン系メスティーソや中国系メスティーソは、教会活動や経済活動において重要な役割を担った(池端 一九八七:五六―七五頁)。

おわりに――近代植民地体制下における内と外の仲介者

一九世紀になると交通通信手段の発展とともに、東南アジアの各地でヨーロッパ勢力の植民地支配が進展し始めた。隆盛していた諸王国は、植民地勢力との確執が避けられなくなった。ビルマとベトナムでは、中国への足がかりを形成するために、前者でイギリス、後者でフランスの植民地活動が始まった。また東インドやフィリピンでは、オランダとスペインの支配が強化された。その結果、ビルマのコンバウン朝は廃絶され、ベトナムの阮朝やカンボジア王家、ラオスのルアンパバーン王家はフランスの保護下におかれ、フランス領インドシナ連邦に併合された。また東インドやフィリピンでは、ヨーロッパ本国の意向が強まり、現地勢力は劣勢となり、本国出身の来航者が増えだし、ユーラシアンやスペイン系メスティーソは社会的に周縁化し始めた。

これに対し、スペイン系メスティーソやユーラシアンの間から、現地人と連携してフィリピン人、東インド人の集団意識を形成し、植民地支配に対抗する活動が起こる。またそれ以外の地域でもヨーロッパ思想と地元の価値観を橋渡しする二重言語者が、重要な役割を担い始めた。植民地体制下で地域社会の再構築が目指されることになった。近

世と同じく近代においても、内と外の仲介役は、広域秩序形成と地域の自律性構築に緊密に関わったのである。(3)

注

(1) なお第二次世界大戦前には、植民地宗主国を中心に、考古学や碑文・写本研究をとおして前近代の東南アジアの王朝史研究がなされた。また東南アジアをめぐる東西交渉史やヨーロッパ勢力拡張史などの分野の研究も進展していた(弘末 一九九三)。これらの研究は、植民地支配正当化の営みとも緊密に連関した(笹川 二〇〇六)。

(2) このうちウィエンチャン王国は、一八二八年にシャムに滅ぼされ、チャンパーサックも同王国の直接支配におかれた。

(3) なお、こうした近世・近代の内と外の仲介役の変遷については、近刊予定の弘末(二〇二二)を参照されたい。

参考文献

飯島明子・石井米雄・伊東利勝(一九九九)「上座仏教世界」石井米雄・桜井由躬雄編『新版 世界各国史5 東南アジア史I 大陸部』山川出版社。

生田滋(一九六六)「補注」トメ・ピレス『東方諸国記』〈大航海時代叢書〉、生田滋ほか訳・注、岩波書店。

池端雪浦(一九八七)『フィリピン革命とカトリシズム』勁草書房。

池端雪浦(一九九四)「新しい東南アジア史像を求めて1 東南アジア史へのアプローチ」池端雪浦編『変わる東南アジア史像』山川出版社。

石井米雄(一九九一)「総説 東南アジアの史的認識の歩み」石井米雄編『講座東南アジア学4 東南アジアの歴史』弘文堂。

石井米雄(一九九八)「上座仏教と国家形成」岸本美緒ほか編『岩波講座 世界歴史13 東アジア・東南アジア伝統社会の形成』岩波書店。

石井米雄(一九九九)「シャム世界の形成」石井米雄・桜井由躬雄編『新版 世界各国史5 東南アジア史I 大陸部』山川出版社。

伊東利勝(一九九九)「帝国ビルマの形成」石井米雄・桜井由躬雄編『新版 世界各国史5 東南アジア史I 大陸部』山川出版社。

遠藤正之(二〇一〇)「カンボジア王ラーマーディパティ1世(在位一六四二~五八)のイスラーム改宗とマレー人の交易活動――オラ

ンダ東インド会社との関係をとおして」『東南アジア――歴史と文化』三九号。

北川香子(一九九九)「ポスト・アンコール」石井米雄・桜井由躬雄編『新版 世界各国史5 東南アジア史I 大陸部』山川出版社。

桜井由躬雄(一九九九)「亜熱帯のなかの中国文明」石井米雄・桜井由躬雄編『新版 世界各国史5 東南アジア史I 大陸部』山川出版社。

桜井由躬雄編(二〇〇一)『岩波講座 東南アジア史4 東南アジア近世国家群の展開』岩波書店。

笹川秀夫(二〇〇六)『アンコールの近代――植民地カンボジアにおける文化と政治』中央公論新社。

嶋尾稔(二〇〇一)「阮朝――「南北一家」の形成と相克」斎藤照子編『岩波講座 東南アジア史5 東南アジア世界の再編』岩波書店。

周達観(一九八九)『真臘風土記――アンコール期のカンボジア』和田久徳訳注、平凡社。

ショワジ・タシャール(一九九一)『シャム旅行記』二宮フサほか訳、岩波書店。

菅谷成子(二〇〇一)「島嶼部「華僑社会」の成立」桜井由躬雄編『岩波講座 東南アジア史4 東南アジア近世国家群の展開』岩波書店。

鈴木恒之(一九九九)「近世国家の展開」池端雪浦編『新版 世界各国史6 東南アジア史II 島嶼部』山川出版社。

坪井祐司(二〇一九)『ラッフルズ――海の東南アジア世界と「近代」』〈世界史リブレット 人〉、山川出版社。

東南アジア学会監修(二〇〇九)『東南アジア史研究の展開』山川出版社。

永積昭(二〇〇〇)『オランダ東インド会社』講談社学術文庫。

永積洋子(二〇〇一)『朱印船』吉川弘文館。

西尾寛治(二〇二〇)「マレー世界の拡大――マレー人を自称する人々が増加したのはなぜか」吉澤誠一郎監修、石川博樹・太田淳・太田信宏・小笠原弘幸・宮宅潔・四日市康博編著『論点・東洋史学――アジア・アフリカへの問い158』ミネルヴァ書房。

ハウトマン、ファン・ネック(一九八一)『東インド諸島への航海』〈大航海時代叢書〉、渋沢元則ほか訳註、岩波書店。

ピレス、トメ(一九六六)『東方諸国記』生田滋ほか訳・注、岩波書店。

弘末雅士(一九九三)「東南アジア像」溝口雄三・浜下武志・平石直昭・宮嶋博史編『アジアから考える1 交錯するアジア』東京大学出版会。

弘末雅士（一九九九）「東南アジアにおけるイスラームの展開」樺山紘一ほか編『岩波講座 世界歴史6 南アジア世界・東南アジア世界の形成と展開 一五世紀』岩波書店。

弘末雅士（二〇〇三）『東南アジアの建国神話』〈世界史リブレット〉、山川出版社。

弘末雅士（二〇〇四）『東南アジアの港市世界――地域社会の形成と世界秩序』〈世界歴史選書〉、岩波書店。

弘末雅士（二〇二二）『海の東南アジア史――港市・女性・外来者』ちくま新書、近刊。

ファン・フリート（一九八八 a）「シアム王国記」フーンス・フリート・コイエット『オランダ東インド会社と東南アジア』〈大航海時代叢書〉、生田滋訳・注、岩波書店。

ファン・フリート（一九八八 b）「シアム王統記」フーンス・フリート・コイエット『オランダ東インド会社と東南アジア』〈大航海時代叢書〉、生田滋訳・注、岩波書店。

藤原利一郎（一九八六）『東南アジア史の研究』法蔵館。

桃木至朗（一九九九）「新しい歴史――東南アジアとチャンパから」桃木至朗・樋口英夫・重枝豊『チャンパ――歴史・末裔・建築』めこん。

八尾隆生編（二〇二〇）『大越黎朝國朝刑律』汲古書院。

リード、アンソニー（二〇二一）『世界史のなかの東南アジア――歴史を変える交差路』太田淳・長田紀之監訳、青山和佳・今村真央・蓮田隆志訳、名古屋大学出版会。

Blussé, Leonard (1988), *Strange Company: Chinese Settlers, Mestizo Women and the Dutch in VOC Batavia*, Dordrecht and Providence, Foris Publications.

Brown, C. C. (1970), *Sejarah Melayu, Malay Annals*, Kuala Lumpur, London, New York and Melbourne, Oxford University Press.

Jones, Eric (2010), *Wives, Slaves, and Concubines: A History of the Female Underclass in Dutch Asia*, De Kalb, Northern Illinois University Press.

Kathirithamby-Wells, J. (1990), "Introduction: An Overview", Kathirithamby-Wells and John Villiers (eds.), *The Southeast Asian Port and Polity: Rise and Demise*, Singapore, Singapore University Press.

Lieberman, Victor (2003), *Strange Parallels: Southeast Asia in Global Context, c. 800–1830*, vol. 1: *Integration on the Mainland*, Cambridge, Cambridge University Press.

Meilink-Roelofsz, M. A. P. (1962), *Asian Trade and European Influence in the Indonesian Archipelago between 1500 and about 1630*, The Hague, Martinus Nijhoff.

Ong-Tae-Hae (1849), *The Chinaman Abroad*, (trans. W. H. Medhurst), Shanghai.

Reid, Anthony (1988 and 1993), *Southeast Asia in the Age of Commerce 1450-1680*, 2 vols, New Haven and London, Yale University Press.

Ricklefs, M. C. (1981), *A History of Modern Indonesia c. 1300 to the Present*, London and Basingstoke, The Macmillan Press LTD.

Taylor, Jean Gelman (1983), *The Social World of Batavia: European and Eurasian in Dutch Asia*, Wisconsin, The University of Wisconsin Press.

Warren, James F. (1981), *The Sulu Zone, 1768-1898*, Singapore, Singapore University Press.

問題群 | *Inquiry*

大交易時代のアジアの海域世界

中島楽章

はじめに

本稿では一四世紀後半から一七世紀前半にいたる、約三〇〇年間の海域アジア史を、東アジア海域（東・南シナ海とその周辺海域）を中心に通観する。この時代は東南アジアにおいて海上貿易が活発化し、その交易利潤を集積した新興国家が成長した、「商業の時代」（The Age of Commerce）とほぼ一致する（リード 一九九七・二〇〇二）。この三〇〇年は「一四世紀の危機」にはじまり、「一七世紀の危機」に終わる時期でもあり、中国史では明代に相当するが、明朝の成立と崩壊自体が、この二つの危機と不可分の関係にある。

すでに一三世紀末のモンゴル帝国時代には、ヨーロッパから中国にいたるユーラシア大陸の東西を結ぶ、陸路・海路の交易ルートが発達していた。しかし一六世紀の「大交易時代」のスケールは、一三世紀を大きく超えるものであった。第一に交易圏の拡大がある。一六世紀にはユーラシアを中心とする東半球だけではなく、アメリカ大陸を中心とする西半球も含む、地球規模の国際交易が成長していた。第二に交易規模の拡大がある。海上貿易による大規模輸送によって、奢侈品だけではなく綿布のような大量消費財も世界各地に運ばれ、絹・陶磁器・香辛料などもより広い階層に供給されるようになっていった。第三に人や情報・文化などの移動の拡大をあげることができる。たとえば一三世紀のヨーロッパ人にとって、ジパング(日本)は伝説的な黄金郷にすぎなかったが、一六世紀には多数の商人や宣教師が来日し、イエズス会士が毎年詳細な日本情報を本国に報告していた。

本稿ではこの「大交易時代」を中心とした海域アジア史の進展を、特に海上貿易を通じた商品(織物・陶磁器・胡椒など)と、貨幣(銀・銅銭)の動きに焦点をあて、また東アジア海域とインド洋・太平洋との相互連関も重視して論じていきたい。

一、朝貢・海禁体制と海域アジア

一四世紀の海域アジア交易

一三世紀後半以降、モンゴル支配のもとで、ユーラシアの内陸・海域を結ぶ循環的な交易ネットワークが形成されていった。泉州を起点とする海上ルートは、南シナ海・ベンガル湾を経て、マラバール海岸のカリカットからペルシア湾口のホルムズに達した。ホルムズからは陸上ルートがイラン高原・中央アジアを経て、元朝の大都にいたり、さらに海運で泉州に結びついていた(家島 二〇一七：一〇〇—一一二頁)。

こうした海外貿易の拡大を示す考古資料が、海域アジア各地の遺跡や沈没船に残された陶磁器である。特に浙江の龍泉《りゅうせん》窯で生産された青磁は、日本から東アフリカにいたる遺跡で大量に出土する。一三二三年、慶元《けいげん》(寧波《ニンポー》)から博多に向かう途中、高麗近海で沈没した新安沈船でも、約二万点の陶磁器の六割は龍泉窯青磁であった。さらに一四世紀中期には江西の景徳鎮窯で、白磁に西アジア産のコバルトで青色に絵付けした青花の生産がはじまる。青花は特にイスラーム圏に大量に輸出され、ジャワ島、インド、シリア、エジプト、東アフリカなどの都市・宮殿遺跡で、多くの元末青花が出土している(Carswell 2000: 59-76, 107-115; 森 二〇一五：一八七―二三九頁)。

一方、元代にはモンゴル支配層によるムスリムやウイグルの特権商人(オルトク)への出資や、西方のモンゴル王族への賜与により、大量の銀が中国から西ユーラシアに流出した。その一部は中国産品の代価として東方に還流したが、全体として銀は東から西へと流れていた。さらに元朝が紙幣(交鈔《こうしょう》)を法定貨幣とし、一四世紀初頭まで民間での金銀や銅銭による交易を禁じていたことも、銀や銅銭の海外流出を加速した。特に日本には膨大な銅銭が輸出され、新安沈船にも二八トンの銅銭が積載されていた。

一四世紀中期には、気候寒冷化による農業・遊牧生産減少とペスト大流行による「一四世紀の危機」のなかで、モンゴル支配は解体にむかい、中国から西ユーラシアへの銀流出も途絶する。さらにヨーロッパでは同時期に銀生産が急減したため、銀貨鋳造量が大きく減少した。銀流通の縮小はユーラシア各地に波及し、マムルーク朝でも銀貨が銅貨に代替され、北インドのデリー・スルタン朝やベンガルでも、銀貨鋳造が途絶ないし減少してしまった(Day 1987: 1-48; Kuroda 2009; 大田 二〇二一 a)。

また中国でも、一三六〇年代には金銀比価が一：一〇から一：五となり、銀の比価が二倍も上昇した(von Glahn 1996: 61)。モンゴル支配の解体により、西方に流出した銀の還流や、雲南・ビルマからの銀流入が途絶し、銀供給の急減がさらに銀の退蔵と稀少化を招いたのであろう。一四世紀中期以降、ユーラシア全域が深刻な銀不足に陥っていたのである。

明朝と朝貢・海禁体制

一三六八年、明朝の洪武帝は元朝をモンゴル高原に逐って中国本土を支配下におく。洪武帝は一四世紀の危機により荒廃した農村社会の復興につとめ、自給性が強く完結的な支配体制を構築していった。その経済・財政運営は、宋元時代の商業化・貨幣化の流れに逆行した、現物と労役の徴収と分配に基づくものであったが、その背景には元末までの銀と銅銭の大量流出による、深刻な貨幣不足があった。洪武帝は当初は銅銭を発行したが、ついで紙幣(宝鈔《ほうしょう》)を発行して、金銀・銅銭による交易を禁じた。しかし明朝は、元朝のように塩の専売収入や商税を通じて紙幣を十分に回収することができず、紙幣の価値は下落をつづけた(von Glahn 1996: 70-79; 大田 二〇二一a)。

一方、洪武帝は反政府的海上勢力と倭寇などの結合を防ぐため、「海禁」令を発して沿海民の航海活動を禁じた。ただし当初は政府管理下での民間貿易は認められており、主要貿易港には市舶司を設置し関税を徴収していた。実際に洪武初年には、民間商船が日本・高麗・東南アジアと活発に往来している。しかし一三七四年にいたり、洪武帝は市舶司を廃止し、その後は明朝に臣属の礼をとった諸国だけに、国家貿易を認めることになった。各国の朝貢使節は、皇帝への貢納品とともに、商品を舶載して入港地や帝都で交易(互市)することを許された。これが「朝貢貿易」である。これによって「朝貢なくして通商なし」を原則とする、「朝貢・海禁体制」が確立する(檀上 二〇一三:六九―一〇一頁、中島 二〇二一a)。

朝貢・海禁体制は、当初は沿海部支配がなお不安定な状況下での治安政策として施行され、本来は王朝草創期における特別措置であったが、しだいに次のような複合的な役割を担い、「祖法」として固定化されていった。(1)明朝に臣従する朝貢国だけに通商を認め、明朝中心の国際秩序を確立する外交政策。(2)国内の経済に対する国家統制強化を、海外貿易にも拡張する経済政策。(3)貨幣や軍需品などの海外流出を抑止する通商政策。

明朝は歴代王朝のなかでも、定住農業地域(農牧交錯地帯を含む)だけをほぼ過不足なく支配する王朝であり、洪武帝はその外部の遊牧・海域世界に対しては、農業地帯への侵攻防止のための辺防・海防強化に専念し、積極的な支配拡大を図ることはなかった。洪武帝は朝貢体制のもとで必要最小限の外交・通商関係だけを維持し、自給性が強く完結的な農村社会の延長上に、自給的・完結的な農業帝国を作りあげようとしたのである。

鄭和の遠征と海域アジア

洪武帝の死後、靖難の変を経て一四〇二年に即位した永楽帝は、一転して中国本土と遊牧・海域世界を、朝貢秩序のもとに統合することをめざした。彼はユーラシア東西を結ぶ海上・内陸交通路に宦官を派遣して朝貢をうながした。特に雲南ムスリムに出自する鄭和は、大艦隊を率いて七回にわたり、南シナ海・インド洋全域にわたる航海を指揮した(第七回は宣徳帝が派遣)。第一―第三回遠征(一四〇五―一一年)では、南シナ海からベンガル湾を経てカリカットに往復し、つづく第四―第七回遠征(一四一三―三三年)では、本隊はカリカットからペルシア湾口のホルムズに往復している。さらに分遣隊はアラビア海を経てアラビア半島・東アフリカの諸港を巡歴し、第七回では紅海に入ってメッカにも巡礼した(上田 二〇一三：九四―一二八頁)。

第一―第三回遠征の航程は、宋元時代の華人海商の航海圏にあたり、第四―第七回遠征の航程は、ムスリム海商の航海圏にまで拡大した。鄭和艦隊の幹部にはムスリムも多く、そのことがアラビア海域への進出に寄与したことは疑いない。一五世紀初頭には、ティムール帝国はホルムズ、イエメンのラスール朝はアデン、マムルーク朝は紅海のジッダを拠点港としてインド洋貿易に進出しており、鄭和の遠征はこれらに呼応して、ユーラシア東西を結ぶ海上交易の復活をもたらした(家島 一九九三：二四三―二七三頁)。鄭和艦隊の航海ルートは、ホルムズで中国から中央アジアを経てイランに到る隊商ルートとも接続しており、朝貢体制のもとで、モンゴル時代と同じように、福建―東南アジア―カリカット―ホルムズ―中央アジア―北京を結ぶ、循環的なユーラシア交易圏が再現したのである。

また一四世紀末には明朝の海禁政策にともない、福建・広東から南シナ海域への、大規模な華人ディアスポラが生じていた。鄭和艦隊は東南アジア島嶼部で華人集団の紛争に介入し、あるいは彼らの定着を支援し、ムスリム華人コミュニティの形成を促進したとされる(上田 二〇一三：一二八―一四三頁)。なお南シナ海域の華人海商のなかには、現地王権と結んで、日本・朝鮮貿易にも進出する者もいた。永楽年間に日本の朝貢船が寧波に輸出した二四八種の商品リストには、南海産品も五〇種以上含まれており、琉球の中継貿易や、華人海商の東南アジア—日本貿易による輸入品の再輸出だと思われる（中島 二〇〇三）。

永楽年間には鄭和の遠征をはじめ、対外侵攻・北京遷都・大運河建設などの巨大プロジェクトが次々と実施された。一五世紀初頭には一四世紀の寒冷期が峠を越え、気候が相対的に温暖化しており、農業生産は安定し税収も増大していた。さらに永楽帝は国内の銀山開発も積極的に進めた。明朝は銀山産出量の三〇%を「銀課」として徴収しており、その年額は一四世紀末には最大で一・一トン強だったが、一四一〇年代には毎年一〇トン以上に達している（Atwell 2002）。これらの税収増が、永楽年間の財政膨張を支えたのである。

一五世紀前期の中国磁器（おもに青花）は、イランのアルダビール神殿（現イラン国立博物館蔵）に一八三点、トルコのトプカプ宮殿に四一点が残されており、鄭和艦隊の輸出品が、のちにオスマン朝やサファヴィー朝に帰したものであろう（Carswell 2000: 99-101; Atwell 2002）。また中国陶磁は隊商ルートによりティムール帝国にも運ばれた。特に第四代君主ウルグ・ベクは、中国陶磁のコレクションを宮廷内の「中国亭《チニ・カーナ》」に収蔵し、サマルカンド一帯では中国青花の模造生産も発達した（Guy 2018）。

ただし永楽年間以降も海禁政策は維持されており、朝貢貿易の拡大が民間貿易の途絶を十分に補ったわけではない。東南アジア各地の沈没船に残された陶磁器は、宋元時代にはすべて中国産であったが、明代前期には中国産陶磁は三〇—四〇%にすぎず、残りはタイ産・ベトナム産陶磁であった。またジャワ島のトロウランやバンテンなどの都城遺跡でも、一五世紀の中国磁器は乏しく、タイ・ベトナム陶磁が大半を占める（Brown 2010; Miksic 2010）。さらにシリアのダマスカス近郊で出土した、一四—一八世紀の八〇〇点の中国磁器片のなかでも、一五世紀前半の遺品はわずか数点にすぎない（Carswell 2000: 99）。一方、ケニア沿岸のゲディ遺跡で出土した一二五九点の中国磁器片では、明代前期(一四世紀後期−一五世紀前期)の磁器が二三%強を占めている。その大部分は龍泉窯青磁であり、鄭和艦隊の分遣隊の東アフリカ渡航と関係する可能性が強い(秦 二〇二一)。

二、ポスト鄭和時代

明代のギャップ

一五世紀中期にはユーラシア全域でふたたび気候が寒冷化し、農業・遊牧生産が減少する(Atwell 2002)。モンゴル高原を統一したオイラト部のエセンは、遊牧生産減少を打開するため朝貢貿易を拡大し、明朝がその抑制を図ると、一四四九年に中国に侵攻して、親征に赴いた正統帝を捕虜とした。その後、明朝は内陸アジアでは完全に守勢に立ち、海域アジアでも財政負担の大きい朝貢貿易の抑制策に転じた(中島 二〇一一)。また海禁政策により華人海商の交易活動も沈滞していたため、中国の南海貿易は大きく縮小した。このことは当時の沈没船に残された陶磁器にもはっきりと示されている。

東南アジア各地で発見された、一五世紀中期(一四二四−八七年)の九隻の沈没船のうち、一隻だけは中国産陶磁が四〇%を占めるが、他の八隻では中国産はわずかに全体の五%にすぎず、特に青花は激減している。その他はすべて東南アジア産であり、特にタイ産青磁が多い。陶磁史ではこうした一五世紀中期における中国陶磁輸出の激減を、「明代のギャップ」(The Ming Gap)と称する(Brown 2010)。また西アジアでも、アルダビール神殿では一五世紀中期の陶磁は皆無であり、トプカプ宮殿でも一二点にすぎない。東アフリカのゲディ遺跡でも、鄭和の遠征の終了とともに中国磁器は激減し、一五世紀中期の磁器はほとんど出土していない(Carswell 2000: 101; Atwell 2002; 秦 二〇二一)。

陶磁史上の「明代のギャップ」に類する現象は、貨幣史でも認められる。明朝は一五世紀前期までは銅銭を発行したが、その供給量は乏しく、その後は七〇年近くにわたり、銅銭鋳造が完全に途絶している。このため国内ではおもに唐宋時代の銅銭や、民間で鋳造した模造銭が流通し、銅銭を種類や品質により価格差をつけて用いる「揀銭《かんせん》」慣行も広がった。一五世紀中期には紙幣制度も破綻しており、民間交易や政府財政では、銀の使用がしだいに広がっていった(von Glahn 1996: 70-88; 大田 二〇二一b:八〇―九二頁)。

一方、ジャワでは一三世紀から唐宋銭が大量に流入し、ひろく流通していた。しかし一四世紀中期から中国銭の流入は急減し、一五・一六世紀にかけて北宋銭を模造した銭貨(ピシス)が現地生産されるようになる。ジャワ島の模造銭の多くは、原銅不足のため唐宋銭に鉛や錫を加えて改鋳したものであり、本来の北宋銭(直径二五ミリ、重量三・七グラム)より小さく、直径二一―二二ミリ、重量二グラム前後であった。同様の模造銭は東南アジア島嶼部でひろく使用され、ブルネイの一四世紀末の遺跡でも、古層からは正規の中国銭が、新層からは直径二〇ミリ、重量二・七グラムの模造銭が出土している(van Aelst 1995)。

さらに日本でも、一三世紀―一四世紀前半に唐宋銭が大量流入し、一五世紀前期の朝貢貿易でも一定量の明銭が輸入された。しかしその後は、海外からの銅銭流入は急減し、一五世紀末には、やはり銅銭を種類や品質によって選別する「撰銭《えりぜに》」慣行が拡大していく。明代中期は銅銭が極度に稀少化した時代であり、銅銭の銀や米などに対する比価は日本よりもかなり高く、正規銭・模造銭をとわず、多量の銅銭が中国から日本に継続的に流入したとは考えにくい。当時の日本で撰銭の対象となった模造銭も、ジャワ島の場合と同じく、大部分は国産品であろう(高木 二〇一八:三一―九四頁、中島 二〇二二b)。

マラッカと琉球

海域アジアにおける明朝のプレゼンスが急減した空白期に、台頭したのがマラッカ(ムラカ)王国である。マラッカ王国は、一五世紀初頭に鄭和艦隊の航海拠点として急速に発展し、明朝との朝貢貿易を推進するとともに、イスラームを受容してムスリム商人を誘引し、海域アジアの東西を結ぶ集散港となっていく。

マラッカ王国ではその交易圏を、①アラビア海・②ベンガル湾・③ジャワ海・④南シナ海の四海域に分け、各海域の有力海商をシャーバンダル(港務長官)に任命し、他の海商たちを統率させた。①アラビア海域からは、インド西北部のグジャラート商人がインド産綿布をもたらし、西方イスラーム圏の商人もグジャラート商船に同乗して来航した。②ベンガル湾海域からは、南インドのヒンドゥー系商人(クリン人)が、コロマンデル海岸の綿布、ベンガルの綿布・米、ペグーの米や木材を供給した。③ジャワ海域では、マレー人・ジャワ人商人が、特にインド産綿布と香辛料の交易を進め、④南シナ海域では、華人海商が海禁をくぐって、生糸・絹・陶磁器などの産品をもたらした(中島 二〇二〇：一八三―一九五頁)。

一方、海域アジア東部において、東・南シナ海域を結ぶ集散港となったのが琉球である。琉球では一四世紀末から、中山・山北・山南の三王国が明朝との朝貢貿易をはじめ、一四二〇年代には統一琉球王国が成立する。琉球王国は明朝に毎年朝貢するとともに、アユタヤ朝などに貿易船を派遣し、室町幕府や朝鮮王朝とも通交を行い、東・南シナ海諸国との中継貿易拠点となっていく。

一五世紀中期以降、琉球の朝貢貿易は減少傾向にあり、室町幕府や朝鮮王朝との通交もほぼ途絶する。しかしそれにかわり、福建海商との密貿易が拡大をつづけ、また博多・堺商人も那覇に来航して、日本・朝鮮貿易を担うようになる。さらに東南アジアでは、アユタヤ朝やマラッカに活発に貿易船を派遣し、中国の生糸・絹・磁器、日本の黄金・銅、琉球本国の小麦などを輸出し、胡椒・蘇木・香料などの南海産品を中国、日本、朝鮮に供給した。さらに一六世紀にかけて、琉球船はルソン、ブルネイ、ベトナム中部、広東などにもしばしば渡航しており、その交易圏を南シナ海全域に広げていった。

琉球船はアユタヤやマラッカに渡航するたびに、二五〇〇点近い青磁を国王に献上しており、交易品として輸出した青磁はさらに多かったであろう。実際に那覇港では大量の青磁が出土しており、特に一五世紀後半―一六世紀前半には出土量が急増している。琉球は中国青磁の南・東シナ海域への中継輸出により、海域アジアの青磁供給センターとなっていたのである。ただし一六世紀中期以降、倭寇や華人海商の密貿易の急拡大とともに、琉球の中継貿易はしだいに縮小に向かうことになる(同：一八一―三三四頁)。

「銀の世紀」の序幕

陶磁史上の「明代のギャップ」は、弘治年間(一四八八―一五〇五年)に一転して終結する。東南アジアの弘治年間の沈没船では、中国陶磁の割合は七五%に急増し、四分の三が青花であった。一方でタイ産青磁は急減している(Brown 2010)。この時期には日本でも琉球経由で陶磁・生糸などの中国産品(唐物《からもの》)の輸入が拡大し、朝鮮でも中国産の奢侈品の流入・消費が拡大した(大田 二〇二一 b：二三―四〇頁)。

また西アジアでも、一五世紀後期―一六世紀前期の中国磁器は、アルダビール神殿では二九件、トプカプ宮殿では約一〇〇点にのぼり、ダマスカス近郊でも、この時期の出土磁器は二〇〇点を超える。東アフリカのゲディ遺跡でも、一五世紀中期の中国磁器は皆無に近いが、この時期には全体の約八%を占め、かつ従来の龍泉青磁にかわり、ほとんどが景徳鎮青花となる。特に正徳年間(一五〇六―二一年)には、景徳鎮でアラビア語やペルシア語でコーランの聖句を記した青花が多数生産された。正徳帝はムスリムの宦官や側近を重用しており、これらの青花は彼らの発注で国内のムスリム用に生産され、イスラーム圏にも輸出されたのである(Carswell 2000: 101, 138-141; Atwell 2002; 秦 二〇一二)。

さらに中国陶磁はヨーロッパにも本格的に流入しはじめる。一五世紀末に、ロレンツォ・デ・メディチは五〇点以上の中国磁器のコレクションを有していた。またヴェネチアの画家ジョバンニ・ベッリーニの「神々の饗宴」(一五一四年)には、青花の碗が二点、皿が一点描かれている。この青花碗の図柄は、トプカプ宮殿やダマスカス近郊の一五世紀末の青花碗と共通しており、おそらくイスラーム圏向けの輸出磁器が、レヴァント貿易により輸入されたのであろう(Carswell 2000: 132; Pierson 2013: 42)。

こうした中国磁器の西ユーラシア流入の急増は、一五世紀末以降、ユーラシア各地で経済が拡大局面に転じ、長距離貿易が活発化したことを反映している。その契機としては、一五世紀中期の寒冷期がおわり、気候が相対的に温暖化し、農業生産が増加したことにくわえ、ヨーロッパにおける銀生産急増も重要である。一四七〇年代から、ヨーロッパでは銀鉱石と鉛を溶解した合金を加熱して、酸化鉛を分離し銀を抽出する精錬法が導入され、銀生産が急増する。南ドイツやボヘミアなどの主要銀山の生産量は、一四七〇—一五三〇年代に、一七・四トンから五二・五トンへと三倍増した。ポルトガルによるギニア湾岸からの黄金輸入の増大もあって、レヴァント貿易への金銀投資も拡大し、一四九〇年代にヴェネチアから東方へ運ばれた金銀は、銀換算で年間二六トンに達している(Munro 2003)。

レヴァント貿易に投資された金銀は、マムルーク朝やオスマン朝を経て、香辛料や綿布などのアジア産品の代価として、インド・東南アジア方面に流出した。一六世紀初頭の金・銀比価は、ヨーロッパでは一:一二、ペルシアでは一:一〇、インドでは一:八、中国では一:六であり、インドより銀比価の高い中国にも、絹や陶磁器などの代価として、西方の銀が流入していったことは疑いない(von Glahn 1996: 127; Flynn 2019)。広東の海外貿易を統括する宦官(市舶太監)であった韋眷《いけん》(一四九五年没)の墳墓で、ヴェネチアのグロッソ銀貨が出土しているのも、その一端であろう(李 二〇〇七:二一四頁)。

また一六世紀初頭には、朝鮮にも鉛を用いて銀を精錬する技術が導入され、端川《たんせん》銀山などの生産量が急増し、朝貢使節の私貿易や、遼東との密貿易によって中国にも大量に流入した(小葉田 一九七六:八七—九二頁)。明朝が国内銀山から徴収する銀課は低迷していたが、政府の統制外で私的な銀採掘が増大していたと思われ(呉 二〇〇二)、全体として中国への銀の供給量は増加していたにちがいない。

成化年間(一四六五—八七年)ごろから、明朝の海禁政策はしだいに弛緩し、特に福建南部の漳州《しょうしゅう》湾地域から南シナ海域への密貿易が活発化していく(佐久間 一九九二：三二二頁)。また広東近海では、朝貢船以外の外国商船が来航して交易(互市)を行うようになり、広東当局はこれを黙認して関税を徴収するようになる(岩井 二〇二〇：一六九—一九二頁)。海外銀の大半は朝貢貿易ではなく、これらの非公式貿易を通じて流入していた。成化・弘治年間を転機として、民間では銀による交易が普及し、財政面でも現物の徴収や労役の徴発がしだいに銀納化され、政府や皇室の財政支出も銀が中心となっていった(万 二〇〇五：一四三—二二六頁)。銀経済・銀財政の拡大により、海外銀流入の増加にもかかわらず、中国への銀供給はなお需要を満たすにはとうてい足りなかったのである。

三、胡椒・銀・倭寇

ポルトガルの海域アジア進出

一五世紀まで、アジア産品はムスリム海商によって、アデンから紅海を経てエジプトに、またはホルムズからペルシア湾を経てシリアに運ばれ、レヴァント貿易によりヨーロッパに供給されていた。一方、ポルトガル船は黄金と奴隷を求めて西アフリカ沿岸を南下し、その延長上にアジアへの直航ルートの開拓をめざした。一四九八年には、ヴァスコ・ダ・ガマの艦隊が、喜望峰を周回してカリカットに到達する。

ポルトガルは艦隊と火砲の威力により、インド洋貿易に強引に参入していく。一五〇五年からはインディア副王(または総督)が、喜望峰以東のポルトガル拠点(インディア領)を統括することになる。第二代総督アフォンソ・デ・アルブケルケはゴアとホルムズを制圧し、一五一一年にはマラッカを占領して、マラッカ—ゴア—ホルムズを結ぶ基幹海上交易ルートを掌握した。ただしアデンを攻略して、ムスリム海商の紅海ルートを遮断することはできなかった。その後もポルトガルは各地に要塞《フォルテレーザ》や商館《フェイトリア》を設置し、現地商船には要塞でカルタス(航海許可証)を購入して、関税を納入することを義務づけた。

喜望峰回りのインディア航路《カレイラ》による胡椒などの香辛料貿易は、ポルトガル王室の独占事業であった。王室はアントワープに商館を設立し、中部ヨーロッパの銀や銅を調達して、アフリカ産の黄金とともにアジア貿易に投入し、アジア産品をアントワープ商館を通じてヨーロッパ市場に供給した。しかしその後、アメリカ銀の輸入が増大し、アジア貿易の主要原資となるにともない、一五四九年にアントワープ商館は廃止され、アジア産品はリスボンから直接ヨーロッパ各地に運ばれるようになる(Disney 2009: 119-144; 岡 二〇一九)。

一六世紀前期にはポルトガルのインディア航路貿易の急拡大により、ムスリム海商のインド洋貿易や、ヴェネチアのレヴァント貿易は大打撃をうけた。しかし一六世紀中期には、ムスリム海商は東南アジア産の香辛料を、スマトラ島北端のアチェから、インド洋を直進して紅海に搬出するルートを開拓する。ただしこのルートで運ばれた香辛料は、おもにイスラーム圏に供給され、ヨーロッパ市場への供給では、一六世紀を通じてポルトガルが主導権を握っていた(Disney 2009: 151-152; スブラフマニヤム 二〇〇九：三三一—六五頁)。

ポルトガル人はおもに兵士《ソルダード》身分でアジアに来航したが、要塞や艦隊などで一定期間勤務したのち、現地に残留する者も多かった。現地女性と結婚してポルトガル拠点に定住した者やその子孫は、カザード(妻帯者)と称され、私貿易商人としてアジア間貿易に従事する者が多かった。特に海域アジア東部では、王室船が就航する航路は限られ、私貿易商人が南インドのクリン人海商や華人海商と結びついて、独自の交易活動を広げていく。

また一六世紀中期には、ポルトガル王室もアジア間貿易については独占貿易を縮小し、インディア領での功労者に対し、カピタン・モール(航海司令官)として、所定の年に特定の航路で貿易を行う航海権を授与するようになる。カピタン・モールとしての航海権は王室への功績に応じて授与されたが、実際にはその権利が売与されたり、第三者に転売されることも多かった(Disney 2009: 172-187; Subrahmanyam 2012: 145-150)。

南・東シナ海域の交易拡大

日本では一五三〇年代に鉛を用いた銀の精錬法(灰吹法)が朝鮮から伝播し、石見銀山などの銀産量が急増した。日本銀は朝鮮から遼東を経て、また琉球から福建を経て中国に流入し、一五四〇年代には華人海商が日本銀を求めて九州に渡航しはじめる(中島 二〇二〇：二八三頁)。またこのころから、従来の福建海商にくわえ、中国有数の商人集団であった徽州《きしゅう》商人も南シナ海密貿易に参入し、一五四〇年にはポルトガル私貿易商人を、浙江近海の密貿易港であった双嶼《そうしょ》に誘引した。一六世紀中期には東南アジア島嶼部の胡椒生産が急成長し、ムスリム海商によって西アジアへ、華人海商によって中国へ大量供給されており、ポルトガル私貿易商人もこれに参入したのである。マラッカへの胡椒輸入量は、一五三五—四五年の間に九〇トンから三六〇トンへと四倍増しており、大部分は中国市場に輸出された(Loureiro 2000: 141-336; 中島 二〇一六)。

一五四二年には、ポルトガル人がアユタヤから華人ジャンクで中国に向かう途中、琉球に漂着する。翌一五四三年には、別のポルトガル人が、おそらく徽州海商王直のジャンクに同乗して、種子島に来航し火縄銃を伝えた。この年には中国で胡椒の供給過剰により価格が暴落しており、彼らは胡椒バブルの崩壊に対し、新たな商機を求めて日本に向かった可能性がある。こうして一五四〇年代には、華人海商とポルトガル私貿易商人の交易活動が同時並行的に拡大し、双嶼は日本銀・南海産品・中国産品が交易される、東シナ海域最大の密貿易拠点となっていく(中島 二〇一六、二〇二〇：三四六—三七〇頁)。

明朝も密貿易の急拡大を座視できず、一五四八年には明軍が双嶼を攻撃・破壊する。しかしこの強硬措置は、かえって武装密貿易船団の拡散を招き、華人・日本人が一体化した倭寇集団による、東南沿岸部一帯での襲撃・掠奪が拡大していく。特に王直は五島・平戸を拠点として、多くの倭寇船団を傘下に収め、東シナ海域の密貿易を主導した。一五五七年、王直は浙江近海に渡航し、通商公認を条件に明朝に帰順しようとした。しかし通商公認は実現せず、王直は退路を断たれて投降し処刑された(山崎 二〇一〇・二〇一五)。

一方、広東では一五二〇年代初頭のポルトガル船駆逐後、海禁がふたたび強化され、外国船との交易が厳禁されていた。しかし一五三〇年代には、広東当局はなしくずし的にふたたび外国商船との交易(互市)を認め、関税を徴収するようになる(岩井 二〇二〇：一六九―二二〇頁)。ポルトガル私貿易商人も広東近海の島々を拠点として、この交易に参入した。一五五四年には、中国航路のカピタン・モールであったレオネル・デ・ソウザが、広東当局から広州において、シャム人と同条件で交易し、関税を納めることを許された。そして一五五七年には、ソウザと広東当局の交渉により、ポルトガル人のマカオ居留が認められたのである(岡本 一九四二：二四四―二九三頁、Loureiro 2000: 487-588)。

一五七〇年システム

一六世紀中期には、東南沿岸で倭寇の活動が拡大するとともに、北方辺境ではモンゴルの侵攻が激化し、一五五〇年には北京を包囲するにいたる。北方辺境と東南沿海の危機的状況に直面し、明朝も「朝貢なくして通商なし」という原則の転換を迫られることになる。まず一五六七年ごろ、明朝は海禁を大きく緩和し、福建漳州湾の海澄《かいちょう》港から、華人商船が東南アジア各地に渡航することを認めた。ついで一五七一年には、明朝はモンゴルと和議を結び、朝貢貿易を再開するとともに、長城線に沿って一連の交易場を開き、国境貿易(互市)を行うことを認めた。同時期に東北の女真《ジュシェン》や西南のチベットに対しても、朝貢貿易や互市の機会を拡大している(中島 二〇一一)。

同じく一五七一年には、長崎が開港され、ポルトガル船のマカオ―長崎貿易が始まっている。またこの年には、フ

表1　「1570年システム」の構造

	地　域	国　家	朝貢貿易の窓口	互市・往市・〈密貿易〉
海域アジア	東アジア地域	朝鮮王朝	遼東：鳳凰城～山海関	遼東における互市
		日本	〈1550年から朝貢貿易途絶〉	ポルトガルのマカオー長崎貿易 〈華人海商の密貿易〉
		琉球王国	福建：福州市舶司	〈華人海商の密貿易〉
	東南アジア地域	安南(鄭氏)	広西：鎮南関～憑祥	広州湾での互市(15世紀末～)
		シャム	広東：広州市舶司	海澄からの往市(1560年代末～)
		他の東南アジア諸国	〈1543年以降，朝貢貿易の記録は途絶〉	〈華人海商の密貿易〉
	ヨーロッパ勢力	ポルトガル	〈国家間貿易交渉は失敗〉	広州・マカオでの互市(1557～)
		スペイン		海澄ーマニラ間の往市(1571～)
内陸アジア	北アジア地域	モンゴル	山西：大同～居庸関	長城線の互市場(1571～)
		ウリヤンハイ三衛	北直隷：喜峰口	遼東の馬市
		女真	遼東：開原～山海関	遼東の木市・互市場(1570年代～)
	中央アジア地域	ハミ・沙州地域	甘粛：嘉峪関～粛州	陝西の茶馬司
		中央アジア	ハミ～嘉峪関～粛州	粛州での互市(15世紀末～)
	西南高原地域	チベット	陝西・四川	陝西・四川の茶馬司
		西南土司	四川・雲南・貴州・広西・湖広	華人商人との互市

*「互市」は内陸・沿海の境域貿易，「往市」は海澄ー東南アジア貿易を指す(中島 2011：22)

ィリピンの植民地化を進めていたスペイン人がマニラ市を建設し、二年後にはマニラとメキシコのアカプルコを結ぶ、武装大型帆船(ガレオン船)による太平洋貿易が開始された。あたかもペルーのポトシ銀山などでは、水銀と銀鉱石を溶融し、水銀を蒸発させ銀を抽出する精錬法(水銀アマルガム法)の導入により銀産量が急増し、メキシコで鋳造されたレアル銀貨が、全世界に流通しはじめる。ガレオン船は大量のレアル銀貨をマニラに運び、福建海商がそれを中国産品と交易して海澄に輸入した。

こうして一五七〇年前後に、東アジアではかつての朝貢・海禁体制にかわり、海域・内陸の双方で朝貢・互市などの多様な貿易ルートが併存する、新たな通商秩序が形成されていった。ただし朝貢と互市はゼロサム関係にあったわけではなく、内陸では互市と同時に朝貢貿易も拡大している。筆者はこの通商秩序を、「一五七〇年システム」と称している[**表1**]。それは明朝を中心とした一元的・固定的な朝貢体制とは異なり、一五六〇年代末の海禁緩和による通商拡大を契機として、新たな貿易ルート開拓の動きが連動し、それらの相互関係を通じて形成された、多元的・流動的なシステムであった(中島 二〇一一)。

一五七〇年システムは、日本銀やアメリカ銀を中国市場に供給し、中国産品を世界市場に供給する回路として機能した。明朝では一五七〇年前後に、海外銀の流入地であった東南沿海部から一条鞭法が導入され、全国に普及していく。これによって租税と労役の大部分が銀納化され、各戸の成年男子と土地に応じて一律に課税されるようになった。東南沿海から中国に流入した銀は、江南デルタなどを経て全国に拡散したのち、一条鞭法によって徴税され、さらに北方辺境の軍事費や互市の費用として投入された。その多くは軍需品や輸出品の代価として、中国内地に還流したのである(岸本 一九九八b:一六―二〇頁)。

四、交易と紛争の時代

マカオとマニラ

一五七〇年代以降、海外銀を中国市場に供給する二大ルートとなったのが、マカオ―長崎貿易と、アカプルコ―マニラ―海澄貿易であった。マカオ―長崎貿易は、日本への航海権を得たカピタン・モールによって行われた。カピタン・モールの大型帆船《ナウ》は、毎年春にゴアを出航し、マラッカを経て初夏にマカオに入港した。ついで夏季と冬季に広州で開かれる大市で商品を調達し、翌年夏に長崎に入港して交易を行い、初冬にマカオに帰港した。この定航船には二〇〇人以上の商人が同乗し、このほかにも毎年二―三隻以上のポルトガル私貿易商人のジャンク船が、マカオから長崎に渡航していた(Boxer 1963: 1-19)。

一六〇〇年ごろのポルトガル船の積載商品リストによれば、ゴアからマカオには、リスボンから運ばれたレアル銀貨のほか、インド産の象牙やヨーロッパ産のブドウ酒などが積載された。マカオから日本への最大輸出品は生糸・絹布であり、黄金がそれに次ぎ、綿糸・綿布・陶磁器・鉛・薬材なども主要商品であった。日本からマカオへの輸出品は記されていないが、銀が大部分を占める。マカオからゴアへの最大輸出品も生糸・絹布であり、特に絹布の輸出量は日本向けの五倍に上った(岡 二〇一〇:九三―一二五頁)。

一方、スペインのガレオン船はレアル銀貨を満載して、毎年三月にメキシコ西岸のアカプルコを出航し、貿易風により太平洋を横断して、五月にマニラに入港した。マニラでは海澄から来航する福建海商と交易を行い、大量の生糸と絹をはじめ、陶磁器・綿布・銀精錬用の水銀など、多様な商品を購入した。七月にはマニラを出港し、黒潮と中緯度偏西風に乗って北太平洋を横断して、一二月ごろアカプルコに帰航したのである。

一五八〇年にスペイン国王フェリペ二世がポルトガル国王を兼ねると、マカオのポルトガル商人もアメリカ銀を求めてマニラに渡航しはじめる。フェリペ二世はアメリカ銀の過剰流出を防ぐため、一五九三年にはガレオン船の渡航数を一年に二隻以内、銀輸出量を五〇万ペソ(一二・八トン)以内に制限した。しかし実際には制限は守られず、密貿易もやまなかった。一五八六年には、フェリペ二世はマカオ―マニラ間の通商を原則的に禁じたが、その後もポルトガル船はマニラに渡航しつづけた(Boxer 1963: 48-75; 平山 二〇一九)。

一六世紀末には、華人海商の密貿易を除けば、ポルトガル船が日本―中国間の中継貿易をほぼ独占していた。しかし一七世紀に入ると、華人密貿易の拡大、朱印船と華人商船の東南アジア各地での出会貿易、オランダ・イギリス東インド会社の進出などにより、ポルトガルの寡占状態は崩れていく。当初、オランダ東インド会社はマカオやマニラのような中国産品の調達拠点を確保できず、かわりに東・南シナ海でポルトガル船や華人商船を襲撃・掠奪した。オランダ船の海賊行為は華人海寇の活動拡大も誘発し、一六二三年以降、福建では海賊対策のためふたたび海禁が施行され、華人海商のマニラ貿易の沈滞を招いた。

海澄―マニラ貿易の混乱により、重要性を高めたのがマカオ―マニラ貿易である。ポルトガル船はほぼ毎年マニラに渡航し、中国産の生糸・絹・水銀や、インド産の綿布・硝石・奴隷などを供給し、レアル銀貨を広東・インド市場にもたらした。しかし一六三九年にポルトガルの日本来航が禁じられたのにつづき、翌四〇年にポルトガルがスペインから独立したことにより、マカオ―マニラ貿易もほどなく途絶する。さらに四一年にはオランダがマラッカを占領して、マカオ―ゴア間の基幹航路も断たれ、その後のマカオは広東と東南アジア各地を結ぶ、地方的な貿易拠点として存続することになる(Souza 1986: 63-86)。

福建ネットワークの拡大

海禁緩和後、福建当局は海澄から東南アジアに渡航する商船に文引(渡航許可証)を発給し、船舶税と輸入関税を徴収した(佐久間 一九九二:三二二―三四五頁)。その後も日本への渡航は厳禁されていたが、実際には日本銀を求めて九州に密航する華人商船は絶えなかった。さらに福建海商は、福建―ルソン―九州を結ぶ交易にも進出していく。またこのころから、日本船も南シナ海域に渡航しはじめる。すでに一六世紀末には、日本商船はフィリピンやベトナムをはじめ、シャム、パタニ、カンボジアなどに活発に渡航していた(中島 二〇〇九)。

福建―東南アジア貿易の拡大により、東南アジア各地に華人コミュニティが成長した。一七世紀初頭のマニラの華人人口は、華人居留区(パリアン)だけで八〇〇〇人、マニラ全域では二万人に上った。また朱印船貿易の発達にともない、マニラ、アユタヤ、ホイアンなどには日本人町も成立し、マニラ日本人町の人口は三〇〇〇人に達した。日本でも長崎に華人社会が成長し、三江幇《さんこうパン》(浙江・江南・江西)、福州幇(福建北部)、漳泉幇《しょうせん》(福建南部)という同郷集団を形成する。さらに九州各地の港町や城下町にも、華人居留者に由来する「唐人町」が出現した(岩生 一九六六、小葉田 一九七六:二八四―三二六頁)。

一六一〇年代以降、平戸・長崎の華人海商のリーダーとなったのが泉州出身の李旦兄弟である。彼らは台湾、ベトナム、ルソンなどに計二三隻の朱印船を派遣し、平戸のオランダ・イギリス商館の中国貿易も仲介した。李旦の死後、福建沿海で密貿易や海賊行為を主導したのが、やはり泉州出身の鄭芝龍《ていしりゅう》である。彼は一六二八年に明朝に帰順し、漳州湾の廈門《アモイ》を拠点として、台湾のオランダ人に中国産品を供給するとともに、廈門―長崎間の直接貿易も推進し、福建海商の交易ネットワークを掌握していく(永積 一九九九)。

なお一六世紀中期の日本では、銀生産の急増により銅銭の対銀比価が上昇したため、漳州では粗悪な模造銭を大量生産して、日本銀の代価として輸出した。日本では粗悪銭の大量流入により「撰銭」が激化し、より価値が安定した米を価値尺度として選好するようになる。また一五七六年に明朝で万暦通宝の鋳造が始まると、福建海商は万暦通宝やその模造銭をジャワ島に大量に輸出し、現地でも華人業者による模造銭(ピシス)鋳造が拡大した。一方、日本では万暦通宝はほとんど流入せず、国産模造銭を中心とする「びた銭」が基準銭となっていった(黒田 二〇一四:一一九―一四七頁、高木 二〇一八:一三四―二〇〇頁、中島 二〇二二b)。

新興商業―軍事国家と火器

一六世紀中期以降、東アジア海域では貿易利潤の集積と西洋式火器の導入により、経済力・軍事力を王権に集中した新興商業―軍事国家が成長し、国家間の紛争・戦争も激化していく(岸本 一九九八a:一八―二四頁)。東アジア海域の「交易の時代」は、同時に「紛争の時代」でもあった。一六世紀の新興商業―軍事国家の典型が、ビルマのタウングー朝である。一五世紀のビルマでは、北部山間地域にはタイ系シャン人の、中部平原地帯にはビルマ人の、南部デルタ地域にはモン人の諸国が分立していた。一五世紀末にはデルタ部のペグー王国が海外貿易拠点として発展するが、一六世紀に入ると平原部東南にタウングー朝が勃興し、一五三八年にペグーを攻略して新首都とした。タウングー朝はペグーのポルトガル人傭兵を中核として、強力な火器部隊を編成していく。

一五五一年に即位したバインナウン王は、ペグーの貿易利潤による経済力と、ポルトガル人火器部隊を中心とする軍事力により、一五五五年にはアヴァを攻略して中央平原を平定し、ついでビルマ・シャム北部のタイ系諸国を制圧して、金銀の生産地を掌握した。さらに一五六八年、バインナウン王はやはり海外貿易により繁栄し、強力なポルトガル人火器部隊を編成していたアユタヤ朝に侵攻する。翌年にはついにアユタヤを攻略し、インドシナ半島中西部を統合する大帝国が成立したのである(Lieberman 1980)。

バインナウン王がアユタヤに侵攻した同年、日本では織田信長が京都に進出し、畿内最大の交易港であり、火縄銃製造の中心地でもあった堺を直轄領とする。堺は琉球・九州との交易拠点でもあり、火薬原料である硫黄・硝石の輸入港でもあった。信長は堺で調達した火縄銃と火薬により強力な火器部隊を編成し、日本列島の統一を進めていく。彼の統一事業を継承した豊臣秀吉は、石見銀山など全国の鉱山から貢納された金銀を集積し、長崎を直轄領として海外貿易の掌握を図った。さらに彼は明朝との公的通商再開も試みるが成果はなく、一五九二年には朝鮮への侵略戦争を発動する。この朝鮮侵略は、日本軍が装備した大量の火縄銃と、明朝の救援軍が装備した多数のポルトガル式火砲(仏郎機《フランキ》砲)が激突した、一六世紀の世界でも最大の火器戦争であった(Chase 2003: 180-193)。

一五九八年、秀吉の死去により日本軍は朝鮮から撤退する。同年には、バインナウン王の死後、急激に膨張した支配領域が自壊しつつあったタウングー朝では、アラカン王国などの連合軍が首都ペグーを攻略し、バインナウン王が築いた大帝国はあっけなく崩壊する。織豊政権とタウングー朝は東アジア海域の東西で共時的に勃興し、急拡大ののち解体した新興商業－軍事国家であった。ただし織豊政権は外国人傭兵は利用せず、むしろ日本人傭兵が海外で火縄銃部隊として重用された。また城壁都市のない日本では、攻城戦に有効な火砲も普及しなかった。さらに織豊政権では海外貿易の推進以上に、太閤検地などによる土地・農民支配の強化が進められ、徳川政権がそれを継承・強化していった(岸本 一九九八a：二一一－二一二頁)。

なお朝鮮王朝では、投降日本兵(降倭)を自軍に編入して火器技術を修得し、一七世紀初頭には強力な火縄銃部隊を整備した。また明朝の朝鮮救援軍の将官たちも、投降日本兵を麾下に編入し、彼らは西南少数民族の叛乱鎮圧や、遼東での対女真作戦にも動員された(久芳 二〇一〇)。類似した状況はビルマでもみられる。アラカン王国はペグー攻略にあたりポルトガル人傭兵の火器部隊を活用し、その指揮官フィリペ・デ・ブリトーにペグーの外港シリアムの支配を委ねた。その後ブリトーはアラカン王国から自立し、事実上の独立政権を作りあげる。この政権はアヴァを首都とする第二次タウングー朝により制圧されるが、ポルトガル人兵士はアヴァ近郊に連行され、親衛軍の火器部隊として、一八世紀中期にいたるまで第二次タウングー朝の軍事的優位を支えたのである(Lieberman 1980)。

五、東アジア海域と世界市場

綿布・生糸・絹

「大交易時代」には海域アジア、特に中国とインドの産品がアメリカ大陸も含む世界市場に供給され、その代価として膨大な地金、特に銀が流入しつづけた。海域アジアにおける最大の貿易商品は一貫してインド綿布である。西北部のグジャラートではプリント更紗など比較的安価な綿布を大量生産し、東南部のコロマンデルは手描き更紗などの高級綿布、東北部のベンガルは高級白布の生産で著名であった。インド綿布は東南アジアから西アジアやアフリカにいたるまで大量に輸出されており、一六世紀からはヨーロッパ人もその貿易に参入した(Riello 2013: 17-36, 87-109)。一六世紀後期には、インディア航路の王室船でも民間商人の積荷が多くを占めるようになり、その中心はインド綿布であった。ポルトガル商人はインド綿布をリスボンからヨーロッパ諸国へ、またレヴァント貿易により北アフリカ・西アジアに供給した。特にコンベルソ(改宗ユダヤ人)商人は、アフリカ、アメリカ、ヨーロッパ各地に交易ネットワークを広げ、インド綿布をブラジル、メキシコ、ペルーに運ぶとともに、西アフリカで綿布と奴隷を交易し、ブラジルやカリブ海に奴隷を輸出した(Boyajian 1993: 41-45, 139-145)。

インドに次ぐ綿布生産地が中国であるが、大部分は国内市場で消費されていた。それでも海外銀が流入する福建などでは、輸出用綿布の生産も発達していく。一六世紀末には中国ではフィリピン産綿花を輸入して綿布を生産し、フィリピンに輸出するようになり、このためフィリピンの先住民は機織りをやめ、首長から奴隷にいたるまで、手織り綿布にかわり、中国綿布を着用していたという(Blair and Robertson 1911: 78-95, 273-274)。さらに中国産綿布は、フィリピンからメキシコにも運ばれた。その輸出額は生糸・絹と比べれば僅少であるが、それでもメキシコでは、先住民《インディオス》や黒人は安価な中国産・フィリピン産の綿布を求め、他国産を買おうとはしなかったという。アジア産であれば一・五レアル相当の綿布が、他国産だと八レアルもしたからである(Gasch-Tomás 2018: 168-170)。

もちろん中国の最大輸出品は、一貫して生糸・絹であった。一六〇〇年ごろのマカオー長崎貿易では、生糸が輸入総額の六五・八%を占めた。一七世紀に入ると、華人商船・朱印船・オランダ船による生糸輸入が拡大する一方、ポルトガル船のシェアは低下し、公定価格による一括購入(糸割符《いとわっぷ》)が適用されない、絹織物の輸入に重点を移していく。ポルトガル船の来航禁止後、一六四〇年代からは鄭芝龍を中心とする華人海商がおもに中国産生糸・絹を、オランダ東インド会社がおもにベトナム北部(トンキン)・ベンガル産の生糸・絹を、日本市場に供給するようになる(Souza 1986: 48-63; 永積 一九九九)。

中国産の生糸・絹は、フィリピン経由でメキシコにも大量輸出された。メキシコではスペイン本国から製糸・絹織物業が導入されていたが、一六世紀末には中国製生糸の大量流入により、メキシコの製糸業は衰退し、一方で中国産生糸による絹織物業が発展する。さらに中国産生糸・絹はメキシコからスペイン本国にも輸出された。スペインの製糸業者や織物商人は、中国産品にメキシコ市場を奪われたうえ、本国市場も脅かされたが、グラナダでは中国産生糸による絹織物業も成長していく(Gasch-Tomás 2018: 49-90)。

一七世紀のメキシコでは、スペイン系住民は貧富を問わず中国産の絹服を着用し、先住民もスペイン産織物よりも中国産綿布を選好していたという。メキシコシティの遺産目録の分析によれば、スペイン系現地出身者《クリオーリョ》では、アジア産織物の所有者は中産層から富裕層まで及び、資産に比例してその所有率も上がる。ただし最富裕層のイベリア半島出身者《ペニンスラール》は高価なヨーロッパ産織物を選好する傾向があった。さらに中国産織物は、メキシコからペルーにも大量輸出された。一六世紀末のリマでは、スペイン産であれば二〇〇ペソはする絹服を、中国産であれば二五ペソで仕立てることができ、リマの婦人用ドレスは、世界でもっとも豊富で過美だとまでいわれた(Atwell 1998; Gasch-Tomás 2018: 129-197)。

なお中国産生糸・絹のメキシコ・スペイン輸出を主導したのも、やはりポルトガル系のコンベルソ商人であった。彼らはアジア産品の交易ルートである、マカオ・マニラ・アカプルコ・メキシコシティ・ベラクルス・セビーリャを結ぶ幹線を中心に、交易ネットワークを広げていた(Gasch-Tomás 2018: 49-90, 129-197)。スペイン・ポルトガルの同君連合下で、彼らは両国の版図に商圏を拡大し、インディア航路でインド綿布を、太平洋・大西洋航路で中国生糸・絹を、アメリカとヨーロッパの市場に供給したのである。

磁器が結ぶ世界

磁器は生糸や絹に次ぐ中国の主要輸出品の一つであった。特に景徳鎮の青花は海域アジアを中心に、ヨーロッパ・アメリカにも市場を拡大した。また一六世紀後期からは、漳州でも景徳鎮窯を模倣した輸出用磁器の「漳州窯」が大量生産され、東・南シナ海域をはじめ、フィリピンからラテンアメリカにも輸出された。また中国磁器は陸路で内陸アジアにも運ばれた。ムガール帝国には陸路でカーブルから、海路でスラートから中国陶磁が輸入され、カーブルはイラン方面への陶磁輸出拠点ともなった（劉・胡 二〇一六：一四五—二〇〇頁、Guy 2018）。

一六世紀には、ポルトガルのインディア航路による、ヨーロッパへの中国陶磁輸出も拡大していく。リスボンの下町アルファマ地区では、一五世紀末—一六世紀中期の景徳鎮青花がまとまって出土しており、早くからマラッカに来航する華人海商や広東近海での互市を通じて、景徳鎮磁器を入手していたことを示す（宮田 二〇一七：一五六—一六八頁）。さらに中国陶磁はリスボンからアントワープ商館に運ばれ、ヨーロッパ各地に供給された。アントワープに居留していた画家アルブレヒト・デューラーは、一五二〇年代のスケッチで中国の青花壺を描いており、一五二〇年代には地方官吏から四点の磁器を贈られている。またフィレンツェのコシモ・デ・メディチは一五四七年に一二〇点もの磁器を一括購入しており、一五五三年には彼の磁器コレクションは四〇〇点を超えた（Pierson 2013: 42-52）。

一五八〇年にはリスボン中心部の新商人通り《ルア・ノヴァ・ドス・メルカドーレス》だけでも、高級中国磁器の商店が六軒連なっていた。一六〇四年にオランダ船が拿捕したポルトガル船は、二〇万点以上の磁器を積載しており、一六〇八年にはオランダ東インド会社も一〇万点の中国磁器を特注している。アムステルダム市民は中国青花を日常的に使用するようになり、当時のオランダの静物画でも、海外市場向けの装飾的な青花（カラック）がしばしば描かれた。さらに一七世紀初頭の北米ヴァージニアのイギリス入植地でも、オランダ船がもたらしたと思われる万暦年間の青花が出土している（Atwell 1998; Pierson 2013: 52-54）。

中国陶磁はガレオン貿易でも大量に輸出された。マニラ旧市街や、ルソン島近海で沈没したガレオン船、およびメキシコシティ中心部のソカロ地区からは、一六世紀末―一七世紀初頭の、カラックを中心とする景徳鎮青花が多数発見されている。こうした陶磁器貿易を主導したのも、やはりポルトガル系コンベルソ商人であった(宮田 二〇一七：八七―一七四頁)。遺産目録の統計分析によれば、中国陶磁の所有率は特に中間的富裕層で高く、最富裕層はより高価な銀器を選好する傾向があったという(Gasch-Tomás 2018: 172-176)。

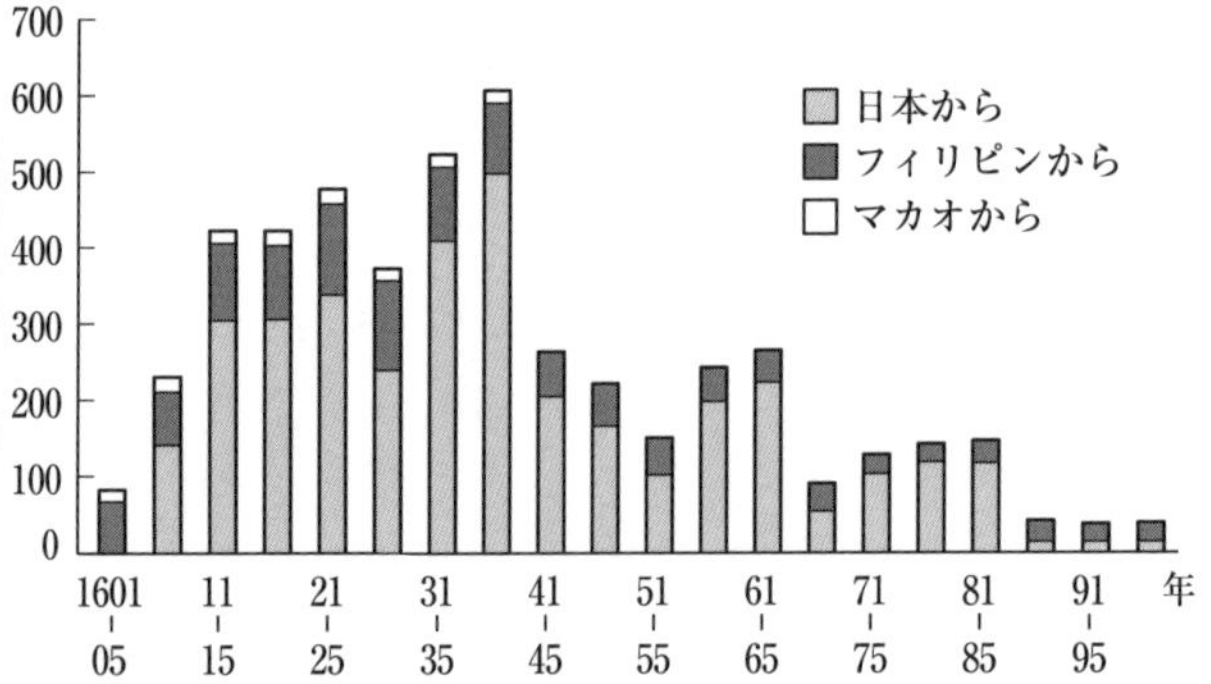

図1　中国の銀輸入推定量(1600-1700)(von Glahn 2013: 41)

海域アジアと銀流通

一六世紀中期以降、日本銀・アメリカ銀の生産急増とともに、膨大な銀が海域アジアに流入しつづけた。一六世紀末の金銀比価は、ヨーロッパでは一：一二、インドでは一：九、中国では一：七、日本では一：一〇であり、特に中国は銀価の高さと、海外での中国産品需要の相乗効果により、世界市場をめぐる銀が最終的に流れこむ「排水口」となっていく(von Glahn 1996: 128; フランク 二〇〇〇：二四二―二九一頁)。

一六〇〇年時点では、中国には日本銀とアメリカ銀が、次の三つの主要ルートで流入していた。①まず日本銀は、おもに長崎―マカオ貿易により、一部は華人海商の密貿易により運ばれた。またアメリカ銀は、②太平洋経由のアカプルコ―マニラ―海澄貿易によって流入するとともに、③大西洋経由でヨーロッパに運ばれ、その一部がポルトガル船により、リスボンからゴアを経てマカオに運ばれた。

中国に流入した海外銀の総量については各種の推計があるが、最近ではフォン・グランが、一五五〇―一六四五年

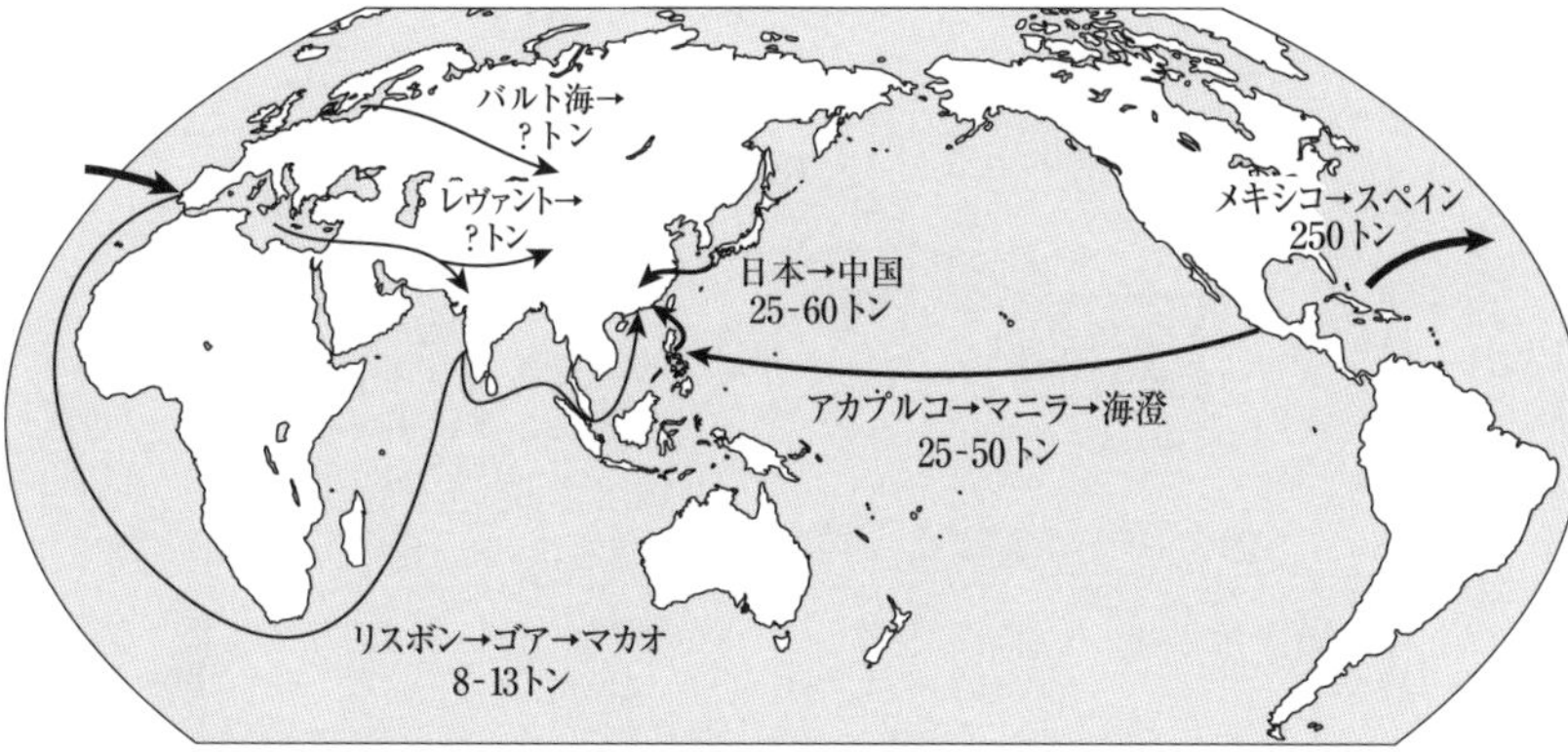

図2　1600年前後の中国への銀輸入量(岸本 1998b：15を参照し作成)

の輸入総量を、日本銀が三六三四ー三八二五トン、アメリカ銀が太平洋経由で二四八一トン、大西洋経由で一二三〇トン、総計七三四五ー七五三六トンと推算し、一七世紀を通じた中国の銀輸入量を**図1**のように図示している。太平洋経由の輸入量は密貿易を含まないので、実際にはこれよりもかなり多い(von Glahn 2013)。

さらに同時代の記述史料などにより、一六〇〇年前後の中国への銀流入量を概算してみよう。まず①長崎ーマカオ貿易による日本銀輸入量については、イエズス会士が一五八〇ー一六二〇年の間に、年によって一五トン、一八・八トン、二二・五トン、二六・三トン、三七・五トンと概算している(高瀬 二〇〇二：五ー一〇頁、一クルザード／ドゥカド／両《タエル》＝三七・五グラムとして換算)。またフォン・グランは、ポルトガル船のほか華人海商の密貿易や、朱印船との出会貿易も含めた日本銀の年平均輸入量を、一六〇六ー一〇年は三〇トン弱、一六一一ー二〇年は六〇トン弱と推算する(von Glahn 1996: 252; 2013)。それ以前は推算の根拠となるデータを欠くが、一五九〇年代にはイエズス会士などがマカオー長崎貿易による年間輸入量を一八・八ー二二・五トンと概算しており、ここでは華人海商の密貿易とあわせて二五トンと推定しておく。

ついで②アカプルコーマニラー海澄貿易による年間輸入量については、岸本美緒が統計上は約二五トン、密貿易を含めて約五〇トンと推定する

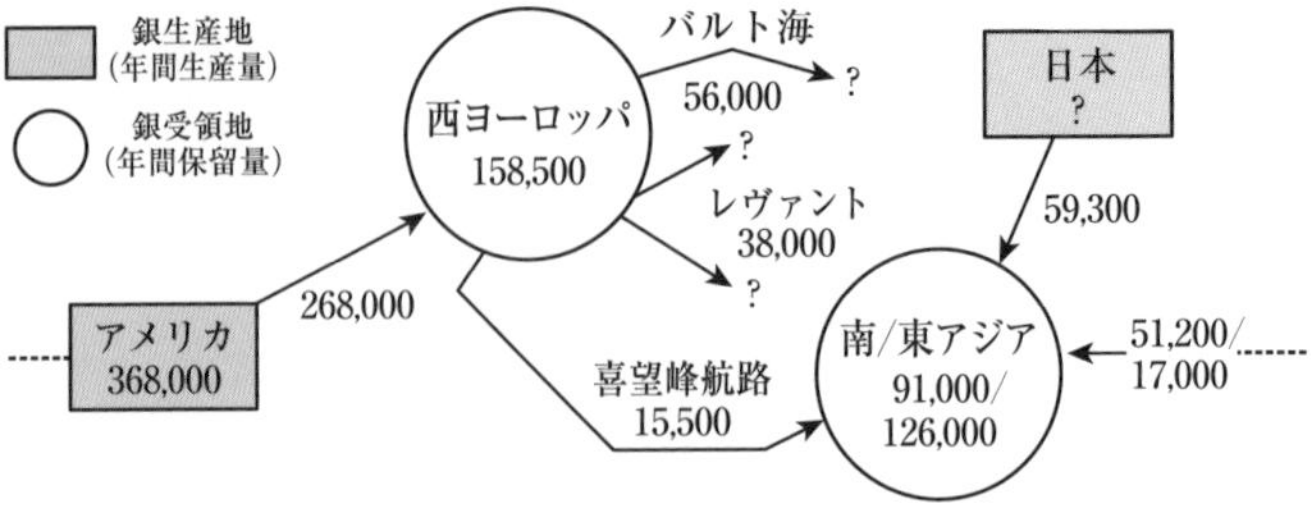

図3　世界的銀流通の年間推定量(1600-1650)．単位 kg(de Vries 2003: 80)

（岸本一九九八b：一五頁）。また③ゴア―マカオ貿易による年間輸入量については、一五八〇年代後半に七・五トンと概算されており、これは長崎―マカオ貿易による輸入量概算（二二・五トン）の三分の一にあたる（von Glahn 1996: 129）。かりにゴア―マカオ貿易による最大輸入量も、長崎―マカオ貿易の最大輸入量の三分の一とすれば、一二・五トンとなる。ここではごく大まかに、一六〇〇年前後の年間輸入量を①日本―中国貿易が二五―六〇トン、②マニラ―海澄貿易が二五―五〇トン、③ゴア―マカオ貿易が八―一三トンと推算しておきたい［**図2**］。

なお一六三〇年代には、ポルトガル船、朱印船、華人商船、オランダ船、琉球船などの日本銀の年平均輸入量は一〇〇トン以上に増加するが、フィリピン経由のアメリカ銀の統計上の輸入量は、一八トン強に減少している（von Glahn 1996: 232; 2013）。

さらに一七世紀前半における、アメリカ銀・日本銀の南・東アジアへの年間輸入量については、デ・フリースが主要先行研究の推計値を総合して、**図3**のように推算している。ここでは日本銀の輸入量は五九・三トン、フィリピン経由のアメリカ銀の輸入量は、統計上は一七トン、密貿易を入れて最大五一・二トンとする。一方、ヨーロッパには二六八トンのアメリカ銀が運ばれ、そのうち喜望峰経由で一五・五トン、レヴァント貿易で三八トン、バルト海貿易で五六トンが東方に流入したとする（de Vries 2003）。

レヴァント貿易やバルト海貿易により東方に運ばれたアメリカ銀の一部は、さらに南・東アジアへと再輸出された。西アジアに運ばれたレアル銀貨は、インド洋の貿易銀貨であったラーリー銀貨などに改鋳され、ペルシア湾のホルムズ経由、あるいは紅海のモカ経由で、グジャラートからムガール帝国に流入した。またイスファハーンからカンダハルを経てインドにいたる陸路で運ばれる銀もあった(Haider 1996)。さらにオランダのバルト海貿易によりポーランドやロシアへ輸出された銀貨の一部は、ドニエプル川から黒海、またはヴォルガ川からカスピ海を経て、オスマン朝・サファヴィー朝に運ばれ、さらにインドにも流入した(Attman 1986: 79-91)。このようにレヴァント貿易やバルト海貿易で東方に運ばれた銀の一部は、インド・東南アジア経由の海路で、あるいは内陸アジア経由の陸路で、中国にも中継輸出されたと思われるが、その数量を推定することは難しい。

おわりに

一六世紀中期から一世紀にわたって、中国には膨大な海外銀が流入しつづけた。しかし一世紀にわたる銀の大量流入にもかかわらず、中国では同時代のヨーロッパのような価格革命が生じることはなかった。その理由としては、海外からの流入量とほぼ同量の銀が、北辺の軍事費として流出しつづけたことが指摘されている(岸本 一九九八b:一六一—一八頁)。ただし北方に流出した銀の大部分は中国に還流したので、中国における銀のストックは増大しつづけたはずである。それでも価格革命が生じなかった要因としては、中国における不断の銀需要増大があるのだろう(de Vries 2003)。明末中国では人口増や経済成長による銀需要の増大にくわえ、東南沿海部・都市部のみならず、それまで現物経済が中心であった広大な内陸部・農村部でも、高額取引や地域間交易、および納税の手段として銀需要が拡大しつづけ、北方から還流する銀の供給増を吸収していたのだと考えられる。

一六三〇年代後半には、海外銀の流入はピークに達するが、一六四〇年代には流入量は急減し、一六五〇年代には三〇年代の約三分の一にまで激減した(von Glahn 2013)。一六四〇年代の明朝では壊滅的な飢饉と戦乱のなかで経済が破綻し、銀需要も急減していた。一六四〇年代には日本でも寛永の大飢饉により中国産品の需要が縮小しており、中国における銀需要と日本における中国産品需要の双方が急減したことにより、特に日本銀の流入が激減したのだろう(中島 二〇一九)。「一七世紀の危機」による全般的な需要減少が、銀貿易の急減をもたらし、一五四〇年代以降の東アジア「銀の世紀」が終幕を迎える契機となったのである。

参考文献

岩井茂樹(二〇二〇)『朝貢・海禁・互市——近世東アジアの貿易と秩序』名古屋大学出版会。

岩生成一(一九六六)『南洋日本町の研究』岩波書店。

上田信(二〇一三)『シナ海域 蜃気楼王国の興亡』講談社。

大田由紀夫(二〇二一 a)「貨幣」桃木至朗編『ものがつなぐ世界史』〈MINERVA 世界史叢書 5〉、ミネルヴァ書房。

大田由紀夫(二〇二一 b)『銭躍る東シナ海——貨幣と贅沢の一五～一六世紀』講談社。

岡美穂子(二〇一〇)『商人と宣教師——南蛮貿易の世界』東京大学出版会。

岡美穂子(二〇一九)「一六世紀「大航海」の時代とアジア」秋田茂編『グローバル化の世界史』〈MINERVA 世界史叢書 2〉、ミネルヴァ書房。

岡本良知(一九四二)『十六世紀日欧交通史の研究』改訂増補版、六甲書房。

岸本美緒ほか編(一九九八 a)『岩波講座 世界歴史13 東アジア・東南アジア伝統社会の形成』岩波書店。

岸本美緒(一九九八 b)『東アジアの「近世」』〈世界史リブレット〉、山川出版社。

久芳崇(二〇一〇)『東アジアの兵器革命——十六世紀中国に渡った日本の鉄砲』吉川弘文館。

黒田明伸(二〇一四)『貨幣システムの世界史——〈非対称性〉をよむ 増補新版』岩波書店。

小葉田淳(一九七六)『金銀貿易史の研究』法政大学出版局。

佐久間重男(一九九二)『日明関係史の研究』吉川弘文館。

スブラフマニヤム、S(二〇〇九)『接続された歴史——インドとヨーロッパ』三田昌彦・太田信宏訳、名古屋大学出版会。

高木久史(二〇一八)『撰銭とビタ一文の戦国史』平凡社。

高瀬弘一郎（二〇〇二）『キリシタン時代の貿易と外交』八木書店。

檀上寛（二〇一三）『明代海禁＝朝貢システムと華夷秩序』京都大学学術出版会。

中島楽章（二〇〇三）「永楽年間の日明朝貢貿易」『史淵』一四〇輯。

中島楽章（二〇〇九）「十六世紀末の九州－東南アジア貿易――加藤清正のルソン貿易をめぐって」『史学雑誌』一一八編八号。

中島楽章（二〇一一）「一四－一六世紀、東アジア貿易秩序の変容と再編――朝貢体制から一五七〇年システムへ」『社会経済史学』七六巻四号。

中島楽章（二〇一六）「胡椒と仏郎機――ポルトガル私貿易商人の東アジア進出」『東洋史研究』七四巻四号。

中島楽章（二〇一九）「一七世紀の全般的危機と東アジア」前掲『グローバル化の世界史』。

中島楽章（二〇二〇）『大航海時代の海域アジアと琉球――レキオスを求めて』思文閣出版。

中島楽章（二〇二一a）「洪武初年の海外貿易――朝貢・海禁体制前史」『東洋学報』一〇三巻四号。

中島楽章（二〇二一b）「撰銭と東アジア銭貨流通」中島圭一編『中世の貨幣と信用』〈アジア遊学〉、勉誠出版、近刊。

永積洋子（一九九九）「東西交易の中継地台湾の盛衰」佐藤次高・岸本美緒編『市場の地域史』〈地域の世界史9〉、山川出版社。

平山篤子（二〇一九）「スペインのマニラ建設」岸本美緒編『一五七一年　銀の大流通と国家統合』〈歴史の転換期6〉、山川出版社。

フランク、アンドレ・グンダー（二〇〇〇）『リオリエント――アジア時代のグローバル・エコノミー』山下範久訳、藤原書店。

宮田絵津子（二〇一七）『マニラ・ガレオン貿易――陶磁器の太平洋貿易圏』慶應義塾大学出版会。

森達也（二〇一五）『中国青瓷の研究――編年と流通』汲古書院。

家島彦一（一九九三）『海が創る文明――インド洋海域世界の歴史』朝日新聞社。

家島彦一（二〇一七）『イブン・バットゥータと境域への旅――『大旅行記』をめぐる新研究』名古屋大学出版会。

山崎岳（二〇一〇・二〇一五）「舶主王直功罪考」前・後篇、『東方学報』八五・九〇冊。

リード、アンソニー（一九九七・二〇〇二）『大航海時代の東南アジア』Ⅰ・Ⅱ、平野秀秋・田中優子訳、法政大学出版局。

呉承明（二〇〇二）「16世紀与17世紀的中国市場」『呉承明集』中国社会科学出版社。

秦大樹（二〇一二）「肯尼亜両処出土的明清瓷器及相関問題討論」『明清時期景徳鎮外銷瓷研究』中国文史出版社。

万明（二〇〇五）『晩明社会変遷問題与研究』商務印書館。
李慶新（二〇〇七）『明代海外貿易制度』社会科学文献出版社。
劉淼・胡舒揚（二〇一六）『沈船、瓷器与海上絲綢之路』社会科学文献出版社。

Attman, Artur (1986), *American Bullion in the European World Trade, 1600-1800*, Göteborg, Kungl. Vetenskaps- och Vitterhets-Samhället.

Atwell, William S. (1998), "Ming China and Emerging World Economy, c. 1470-1650", *Cambridge History of China*, vol. 8, pt. II, Cambridge, Cambridge University Press.

Atwell, William S. (2002), "Time, Money, and the Weather: Ming China and the "Great Depression" of the Mid-Fifteenth Century", *The Journal of Asian Studies*, 61-1.

Blair and Robertson (1911), *The Philippine Islands, 1493-1898*, vol. 8, Cleveland, Arthur H. Clark.

Boxer, C. R. (1963), *The Great Ship from Amacon: Annals of Macao and the Old Japan Trade*, Lisboa, Centro de Estudos Históricos Ultramarinos.

Boyajian, James C. (1993), *Portuguese Trade in Asia under the Habsburgs, 1580-1640*, Baltimore, The Johns Hopkins University Press.

Brown, Roxanna M. (2010) "A Ming Gap? Data from Southeast Asia Shipwreck Cargos", Geoff Wade and Sun Laichen eds., *Southeast Asia in the Fifteenth Century*, Singapore, NUS Press.

Carswell, John (2000), *Blue & White*, London, British Museum Press.

Chase, Kenneth (2003), *Firearms: A Global History to 1700*, Cambridge, Cambridge University Press.

Day, John (1987), *The Medieval Market Economy*, Oxford, B. Blackwell.

de Vries, Jan (2003), "Connecting Europe and Asia: *A Quantitative Analysis of the Cape-route Trade, 1497-1795*", Dennis O. Flynn, Arturo Giráldez and Richard von Glahn eds., *Global Connections and Monetary History, 1470-1800*, Aldershot, Ashgate.

Disney, A. R. (2009), *A History of Portugal and the Portuguese Empire*, vol. 2: *The Portuguese Empire*, Cambridge, Cambridge University Press.

Flynn, Dennis O. (2019), "Fifteenth-Century European Silver and Chinese End-Markets", Jörg Oberste and Susanne Ehrich eds., *Italien als Vorbild ?*, Regensburg, Schnell & Steiner.

Gasch-Tomás, José L. (2018), *The Atlantic World and the Manila Galleons: Circulation, Market, and Consumption of Asian Goods in the Spanish*

Empire, 1565-1650, Leiden, Brill.

Guy, John (2018), "China in India: Porcelain Trade and Attitudes to Collecting in Early Islamic India", Geoff Wade and James K. Chin eds., *China and Southeast Asia*, London, Routledge, 2020.

Haider, Najaf (1996), "Precious Metal Flows and Currency Circulation in the Mughal Empire", *Journal of the Economic and Social History of the Orient*, 39-3.

Kuroda, Akinobu (2009), "The Eurasian Silver Century, 1276-1359", *Journal of Global History*, 4-2.

Lieberman, Victor B. (1980), "Europeans, Trade, and the Unification of Burma, c. 1540-1620", *Oriens Extremus*, 27-2.

Loureiro, Rui Manuel (2000), *Fidalgos, Missionários e Mandarins: Portugal e a China no Século XVI*, Lisboa, Fundação Oriente.

Miksic, John N. (2010), "Before and After Zheng He: Comparing Some Southeast Asian Archaeological Sites of the 14th and 15th Centuries", Wade and Sun eds., op. cit.

Munro, John H. (2003), "The Monetary Origins of the 'Price Revolution'", Flynn, Giráldez and von Glahn eds., op. cit.

Pierson, Stacey (2013), *From Object to Concept: Global Consumption and the Transformation of Ming Porcelain*, Hong Kong, Hong Kong University Press.

Riello, Giorgio (2013), *Cotton: The Fabric that Made the Modern World*, Cambridge, Cambridge University Press.

Souza, George Bryan (1986), *The Survival of Empire: Portuguese Trade and Society in China and the South China Sea, 1630-1754*, Cambridge, Cambridge University Press.

Subrahmanyam, Sanjay (2012), *The Portuguese Empire in Asia, 1500-1700*, Second edition, Chichester, Wiley-Blackwell.

van Aelst, Arjan (1995), "Majapahit Picis: The Currency of a 'Moneyless' Society 1300-1700", *Journal of the Humanities and Social Sciences of Southeast Asia and Oceania*, 151-3.

von Glahn, Richard (1996), *Fountain of Fortune: Money and Monetary Policy in China, 1000-1700*, Berkeley, University of California Press.

von Glahn, Richard (2013), "Cycles of Silver in Chinese Monetary History", Billy K. L. So ed., *The Economy of Lower Yangzi Delta in Late Imperial China*, London, Routledge.

コラム｜*Column*

太平洋を渡った中国陶磁器

宮田絵津子

ヨーロッパでレコンキスタを完了させ、最も早く統一国家形成を成し遂げたのはイベリア半島のポルトガルであった。一三世紀に現在のポルトガルの領土を確立したポルトガルがいち早く手を付けた政策のひとつは海外進出事業である。アフリカ沿岸地帯を探索し、その後インド洋へ出て一五一〇年にインドのゴアを征服し、翌年には東南アジアのマラッカを征服する。ここを足掛かりにポルトガルは東南アジアおよび東アジアの貿易ネットワークに入り込んでいった。しかし、中国との正式な貿易活動を行う交渉には失敗したため、ポルトガルは浙江省沖合で日本や中国の商人たちと出会貿易を行うようになる。この頃から一五五七年のマカオ租借までをポルトガルの歴史研究者たちは「密貿易の時代」と呼んでいる。この時代には盛んにポルトガルはアジアの諸地域と貿易を行うようになる。

一方スペインでは一四九二年にナスル朝グラナダ王国の開城、そしてカトリック両王の結婚によって統一国家が生まれた。これによって、スペインも海外進出事業に乗り出し、女王イサベルが支援したマガヤンイス（通称マゼラン）はスペインから西に向かって航海し、太平洋を渡ってフィリピンのセブ島に到着する。ここで、マガヤンイスは命を落とすが、残りの船乗りたちはスペインに戻り、世界一周が初めて成し遂げられた。

フィリピン諸島は一五二一年にスペイン領となるが、フィリピンからヌエバ・エスパーニャ（現メキシコ）への帰路を発見するまでには四〇年以上の歳月を必要とした。帰航路が発見されたのは一五六五年のこと、同年からマニラとアカプルコを結ぶ貿易、マニラ・ガレオン貿易が開始された。ガレオン貿易でアジアからヌエバ・エスパーニャへ輸出された商品は中国製絹製品、中国陶磁器、東南アジア陶磁器、日本製漆工芸品などの奢侈品であった。こうした商品の大部分はアカプルコからメキシコシティへと運ばれて大商人のもとに届けられた。中でも中国陶磁器はガレオン貿易のはじめから、かなりの量が輸出されていたと考えられ、現在の市中での出土は多い。

こうしたアジアの商品は特にガレオン貿易を開始した一六世紀半ば頃の時点では、ポルトガル人商人の介入があったと考えられる。ポルトガル人商人たちは、この時期にはすでにアジア海域における商業網に参入し、一五五七年にマカオに拠点を置いてからは中国の商品をはじめ、東南アジア各地の商品を容易に手に入れることができた。そしてそれらの商品をリスボンに向けて定期的に輸出し、ヨーロッパに向けてそれらを再輸出した。アジアにおける商業にあまり詳しくなかったスペイン人が、このようにガレオン貿易初期から絹製品をはじめとしてアジアの奢侈品をヌエバ・エスパーニャへ輸出できたのは、ポルトガル人商人が間に入って商品を調達したためと考えられる。

さて、現在のメキシコシティでは多くの中国陶磁器の出土が確認されている。特に町の中央広場にあたるソカロという場所における発掘調査では、多くの景徳鎮の陶磁器や福建省の陶磁器、若干の肥前磁器が見つかっている。出土している陶磁器の中で最も早い時期のものは、一六世紀半ば頃から一五六〇年代のものである。すべて景徳鎮の窯の製品とみられ、おそらくマニラ・ガレオン貿易の最初の段階でアジアから運ばれてきたもので、類例の多くはリスボンの国立美術館に展示されている。

メキシコシティで発掘された景徳鎮の陶磁器(1570年代のもの)．メキシコ国立人類学歴史研究所所蔵．©INAH

次の時代の陶磁器は、一五七五年前後から一六〇〇年頃にあたる時代の中国陶磁器である。これらは平たい縁に水鳥や花文、八宝文などが描かれ、内側中央には風景画や鳳凰文が描かれている染付や五彩などである(写真)。これらは東南アジアやリスボン、スペインなどでも出土することから、大量に生産されて世界中へと輸出されていったことがわかる。最も多いのがこの時代から一七世紀初期の景徳鎮の染付であり、この時期に貿易が最も盛んであったことを示している。

こうした陶磁器やほかのアジアの奢侈品は、いったんヌエバ・エスパーニャのアカプルコで荷揚げされ、それぞれの荷主のもとへと届けられた。そのほとんどがメキシコシティに運ばれ、そこで直接売買されるか、小売業者へと売られた。中国陶磁器はマニラ・ガレオン貿易が開始し、瞬く間に人々の生活の中に入っていったとみられる。特に修道院や、教会、造幣局跡からの出土が目立つことから、上流階級の物質文化の中に入り込んでいったようである。また、ヌエバ・エスパーニャからはさらにペルー、チリ、アルゼンチン、カリブ海周辺地域へと流通していき、その流通範囲は拡大していった。

問題群｜*Inquiry*

清朝をめぐる国際関係

岡本隆司

説明――はじめにかえて

「清朝をめぐる国際関係」という表題は、実に筆者の発案ではない。しかもたった十文字ながら、矛盾・自家撞着をはらんだ句作りになっている。

あえて「矛盾」といったのは、本巻であつかう一八世紀までの時期、「清朝をめぐる」東アジアに、厳密な意味での「国際関係」は、ほとんど存在しなかったからである。また「ほとんど」というのは、「国際関係」と譬喩できるような関係がないわけではなかった、との含意にすぎず、それ以上のものではない。

もっとも、そうと知りながら納得したのは筆者本人であって、既成のタイトル案もそのまま用いた。それならやはり自身が、まず題名の説明をしておかなくてはなるまい。

「国際関係」とは international relations の訳語で、nation がユニットとなる。nation がない世界では「国際」などありえない。その国際関係は早く数えて一七世紀のウェストファリア条約の後、遅くみれば一九世紀になってようやく、ヨーロッパの範囲で成立した。「国際関係」とは、現行ではグローバルスケールの世界秩序ながら、歴史的に見れば、すこぶる狭く新しいものなのである。

今をはるかにさかのぼる古代の歴史研究にあたっては、対象が現状とかけ離れているから、理解の便に資するため、現代の社会科学用語をアナロジーとして操作概念に用いる慣例であって、史料の原語・原義ばかりでは、何が何だかわからないから、これはやむをえない。厳密な定義を施し、現代の分析考察と混同、短絡しないかぎり、あるいは故意に附会しないかぎりは、理解にすぐれて有効である。また古代史プロパーに限定するなら、コンセンサスもとりやすく、混乱の恐れも少ない。

しかし近現代に直接する、ないし関連する時代を検討するのに、現代の術語を譬喩的な操作概念として使っては、かえって精確な考察の妨げとなる。とりわけ歴史学では、そのリスクが大きい。

たとえば「領土」「主権」、あるいは「外交」「帝国」など(岡本 二〇一七、二〇一四)がそれにあたる。「国際」も例に漏れない。いずれもごくあたりまえの用語ながら、東アジア全域でそれが定着通用するのは、「清朝」に続く次の時代である。あたりまえがまだ存在しなかった時代を描くのに、その概念を使っては、とんでもない誤解に陥りかねない。

今さらこんなことをくだくだしく述べるのは、歴史学界に限ってもコンセンサスがとれていないからである。ありうべきリスクばかりではない。これまで現実に過誤を犯しつづけ、しかもなかなか自覚できないできた。それがとりもなおさず「時代区分論争」「朝貢システム」をはじめとする東洋史学の学説史だといっても過言ではあるまい(岡本 二〇一六、二〇一八 a)。

そのうえで、題目にあえて「国際関係」と称した。「清朝」時代の東アジアの秩序体系をやや図式的に概観する本稿では、そこにひとまず二つのねらいをこめたい。

ひとつは、「国際関係」と譬喩的に呼ぶことで、しかるべき国際関係との厳密な対比を喚起しようというねらいである。以上の論述はその呼び水にもひとしい。

いまひとつは、国際関係が「清朝」と接触する局面に着眼をうながす方向づけである。本稿の範囲は西洋に実在した国際関係が東アジアに出現し、押し寄せる時期も含んでおり、その後代への展望も得ていきたい。

当時の東アジアが「国際関係」でないというなら、同じく題名に含む「清朝」という名称にも、じつは同様のことがいえる。こちらも現代の通称、もしくは操作概念であって、少なくとも同時代はおそらく、ほとんど誰も「清朝」とはいわなかった。

しかし本稿でそう呼ぶ理由は、やはり「国際関係」と同じく存在する。そこをみるには、「清朝」の興起から説き起こさなくてはならない。

一、興起

華夷秩序

時は一六世紀、世界史は大航海時代という大転回のさなか、東アジアもまたその坩堝のひとつであった。一六世紀半ばから一七世紀初めにかけて、加熱したシナ海沿岸の交易ブームである。

このブームについては、本講座の別の箇所でさまざまにとりあげるはずであるし、本巻でも中島論文が東アジアのそれを縦横に論じるので、くわしく立ち入る必要はあるまい。たとえば「倭寇」という名で知られるこうした状況は、もちろん「倭」・日本との関係に限ったものでもなければ、また東シナ海ばかりに限ったものでもない。海のかなたからの「南蛮渡来」もそうだし、大陸の向こう、モンゴルなど西北草原世界も同じであった。

ブームの活況じたいは、経済の発展をもたらし、みなを豊かにしたはずである。否定すべきことではない。それが既成の体制・現行の法制に逆行し、治安を悪化させ、秩序を紊乱《びんらん》させ、社会の安定が失われる方向で展開せざるをえなかったところに、当時の課題があった。政治と経済、政権と社会のバランスが崩れ、混沌を深めていったのである。

こうした情勢は、沿海を統治していた明朝の法令・施策・理念を、内外の人々が無視して経済活動に従事したところから生じた。そんな明朝の体制は「華夷秩序」原理というべきもので(檀上 二〇一二、二〇一三)、「華夷」は当時の語義どおり、譬喩的な意味ではない。「華」「中華」と「夷」「外夷」とに差別した「二分法」的世界観、およびそれにもとづくイデオロギーとでも説明できるだろうか(坂野 一九七三：八八頁)。

「中華」にあらずんば一律に「外夷」、相手のくわしい内情も知らないまま、そんな漢語の表記だけで、上下はるかに隔絶した関係になってしまう。そのため「中華」＝明朝の「外夷」に対する態度・姿勢も、臣従と朝貢の要求でしかなかった。ほかに往来のしかたは、一切みとめない。「朝貢一元体制」とも言い換えられるゆえんである(岩井 二〇二〇)。民間独自の往来・交易も、もちろん不可だった。

華夷一体

明朝の体制がそうであった以上、これを顧慮していては、内外とも満足な社会経済活動はできない。観念的に「華」と「夷」を分断し隔絶しようとしても、「夷」人が「華」に押し寄せてくるだけではなく、「華」人もあえて「夷」人と「同体」・一体となって「華」から「夷」の住地に身を投じるものも少なくなかった(岡本 一九九九、岩井 二〇二〇)。

こうして「華」と「夷」を画する沿海・長城の附近に、「華」「夷」一体のコロニー・コミュニティが叢生した。南方には浙江省沖の双嶼《そうしょ》が顕れ、北方では「板升《バイシン》」と総称する。

そのうちたとえば、現存する都市でいえば、ポルトガル領だったマカオは、そんなコロニーのなれの果てでもある。

日本人も多数往来した。現在の福建省のアモイや内蒙古のフフホトもしかり、時・場所の環境・条件は異なっても、歴史的・本質的にかわるところはない。廈門《アモイ》はかつて「倭寇」の根拠地だった月港改め「海澄県」が、呼和浩特《フフホト》はもと大「板升」にしてモンゴルの拠点、のち明朝との交易地「帰化城」が、それぞれの前身だった。

それにしても「帰化」にせよ「海澄」にせよ、ふるった命名ではある。「外夷」の帰順があるべき平和だというロジック・イデオロギーによっていたからであり、だとすれば明朝の「華夷秩序」体質は、一六世紀の末になっても、ほぼ変わっていない。したがって、そこに起因するカオスも、容易にやむはずもなかったのである。

一七世紀の展開

こうしたカオスのなかから、明朝を脅かす政治的・軍事的な自立勢力が叢生、成長してきた。新たな局面である。一六世紀までは、モンゴルを除くと、自立的な政治勢力というものは、明確には存在しなかった。アルタン・ハーンのモンゴルはたしかに別格で、明朝と対抗した一大政権であり、その軍事力が北京を包囲したこともある。しかしそれも貿易が目的だったから、もちろん明朝にとって、大きな危機ではあったものの、動機としても結果としても、その存亡に関わるものではなかった。いわゆる「隆慶和議」を結んで、平和も回復しえた(小野 一九九六、城地 二〇一二)ゆえんでもある。東南沿海で大きな脅威だった「倭寇」も、漳州月港の開放で下火になっていた。

しかし以後、海陸とも問題が消滅したわけではない。見方によっては、むしろ悪化したともいえる。一六世紀の末年以降いよいよ深まった明朝の内政紊乱と弱体化に呼応するかのように、周辺の自立勢力が相対的、あるいは絶対的に組織化、強大化を高めてきたからであり、日本列島のように、武力政権が「天下統一」を果たしたところすらあった。

「倭寇」は下火になったとはいえ、それを生み出してきた海外との経済的・軍事的な結びつきは、なおも沿海世界に健在だった。その立役者は東シナ海を股にかけて活動する大船団を率いる冒険商人たちである。交易を生業・財源とし、武装船団を擁し、交易ブームのもたらす富に支えられ、ポルトガル人・オランダ人・日本人の同業者と競合し、鍛えられた海上勢力にほかならない。大陸の中央政権からみれば、もちろん遠心力として作用する、割拠的な敵対集団であった。

その最たる存在は、鄭芝龍《ていしりゅう》父子である。千隻もの船団を率いて、福建沿岸を中心とする東シナ海に勢力を張っていた。鄭芝龍と平戸の日本人女性との間に生まれた鄭成功《ていせいこう》は、日本でも「国性爺《こくせんや》合戦《かっせん》」の戯曲とともによく知られていよう。

その鄭成功にいたっては、「倭寇」の末裔ながら、もはや海賊的・拡散的・一過的な騒擾ではない。さながら独立王国のごとき、求心的な自立権力を形成するにいたった。清朝が明朝をひきついだ後には、十数年にわたる反抗活動で北京政権を脅かしている。

遼東の風雲

南方の海上だけではない。一六世紀には「北虜南倭」といわれた。「南倭」の末裔がいるなら、内陸北方には、「北虜」の末裔もいたはずである。アルタン以降のモンゴルの存在は当然ながら、さらに下って一六世紀末から一七世紀初めにかけて、別の地域には異なる勢力も出現していた。

たとえば、明朝の遼東当局・方面軍指揮官である。朝鮮人ないし女真《ジュシェン》人の出身ともいわれた李成梁《りせいりょう》や、朝鮮との境界附近の海島を拠点に勢力を伸ばした毛文龍《もうぶんりゅう》らは、その代表的な存在だった。かれらは二〇年あまりにわたり、その地に居坐って自立的な勢力を形づくっている。明側の司令官の地位を利用し、公金を着服して、私兵を養い軍事力を成長させていった。明朝に帰属していようと、割拠的・遠心力という点では大差なかったのであり、「遼東軍閥」

とよばれるのも不思議ではない。

そうした勢力を経済的に支えたものは、この地域で活潑化した人参・馬・皮革などの交易である。そうしたブームに乗じ、利益を独占して、勢力を拡大した集団は、大小種々さまざま、たえず内外に紛争衝突をくりかえしていた。

もちろん明朝の「軍閥」に限らない。視野をひろげるならば、最大の勢力として、織豊政権をつくりあげ、朝鮮出兵を敢行し、やがて徳川幕府を形成した日本そのものも、一例に数えてよい。そして列島からみて、朝鮮半島をはさんだ大陸側の遼東地方で暮らし、一六世紀末から急速に勢力を拡大し、やがて東アジア全域に君臨するにいたるジュシェンの勢力も、そうであった。

ジュシェン各部を統一し、やがて自立して建国したヌルハチは、若年時代に人参や茸などを採集しては撫順《ぶじゅん》の馬市で交易した経験から、その集団も、出自規模は異なりながらも、李成梁らと同様の武装商業集団だったとみることができる。もちろん同時代人で隣接する両勢力は、深い関係にあった。いずれもジュシェン・漢人やモンゴル人など、さまざまな人びとが雑居し交流しつつ、富と力を求めて競合するカオスの中から生まれてきた同種の勢力だったのである。

「大清国」建国

しかしこのヌルハチの勢力は、単なる武装集団でも商業集団でもなかった。そのリーダーシップのもと、統率のとれた政権、少なくともその原型を形づくっている。「北虜」のモンゴル、そして「南倭」の後裔の鄭氏勢力と軌を一にしており、同じ時代の趨勢が生み出した落とし子ではあった。

それでも条件・境遇は、決して同じではない。なかんづくヌルハチ集団は、当初から多族混淆の集団だった。少数のジュシェン改め満洲人《マンジュ》を中心とした勢力でありながら、その地理的な位置から、最も漢人の社会と近接、混淆し、そのためにやがて明朝と真っ向から対立する体制・態勢をとらざるをえなかったからである。次代を担う政権として成長、台頭したゆえんであった。

ヌルハチのアイシン・グルン(後金国)建国をへて、後継のホンタイジはモンゴル諸族を併せて政権を拡大し、国号を改めて「大清国《ダイチン・グルン》」と名づけた。西暦でいえば、それぞれ一六一六年・一六三六年のこと、とりわけ後者に至って、漢人の皇帝としても即位君臨したから、明朝と名分のうえでも、ほんとうに相容れない形になる(石橋 二〇一一)。こうした明清の対峙は、およそ一〇年にわたって続いた。

かくて一七世紀の前半、東アジアは日本列島の幕府政権をふくめ、このように海陸多くの勢力が自立、分立、相剋する趨勢にあったのである。これも一種の「国際関係」とも譬喩できなくはない。しかしそうした「関係」全体を律するルール・秩序は、なお存在しなかった。カオスと称するゆえんである。もとより当時の「大清国」自体に、「関係」を主導的に動かす力はそなわっていなかった。

清朝の発展

動かしたのは一六四四年、内乱に倒れた明朝の自滅である。はからずもその明朝を相続後継したことによって、ようやく「大清国」政権の位置づけと一七世紀以降の東アジアの世界秩序、両者のありようが定まってきた。

ヌルハチの建国以来、「大清国」勢力の社会構成は元来、八旗《はっき》という軍事本位のコミュニティに、すべての人々を繰り込んで組織する形態をとっていた。こうした八旗一色の時代・一七世紀にきわだつ、いわゆるマンジュ要素の強い国制、統治体制をもっぱらみるのであれば、たしかにその政権は「大清国」と称するのが、妥当なのかもしれない。しかし入関後、遅くとも一八世紀以後もあわせみるには、それでは十分とはいえない。

もともと「大清国」を構成した集団は、新たな事態に遭うたび、対症療法・試行錯誤をくりかえしながら、統治の模索・治安の回復と秩序の形成をはかっている。そしてそのことが、以後の「大清国」自身をも変容せしめ、その「国際関係」にも少なからぬ影響を与えた。二〇世紀はじめ、その滅亡時まで、そうしたプロセスは続く。

広大な地域の、多様でおびただしい住民すべてを八旗に編入して、満洲人とひとしなみに扱うのは、もとより不可能だった。二〇世紀までの三百年を視野に入れ、その「国際関係」もふくめた大局の歴史を全体としてみるなら、「ダイチン・グルン」の側面だけでは、とらえきれないところが出てくる。

しかもその決定的な転機は、やはり自滅した明朝の相続にあった。八旗一元体制はそれ以後、断念されたからである。それなら本稿での称呼も、そうした側面もあわせた、すべての要素を包括できる「清朝」のほうがふさわしい。マンジュ要素を強調する「ダイチン・グルン／大清国」と呼ばずに、リアルタイムで存在しなかった、ごく一般的な「清朝」という術語をことさらタイトルにしているのは、そうした通時的な全体を視野に入れることのできる、俯瞰的な視座を明確にしたかったからである。

それからおよそ六〇年、一七世紀が終わって一八世紀の初めにさしかかるころ、清朝の統治範囲は拡大安定し、あらたな秩序形成の担い手としての地位を揺るぎないものとした。東アジアの秩序体系、本稿表題のいわゆる「国際関係」の構図はほぼ固まり、東アジアは百年前の一六世紀の末とは、相貌を大きくかえている。

二、形成

朝貢

「大清国」の建国にあたって、つとに「国際」問題となったのは、隣接する朝鮮王朝との関係である。朝鮮との関係を構築、確定するなかで、清朝は自らの「国際」的な地位を形成しつつ、まず「属国」という対外関係を定置していったともいえる(鈴木 二〇二一)。

朝鮮王朝は朱子学イデオロギーに純化した政権である。朱子学は「中華」と「外夷」の辨別にやかましい。その華夷・上下の分け隔てはどこを基準にするのかといえば、儒教の教理・実践にどこまで忠実なのか、いいかえれば「礼義」にいかほど近いかである。

朝鮮はそれに限りなく近づくことで、「中華」に非ずして「中華」に準ずる存在になろうとした。返す刀でほかの国・種族、時には中国王朝そのものをも蔑視して、「小中華」の矜持を保ったのである。

朝鮮王朝の明朝に対する朝貢・臣礼は、そんな「礼義」のひとつで、自らの存立に直結していた。こうした自己認識は、明朝の布《し》いた「朝貢一元体制」のなかで培われていったものである。華夷秩序という点に関するかぎり、明朝と朝鮮は大陸と半島、大国と小国の差異こそあれ、酷似した双生児というべき政権だった。

朝鮮が一七世紀、マンジュの勃興・華夷変態・明清交代にあたって懊悩したのは、明朝に対する朝貢・臣礼＝「小中華」という世界観・秩序認識・アイデンティティの存亡がかかっていたからである(木村 二〇二一、鈴木 二〇二一)。そのため、みすみすホンタイジの侵攻をうけなくてはならなかった。

逆にいえば、朝鮮側に関するかぎり、その体制が曲がりなりにも存続すれば、自らのイデオロギー・アイデンティティも、崩潰をまぬかれる。戦勝した清朝は苛酷な条件を朝鮮に課しながらも、在来の朝貢関係を尊重し、その相手を明朝から清朝に切り替えさせるのみにとどめた。清朝はまずその点で、前代の「華」「夷」の意識・秩序を全否定するわけにはいかなかったのである。さもなくば、隣接する朝鮮との関係が安定しなかった。

そうした事情はおそらく朝鮮ばかりに限らない。あらゆる周辺諸国が明朝の体制に反撥していたわけではなく、真意はどうあれ、それなりに「朝貢一元体制」に従順だった国もあった。そこには、ひきつづき既成の関係で臨むのが、最も現実的かつ効率的である。朝鮮はいわばその典型であった。

それは「入関」、明朝を後継することで決定的になる。それまで明朝とリアルに朝貢関係を結んでいた諸国とは、ことさらその継続をはかろうとしたのも、「入関」以前の朝鮮に対する試行錯誤から身についた姿勢だった。関係の具体的な内実としては、使節往来の手続きや附随する交易のとりきめなど、従前から変化した部分は、決して少なくない。しかし体制の建前・枠組みとしては、明代以来の朝貢関係を実質的に継続させたものである。そうした国々を当時の漢語を用いて、「属国」といっておこう。

明朝の政府記録によれば、「朝貢」していた国・地域・集団は、百を下らない。たとえば一六世紀後半に編纂された『万暦会典《ばんれきかいてん》』によれば、およそ一三〇を数える。しかしその数が実態を反映しているわけではない。「朝貢一元体制」である以上、どんな意図・どんな行動でも、接触・交流さえあれば「朝貢」に「一元」化して記録にとどめたからである。記載はあくまで建前であった。すでに「倭寇」と化していた日本が数に入っていることからも、その機微がわかるだろう。

清朝の記録によれば、「入関」後あらためて呼びかけた朝貢に応じた国は、一〇に満たない。明代とはちがって、実在した朝貢を数えたものながら、そのつもりではなかったはずのオランダなど、西洋諸国も含んでいる。本気で朝貢に従事したのは、近接する朝鮮・琉球・ベトナムくらいであろう。これが明代在来の「朝貢」をひきついだ側面だった。

直省

「大清国」は一六四四年に明朝が滅亡すると、明朝を亡ぼした流賊を駆逐して、北京に入って本格的に漢人に君臨し、統治をはじめた。明朝・漢人世界と対峙、敵対していた清朝は、一転その後継者・支配者となる。ことさら「清朝」と称した名辞も、こうした史実に由来する。

そのため清朝を中華王朝とみて、その「国際関係」というと、「大清国」がもともと明朝の隣国であったことをつい忘れてしまう。「大清国」にとっては、漢人の住地、いわゆるChina properを支配する明朝も、向こうを張った一国だった。その明朝をいわばそっくり相続したわけであり、もと明朝の漢人の住地、当時の用語でいわゆる「直省」(1)も、その意味では、清朝にとって他者にほかならない。

そのため明朝の相続・「直省」の征服と支配じたいを清朝の「国際関係」とみることも可能である。しかもそうした相続・支配は、いっそうひろい「国際関係」の範囲にも影響を及ぼしていた。あえてここで言及するゆえんである。

朝鮮をはじめとする周辺国の関係ですら、明朝の朝貢制度をほぼそのままに引き継いだくらいなので、旧明朝そのものの相続なら、なおさらだった。いっそう規模の大きい漢人世界の「直省」そのものを治めるのに、新規な方法を持ち合わせたり、案出できたりしたはずもなく、従前のとおりにするほかはない。

清朝は目前既存の明朝の制度を、ほぼそのまま受け継いで活用した。中央省庁では内閣・六部など、「直省」では総督・巡撫から州県の知事にいたる官制も、ほとんど同じである。人員ひいては財政のスケールもほとんど動かさなかった。いわゆる原額主義で、それも踏襲したので動かせなかったというべきかもしれない(岩井 二〇〇四)。

ただ明朝はその末期、文字どおりの内憂外患、そのあげくに滅亡した。なお弱小だった「大清国」が「入関」して、明朝を相続後継できたのも、その体制運営がほとんどゆきづまっていたからである。したがって明朝を相続し「直省」を統治するには、従前の内憂外患を収めるだけではなく、それを生じさせてきた制度を矯正し、受け継ぐべき体制をたてなおさなくてはならない。

清朝は流賊の一掃、残存する明朝勢力の除去、軍閥の粛清などをへて、隣国の明朝のすべてを相続するまでに、「入関」以後なお四〇年の歳月をかけるとともに、内外海陸の制度をあらためて整えなくてはならなかった。武略にすぐれた康熙帝の征服や内治にいそしんだ雍正帝の改革など、清朝史上に特筆すべき事業は、こうした条件にこたえた史実経過である(岡田 二〇一三、宮崎 一九九二)。

互市

清朝は明朝の旧領をまるごと相続したから、その抱えていた構造的な問題もあわせて引き継がざるをえなかった。内政内憂はもとより、「北虜南倭」と称する南北海陸の外患は、その最たるものである。

一七世紀の半ば、明清交代の時期には、「北虜南倭」という文字どおりの事象は、もはや存在していない。しかしその構造はそのままで、温床は厳存していた。だからくりかえしにみまがう現象がおこらざるをえない。

まず「南倭」である。明末の内乱を平定し、「直省」を併呑し、沿海を掌握する段階になって、海禁を実施したのは、海上勢力の騒擾に堪えかねたからである。つまりは明朝の海禁政策と同じ動機だった。そればかりか、沿海から住民を強制的に移住させて引き離す遷界令さえ、発布せねばならなかったのである。ここまでは海禁・朝貢一元体制の、いわばくりかえしだった。明朝を踏襲した姿勢だったといってよい。

この姿勢が一変したのが、一六八〇年代である。清朝はようやく「三藩《さんぱん》」をはじめとする反抗的な漢人の軍事勢力を制圧し、時を同じくして興起した鄭氏政権を帰服させて、海上勢力をとりこんだ。かくて海禁も遷界令も必要がなくなるとあっさり廃し、海上を通じた交易を認めたのである。こうした点が明朝と清朝のまさしく相反する姿勢・体質だった。

その認可にあたっては、交易の要衝に税関を設け、取引の上前を取って財政に資し、また最低限の秩序を保てるように、規則を定めて守らせはする(岡本 一九九九)。ただし原則としては、それだけだった。交易をしたい人々が、現地で交易するに任せる。その管理も現地を所轄する当局・当事者に委ねる、という態度と制度だった。

つまり明代では華夷辨別のイデオロギーにもとづく「朝貢一元体制」を強いた結果、密輸・紛争にならざるをえなかった民間の交易に対し、清朝はあるがままの現状を容認し、なるべく統制も管理も加えなかった。みだりに既存の取引に介入、干渉しては、「倭寇」「北虜南倭」のように、かえって治安が悪化する。

こうした関係をのちの用語で「互市」といった。交易・商取引というくらいの漢語表現である。百を下らなかったかつての「朝貢」国の多くは、この「互市」のカテゴリーに入った。かつて最大の貿易相手国だった日本はもとより、のちに最大の貿易シェアをしめるようになる西洋諸国もそうである。日本は近世・江戸時代、「鎖国」なので浙江の商人が長崎に来て貿易をおこない、西洋は商人が広州に来て取引に従事した。

このように海外の来航ばかりではなく、華人が海外に出て交易に従事しても「互市」に数えられる。そこには当然、海外移民もふくまれた。これも明代から既成事実化しており、清代にますます増加する。いわゆる華僑の源流であり、こうした移民に対しても、清朝はなるべく干渉・統制を加えていない。それは移民を保護しないのと同義でもあって、やはり「互市」のコンセプト・枠組みに即した姿勢であった。

東アジアの範囲でいえば、朝鮮が明代以来の「朝貢」、日本が清朝新設の「互市」に分類されたのは、何とも象徴的である。古来それぞれ全く異なる国制、それにともなう中国に対する関わり方、およびその経過を如実にあらわした事態だった。

以後の日・朝は、「清朝をめぐる国際関係」でも重大な位置を占めつづける。近現代にいたって、そうした「朝貢」と「互市」の位相のちがいによって、日・清・朝三国関係が複雑に展開し、ついには日清戦争に帰結する直接の前提となった(岡本 二〇〇四)。

「藩部」

海上の「南倭」は明朝旧領と接していたので「互市」に転化したのに対し、西北・内陸の「北虜」は、異なる運命を歩むことになる。海上と同じく「朝貢一元体制」と矛盾を生じながらも、「大清国」と隣接して直接に交渉をもったからであった。

そもそも単に満洲人の族長・君主というだけでは、「大清国」は成立しえなかった。漢人を統治し、さらにモンゴルの大ハーンとして君臨することで、はじめて「大清国」となりえたのである。そしてそのモンゴル人とは、遼東に隣接し、清朝と一体となった部族だけではない。

当時「ハルハ」とよばれたゴビ砂漠以北のモンゴル高原の部族がいる。さらにその西方の草原には、いっそう異質なオイラートがおり、そのうちジューンガル部族が強大化して、ハルハを呑み込む形勢になってきた。

その波動がゴビ以南の「大清国」の範囲にまで影響を及ぼすとなっては、坐視できない。好むと好まざるとにかかわらず、仇敵にならざるをえなかった。清朝はハルハ・モンゴルをめぐって、ジューンガルと争覇をくりひろげ、そのプロセスで、ハルハ・チベット・青海を制圧する(岡田 二〇一三)。

ジューンガルを凌いでモンゴルに君臨するためには、かれらが信仰するチベット仏教の本山をとりこむことも必要だった。ジューンガルがにわかに強大化したのも、チベットと深い関係をもちえたからである(石濱 二〇〇一)。

ジューンガルの脅威は、半世紀つづいた。清朝はその間ずっと一貫して緊張を強いられている。ジューンガルを打倒して、その本拠の東トルキスタンを版図に加え「新疆《しんきょう》」としたのが一八世紀の半ばだった(小沼 二〇一四)。現在の中華人民共和国のスケールが、ここでようやくできあがったのである。

さらに一七世紀後半から本格化する北方のロシアとの「関係」も、こうしたモンゴル情勢と切り離して考えることはできない。著名なネルチンスク条約・キャフタ条約をとりむすぶにいたった接触・交渉は、相手がキリスト教国だったため、イエズス会宣教師も関与している。隣接するモンゴルの論理を援用して、対等に近い「隣国《アダギグルン》」の関係になった(柳澤 二〇一八)。

以上、モンゴル・チベット・新疆など西北・内陸の所轄範囲を、のちに漢語で「藩部」という。当初そこに漢語は介在しなかったから、「藩部」といっても漢人の称呼表現にすぎない。庶務をとりあつかった「理藩院」も同じである。「藩部」はおそらく一九世紀になってからの語彙であった。

それでも、そんな漢語概念が通用し、やがて清朝の世界観・統治体系とも無関係でなくなってくる。後述にふれるとおり、重大な歴史の転換であった。

三、性格

観点

以上は秩序体系の大枠を四つのカテゴリーにくくってみたものである。君臨した清朝側の主観的な認識と統治を受けた側のそれとのバランスをとってみた、ごく概括的図式的な操作概念にすぎない。

また各々のカテゴリーを当時の漢語で記したのは、そうした漢語を用いた漢人が台頭し、なおかつ目前に直結する一九世紀以後・近現代も、時系列的な推移に含む必要があったからである。もとよりそれ以前のリアルタイムの視点では、かえって大きな偏向をまぬかれない表現だから、そのバイアスをも意識しておかねばならない。

しかもこうした全体が、各々の立場からどう見えていたかは自ずから別問題で、それぞれに応じた歴史叙述はありうるし、本講座のほかの章でもふれるはずである。そのためここでは、最も俯瞰的にみた大枠の構造を示したと諒解されたい。

ただ従前の研究・論著では、そうした各々の立場に立脚し、そこからしか論じていないにもかかわらず、あたかも全体を装ってきた、あるいはそう見えていたのではないだろうか。その点をあらかじめわきまえているかどうか、そこを明確にするためにも、いよいよ大所高所から俯瞰した像を示すことが重要だと考える。

「華夷一家」

清朝は明朝の「華夷」秩序体系があってはじめて存在しえた。ここまでたどってきたとおり、そのアンチテーゼとして誕生、存続した政権なのである。だから明代の体制・情勢を考え合わせなくては、理解できないことが多い。

一八世紀、康熙帝の事業を承けた次代の雍正帝は、「華夷一家」というスローガンをかかげた。そのフレーズは実に一五世紀のはじめ、明朝を建設した永楽帝が言い出したものである(檀上 二〇一二)。両者三百年を隔てて、言い回しが一致しているのは、おそらく偶然ではない。同一の漢語・共通の枠組みを使いながらも、内実・ベクトルを逆転させているのである。

永楽帝は「夷」を隔絶したうえで「華」の下に従えようとした。あくまで「二分法」的原理にのっとった秩序を表現した「一家」である。それに対し、「華夷」の二分を克服しようとした清朝は、同じフレーズながら「一家」の意味内容は、あくまで明代の「二分法」的な原理の対極にある共存・一体であった。

前節の四カテゴリーはそれを現実化し体制化し、安定させたものである。そのバランスある共存こそ、雍正帝が「華夷一家」と表現し、また乾隆帝が「中外一家」「皇清の中夏」と誇ったものであって、ひいては清朝という政権の存在理由だった。

「一家」をなす四カテゴリーは、明代を基準にすれば、そこからの継続が「直省」「朝貢」の二つ、改変が「互市」「藩部」の二つになるといってよい。後二者は事実上すでにそうなっていながら、法制上それを認めなかったものである。その矛盾が「北虜南倭」という外患をもたらした。したがって清朝の施策とは、既成の事実に未然の法制を合わせただけだといってもよい。

内実

清朝の「華夷一家」の範囲は、東アジアのほぼ全域を覆う広大な規模ながら、内容は二つに大別できる。方角でいえば東南と西北、言語・文字が異なり、宗教・信仰も同じではない。それぞれをひとまず漢語世界とモンゴル・チベット世界と名づけておこう。

そもそも乾燥と湿潤、遊牧と農耕で、風土気候・生態系も異なれば、生活習慣も同じでなかった。なればこそ、互いの有無をあい補う関係にもなりうるし、また相手を理解許容できずに、対立相剋の関係にもなる。古来ユーラシアの規模で、こうした二元的な世界の切り結ぶ展開が、歴史のダイナミクスを形づくってきた(岡本 二〇一八b)。

清朝はそんな二元世界の東アジアで、東南の漢語世界と西北のモンゴル・チベット世界のはざまに誕生し、両者と深く関わりながら成長し、ほぼ時を同じくして双方に君臨する。康熙帝の治世を通じて、そうした体制がようやく形を成した。

そうはいっても、清朝の拡大は、あらかじめ企んだものではない。ホンタイジの「大清国」は問わないにしても、「入関」は偶然の要素が強いし、ハルハ・チベットの統合も、攻撃してきたジューンガルと抜き差しならない関係になってしまったためである。自らが生き延びるため、あいついで押し寄せる難局に対処をくりかえした堆積であって、漢語世界もモンゴル・チベット世界も、結果的に併せることになったにすぎない。

事実に法制を合わせる清朝の統治法は、その必然的な帰結でもあった。要するにその場その場で、手を触れずに従前を温存したことを意味する。最も抵抗・摩擦の少ないやり方を臨機応変に適用しただけだった。そのため各地まちまちな多元的な勢力は、多元的なまま存続し、共存する体制になったのであり、それがおそらく清朝の実力にみあう無理のない方法だったことも確かである。

そもそも清朝は武装集団・軍事政権として発足し、赫々たる武勲をあげた事実もあるから、強力な政権・政体だと見誤りかねない。けれどもそれは、まったく逆と考えるべきであって、弱いから時に無理をして強権をふるい、一罰百戒を試みるのである。

しくみ

漢人・漢語の「華夷秩序」原理を力づくで全域一律にあてはめても、多元勢力の並立が顕著になっていた東アジアは治まらない。清朝は自らの経歴と力量をわきまえ、そうした意識・自覚を有していたのであろう。清朝の秩序再建できわだっていたのは、自らの版図を西北・東南という異なる言語慣習・生態環境の世界が組み合わさった構造だとみなして、臨機応変の感覚を失わなかったことにある。

西北の「藩部」つまりモンゴル・チベット世界のうち、チベットはダライラマの政教一体の統治に委ねた(石濱 二〇〇一、二〇一一)し、ハルハ・モンゴルには盟旗制という一種の部族編成を布いており(岡 二〇〇七)、いずれも従前の基層社会の慣例・構成に、清朝が手をふれることはなかった。いずれにも大臣《アンバン》は置きながら、側から監視したのみである。

そしてそうした事情は、東南・漢語世界の「直省」に対しても、やはり同じである。明朝の皇帝制度・行政機構をほぼそのまま踏襲して運用した。中央でも地方でもしかり、六部の俗に満漢併用制などと呼んでいるものは、旗人による漢人官僚に対する監視のシステムであり、チベット・モンゴルのアンバンと目的・役割は同じである。

統治の形態・内容はたしかに差違があるものの、清朝からする統治の意識・原理は、在地在来を尊重した点で選ぶところがない。具体的な方法がちがっているのは、元来の統治体制が異なっていたからである。

教科書の記述にしばしばあるように、東南が「直轄」にみえるのは、それまでの明朝がいわゆる君主独裁の官僚制を布いていたから、西北が間接統治なのは、在来のモンゴル・チベットの政権組織を踏襲したからにすぎない。従前を尊重し、清朝にとって非違・不都合に陥らないよう、監視するにとどめる方法は、すべてに共通している。

そうした監視の役割を担ったのは、主として八旗旗人《きじん》だった(村上 二〇〇七、杉山 二〇一五)。そうした点、旗人は監察官としては、中国史的にも世界史的にも、きわめて優秀な部類に入る。清朝一代を通じ、かれらの非違・汚職はたしかに目立つけれども、史料の記述とは、古今東西そういうものであって、異常・事件・ニュースを伝え、常態・慣例・制度を伝えない。悪行・不正・違背の程度でいうなら、たとえば同じく監察の役割をになった中国前代の明朝の宦官などと比較すれば、よほど稀少軽微というべきだろう。

それでも弊害の恒久的な除去根絶は、やはり難しい。朱に交われば赤くなるものである。漢人との接触がいよいよ深まるにつれ、漢語世界に対する監察機能も低下していった。しかしその経過をあとづけるのは、本稿の埒外になる。

四、変化

均衡と変動

こうした体制であれば、それぞれの来歴も事情・環境も異なるユニットをなす四カテゴリーの諸集団を、各々の内外にわたって、いかに平和裏に共存共栄させるか。それが大きな課題になることは一目瞭然であろう。並立する多元的な勢力・集団の平和的な共存をめざしていたとすれば、統治にあたっても、全体をみわたして相互のバランスをとらねばならない。後世の客観からは、そこがすぐれて難しく見える。もっとも清朝じしんがリアルタイムの立場・主観で、そこをどこまで意識していたか、およそはかりがたい。

上の四カテゴリーにかぎっても、それぞれが巨大である。各々の統治・管制ばかりで手一杯というのが実情だった。

とりわけ漢人統治の改善をめざして庶政改革に心血を注いだ雍正帝の生涯・治績(宮崎 一九九二)は、その典型とみるべきだろう。また乾隆帝のチベット懐柔(石濱 二〇一一)も、その一つに数えてよい。

それでも一八世紀の前半まで、バランスの保持に破綻をきたさなかった。清朝がいわゆる「盛世」を迎えることのできたゆえんである。

「盛世」とは以後に衰えるから、ことさら「盛世」というのであって、いいかえれば「衰世」の前奏曲にほかならない。だとすれば、「衰世」に転じるようなバランスの変動・動揺がその「盛世」、つまり一八世紀後半のプロセスにあったことになる。

まさしくその時期、清朝の内外に変動がおこっていた。しかも内と外との動きは、たがいに無縁ではない。いずれにもはるかに隔たる欧米の変貌、つまり世界史的近代の影響がおよんだ。ここにも確かに「国際関係」が作用していたのである。

「互市」の変容

こうした変動が最も端的に、また最も顕著にあらわれたのが「互市」であった。欧米諸国がそのカテゴリーに存在していたからである。

「互市」の主要な貿易は、シナ海を舞台とするもので、明代の「北虜南倭」までは、琉球・日本など東シナ海が、大きなシェアを占めていた。ところが一七世紀末から一八世紀に入ると、南シナ海のインド・東南アジアの比重が、相対的にも絶対的にも高まってくる。その担い手は当初、沿海の華人も多かったのにくわえ、西方から来航する人々も次第に数を増し、一八世紀の半ばには西洋諸国の存在《プレゼンス》も大きくなっていた。そしてその従事した貿易量も年々、加速度的に増加してゆく。

そこに作用していたのは、もちろん世界経済の始動と西洋近代の膨脹だった。産業革命を始動、インドの植民地化を進展させたイギリスが筆頭で、その具体的な様相と経過、意義は別途くわしい論述があるだろう。ここでは清朝の「互市」というカテゴリーで現出した、いわゆる広東《カントン》貿易の簡単な推移(岡本 一九九九)をみるにとどめたい。

注目すべき品目は、茶である。当時の欧米では、喫茶の習慣が定着し、日常生活に欠かせないものとなりつつあった。しかも茶は当時、世界で中国にしかできなかったから、中国茶の輸入も、右肩上がりで伸長した。イギリスは一七八四年に関税を大幅に引き下げて、いっそう大量の茶を買い付けるようになる。しかも清朝側の需要にみあう物産をもちあわせていなかったから、茶の対価として大量の銀が中国に流入した。

世界経済・世界市場を形成しつつあったイギリスは、こうした貿易赤字に悩むとともに、現地任せの「互市」の制度に違和感をつのらせるようになる。そこで一方でインドアヘンの輸出をはじめつつ、他方で中国との「自由貿易」「国際関係」樹立を模索した。史上著名な一七九三年のマカートニー使節派遣も、その一環だった(マカートニー 一九七五)。「互市」の相貌は客観的にみて、確実に変わってきたのである。

「直省」の変容

中国経済は遅くとも一六世紀以降、海外からの銀供給の多寡によって、景気が左右される構造になっていた(岸本 一九九七)。一八世紀後半の「互市」で西洋貿易が拡大し、厖大な銀が流入したため、需要が高まって、内地の交易もさかんになる。その刺戟をうけて、持続的に物価は上昇し、生産も拡大した。要は未曽有の好況を謳歌したのである。

こうした景気変動は、人口動態にその影響が著しい。その百年前、一七世紀には貿易も衰えて不況に陥り、内憂外患もあいまって、当局の把握する「直省」の人口は、一億を割り込んでいた。ところがその頽勢は、一八世紀に入ると底を打って反転する。「互市」の拡大によるインフレ好況は、この傾向をどんどん強めていった。人口は一八世紀半ば、前世紀の三倍、三億に達し、なおも増えつづけ、一九世紀に入ると、四億を突破する。当時としては爆発的ともいえる人口の増加であった。

とにかく増加した人々を養うために、生産の拡大・耕地の拡大が必要である。そのためには、未開地を開拓しなくてはならない。そこで既成の開発地からあぶれた人々は、江西・湖北・湖南・広西・四川・貴州・雲南の山地に向かう。山林を伐採、焼畑を作って、トウモロコシ・サツマイモで飢えをしのぎつつ、タバコを栽培し木炭を焼いて販売し、かろうじて生計を維持した。いずれも新大陸から伝わった産物で、西洋世界のグローバル化の波は、ここにも及んでいる(岸本 一九九八)。

移民は移住先で招かれざる客であることが多い。「直省」の漢人社会は移民の増加で流動化し、摩擦・紛争が頻発、秩序の維持が難しくなり、治安の悪化が深まってゆく。やがて内乱をひきおこす温床となった。

人口爆発によるそんなおびただしい移民が移り住んだ先は、もちろん「直省」の山岳地帯ばかりにとどまらない。海を越えて台湾や海外にも渡り、華僑華人の本格的持続的な増加をもたらし、あるいは内陸のモンゴル草原やチベット高地、さらには清朝の故地・東三省にも、移住の波がおよぶ。

かくて「互市」の拡大で「直省」は膨脹をきたし、四カテゴリーのバランスは一九世紀に入るころ、明らかに崩れはじめていた。

「藩属」化

バランスの喪失はこうした物量的な側面ばかりでなく、別の方面にもあらわれる。たとえば日本が「属国」とは別個の「互市」のカテゴリーに入ったのは、直接的には「倭寇」や朝鮮出兵など、歴史的事件を経てのことだった。しかしその根本的な原因は、朝貢を実践しなかった、さらにいえば漢語的・儒教的秩序が通用しなかったからだ、といって過言ではない。その点は非漢語の西洋諸国にも、同じくあてはまる。「互市」とはそうしたカテゴリーなのである。

同じく漢語・儒教の通じないカテゴリーが「藩部」だった。内陸・草原世界に位置し、チベット仏教を信奉するモンゴル・チベットも、ムスリムでトルコ系住民の多い新疆も、言語・宗教は非漢語・非儒教がその共通点である。

しかし「直省」が膨脹し、漢語が優勢をしめると、その常識・通則・論理が清朝で支配的になってきた。「直省」の漢語の通例が通じるのは、朝貢をおこなう周辺国、「属国」のカテゴリーである。朝貢はごく儒教的な観念と儀礼にもとづく上下君臣の関係をとりむすぶ手続きだった。こうした朝貢と上下関係の観念が次第に、「属国」以外の「藩部」「互市」にも及んでくる。

ここまで「属国」と「藩部」とは、判別して表記してきた。すでに述べたとおり、客観的にはまったく別種だからである。ところが当時の漢語史料では、この両者をともども「藩属」という漢語で一括して表現することが多い。またほぼ時を同じくして、「互市」の諸国を「外夷」とあらわすことも多くなった。

これは端的にいって「中華」「外夷」の「二分法」的理解にほかならない。たとえば明代の「華夷秩序」と同じ儒教・漢語特有の認識法・表現法であって、中華・漢人でなければ一律ひとしなみに「外夷」とみなす視座である。それなら「藩部」も「属国」も「互市」も大差はない。それぞれの具体的な差違に頓着しないから、すべてを概括する連文の「藩属」という概念も生じて当然だった(岡本 二〇一九)。

そのためこの概念で認識するかぎり、客観的な情勢と主観的な論理との混濁を免れない。「藩部」は非儒教という点で、「互市」に近くて「属国」と遠いはずである。ところが漢語概念の「華夷秩序」、すなわち漢人のもつ「二分法」的世界観では、必ずしもそうはならない。「互市」も「藩部」も、「中華」でない点で「属国」と同じなのである。そして漢語・儒教の見地からみれば、「属国」の行動様式が最も当為に近いため、「互市」も「藩部」も「属国」のようにふるまうべきだという論理になる。

そのため「互市」では、朝貢の上下関係と対等な「国際関係」が衝突して、たとえばアヘン戦争などの摩擦を起こした(坂野 一九七三)。「藩部」もその従属化をめぐって、あるいはいっそう困難な問題が生じる(岡本 二〇一七)。それはある意味、いまも継続、激化しているといってもよい。

展望――むすびにかえて

西洋の世界制覇という世界史上の転回は、東アジアの清朝では、「互市」「直省」を肥大化させ、「国際関係」の到来と漢人世界の膨脹をもたらした。

拡大した「互市」はアヘン戦争をへた一九世紀の後半にいたって、おおむね条約にもとづく「国際関係」に変貌する。同じく「互市」の位置づけだった日本も、一八七一年の日清修好条規を結んだから、やはり例外ではない。

かたや巨大になった「直省」は、同じく一九世紀の後半、同時多発的な内乱を噴出させる。その鎮定の過程で、自ら武装を強化した漢人世界は、旗人をはじめとする清朝のほかのカテゴリーを圧倒する実力を身につけた。以後の歴史は、漢人が主導する「国際関係」が名実そなわってくる過程である。二〇世紀に入り、清朝が中華民国に代わっても、その方向は不可逆だった。

だとすれば、少なくとも一九世紀の間は、四カテゴリーはなお各々「国際関係」に一元化されずに残っていたことを意味する。

「互市」の拡大・変質にせよ、「直省」の膨脹・混乱にせよ、いずれも当初、清朝自身のリアルタイムの感覚では、従前の連続・手直しにすぎず、変革というほどではなかった。欧米列強との条約締結は「互市」のとりきめの一環、漢人督撫による内乱の鎮圧は「直省」統治の一面ともみなせたからである。

「互市」の列強と「直省」の漢人の比重増大は、もはやかくれもない。存在感を著しく増した両者のあいだには、それでもなお矛盾があった。西洋の「国際関係」と漢語儒教の世界秩序とは、やはり相容れない側面があったからである。「清朝」はそのギャップを利用することで、従前の秩序体系を保ちつつ、同時に新たな局面に対応していった。そうした内容をもつ時代を前後と区別して、「清末」と呼んでもよい。

以下は一八六四年の六月二六日、および七月四日、清朝中枢の満洲人大官に近かった西洋人が、その発言を書き留めた一節である。

「あらゆる漢人は、清朝を滅ぼせると思うと、心底から高揚感を禁じ得ない。だから漢人は皇帝にも、政府と列強の紛争を引き起こしかねない進言をしがちなのである。……外国人と良好な関係を維持するのが、政府の方針でなくてはならぬ」

「漢人がその気になれば、満洲人は一日たりとも保たない。その忠誠を確保するには、清朝が満洲人より漢人を厚遇するほかない」(Smith et al. 1991: 148, 153)

「忠誠」をつくす漢人をしかるべく処遇し、西洋と「良好な関係を維持する」。それを体現したのが、清末の軍事・外交を一手にになった李鴻章《りこうしょう》という存在であった(岡本 二〇一一)。その「洋務」事業は、当時の「清朝をめぐる国際関係」からも必然だったのである。

それが破綻したのち、あらためて漢人と「国際関係」との矛盾解消・一元化がはじまり、そこに明治日本が重大な役割を果たした。「中国」という「主権」「国家」の形成と「国際関係」の構築は、日本漢語を媒介にしたからである。時にちょうど二〇世紀の開幕、その過程はとりもなおさず、中国の「新陳代謝」(梁 二〇二〇：一九七頁)をへた新時代の到来であり、「清朝」「清末」を否定する中国革命の始動でもあった。

注

（1）「直省」とは「直隷」「外省（各省）」をあわせたタームである。前者は首都近辺の、中央政府が直轄する府県の範囲を指し、「外省」はそれ以外の民政長官の布政使、のちには巡撫が所轄する区画をいった。清朝では「直隷」も「外省」の一つに数えるので、ほとんど区別のない総称となり（藤井 一九六二）、ここでもその意味で用いている。

参考文献

石橋崇雄（二〇一一）『大清帝国への道』講談社学術文庫。

石濱裕美子（二〇〇一）『チベット仏教世界の歴史的研究』東方書店。

石濱裕美子（二〇一一）『清朝とチベット仏教――菩薩王となった乾隆帝』早稲田大学出版部。

岩井茂樹（二〇〇四）『中国近世財政史の研究』京都大学学術出版会。

岩井茂樹（二〇二〇）『朝貢・海禁・互市――近世東アジアの貿易と秩序』名古屋大学出版会。

岡洋樹（二〇〇七）『清代モンゴル盟旗制度の研究』東方書店。

岡田英弘（二〇一三）『康熙帝の手紙』藤原書店。

岡本隆司（一九九九）『近代中国と海関』名古屋大学出版会。

岡本隆司（二〇〇四）『属国と自主のあいだ――近代清韓関係と東アジアの命運』名古屋大学出版会。

岡本隆司（二〇一一）『李鴻章――東アジアの近代』岩波新書。

岡本隆司編（二〇一四）『宗主権の世界史――東西アジアの近代と翻訳概念』名古屋大学出版会。

岡本隆司（二〇一六）「「東アジア」と「ユーラシア」――「近世」「近代」の研究史をめぐって」『歴史評論』第七九九号。

岡本隆司（二〇一七）『中国の誕生――東アジアの近代外交と国家形成』名古屋大学出版会。

岡本隆司（二〇一八a）『近代日本の中国観――石橋湛山・内藤湖南から谷川道雄まで』講談社選書メチエ。

岡本隆司（二〇一八b）『世界史序説――アジア史から一望する』ちくま新書。

岡本隆司(二〇一九)「近代東アジアの「主権」を再検討する――藩属と中国」『歴史学研究』第九八九号。

小沼孝博(二〇一四)『清と中央アジア草原――遊牧民の世界から帝国の辺境へ』東京大学出版会。

小野和子(一九九六)『明季党社考――東林党と復社』同朋舎出版。

岸本美緒(一九九七)『清代中国の物価と経済変動』研文出版。

岸本美緒(一九九八)『東アジアの「近世」』〈世界史リブレット〉、山川出版社。

木村拓(二〇二一)『朝鮮王朝の侯国的立場と外交』汲古書院。

城地孝(二〇一二)『長城と北京の朝政――明代内閣政治の展開と変容』京都大学学術出版会。

杉山清彦(二〇一五)『大清帝国の形成と八旗制』名古屋大学出版会。

鈴木開(二〇二一)『明清交替と朝鮮外交』刀水書房。

檀上寛(二〇一二)『永楽帝――華夷秩序の完成』講談社学術文庫。

檀上寛(二〇一三)『明代海禁＝朝貢システムと華夷秩序』京都大学学術出版会。

坂野正高(一九七三)『近代中国政治外交史――ヴァスコ・ダ・ガマから五四運動まで』東京大学出版会。

藤井宏(一九六一)「明清時代に於ける直省と独裁君主」『和田博士古稀記念東洋史論叢』講談社。

マカートニー(一九七五)『中国訪問使節日記』〈東洋文庫〉、坂野正高訳注、平凡社。

宮崎市定(一九九二)『宮崎市定全集14　雍正帝』岩波書店。

村上信明(二〇〇七)『清朝の蒙古旗人――その実像と帝国統治における役割』〈ブックレット《アジアを学ぼう》〉、風響社。

柳澤明(二〇一八)「露清関係の展開と中央ユーラシア」小松久男・荒川正晴・岡洋樹編『中央ユーラシア史研究入門』山川出版社。

梁啓超(二〇二〇)『梁啓超文集』岡本隆司・石川禎浩・高嶋航訳、岩波文庫。

Smith, Richard Joseph, John King Fairbank and Katherine Frost Bruner eds. (1991), *Robert Hart and China's Early Modernization, His Journals, 1863-1866*, Cambridge, Mass.: Harvard University Press.

コラム | *Column*

西欧に伝達された康熙帝の死

新居洋子

康熙六一年一一月一三日(一七二二年一二月二〇日)、清朝第四代皇帝の玄燁《げんよう》(康熙帝)が死去した。その死に際して発せられた遺詔《いしょう》は、朝鮮や日本に素早く送られたことが知られるが、じつは西欧にもさまざまな経路で伝わった。漢語の通用圏から外れた西欧では、朝鮮や日本とは異なり、つねに訳者の解釈を通して伝わった。遺詔の欧文訳と伝達に関わった人々の多様さは、一八世紀当時、清と西欧とのあいだに張りめぐらされた情報網の細かさと広がりを示している。以下、現在までに私が実見できた翻訳を挙げる。

①『新世界の使者 *Neuer Welt-Bott*』一七三六年刊行の号に掲載されたドイツ語訳。同誌はオーストリアとドイツのイエズス会士による定期刊行物で、世界各地で宣教活動を行うイエズス会士の報告からなる。同誌所載の遺詔のドイツ語訳は、もともとイエズス会宣教師ボドリー(Maurice du Baudory)が一七二三年四月二四日に広東にて作成したラテン語訳からの重訳とのことである。ボドリーによるラテン語訳は遺詔の最初の欧文訳と思われるが、現在コロナ禍により海外調査を断念せざるを得ない状況が続いているため、ボドリー訳の原文は現時点で未見である。

②ヴィドルー(Claude de Visdelou)によるフランス語訳。フランス国立図書館に手稿が収められている。ヴィドルーはもとイエズス会宣教師で北京および山西や南京、蘇州にて活動し、貴州使徒座代理区長など重要な任にあったが、典礼論争ではイエズス会内の主流派、つまりマテオ・リッチ(Matteo Ricci)の打ち立てた適応主義(儒教における「天」「上帝」はデウスに通じるとする一方で、祖先や孔子を祀る儀礼は信仰ではなく感謝を表するに過ぎないので偶像崇拝にあたらないとする)の追随者に対立する見解をとった。これにより一七〇九年に清から出国し、インドのポンディシェリに活動の場を移す。彼が訳注をほどこした遺詔はフランス東インド会社の主任管財人を務めたデュマ(Pierre Benoît Dumas)により一七二五年頃パリに到着した。

③フーケ(Jean François Foucquet)書簡群に含まれるイタリア語訳など。フーケはイエズス会宣教師で、北京では西洋数学や天文学の翻訳などに従事した。一七二一年に清を離れ、一七二五年以降はローマに居住した。

大英図書館には「シナ人の教養に関する書簡」との題をもち、フーケが一七二五年前後に送受信したと思われる書簡群がある。そのなかにはヴィドルーのフランス語訳からの重訳と思われるイタリア語訳が含まれるほか、ヴィドルーの解釈に対するフーケらの批判がイタリア語とフランス語で(一方は他方の翻訳)、それに対するヴィドルーと思われる人物の反論がラテン語で書かれている。この論争の焦点は遺詔に含まれる「天地宗社」の四字であった。ヴィドルーは遺詔にみられる擡頭《たいとう》の書式などを根拠に、康熙帝が「天」と「宗」(祖先)を同格とし、天と同じく亡くなった祖先をも犠牲奉献を伴う最上級の祭祀の対象として「神格化」しているとみなす。これはカトリックの見方では偶像崇拝にあたり、前述のごとく儒教の祖先崇拝は偶像崇拝にあたらないとする適応主義的解釈と真っ向から対立するものであった。

④フランスの文芸誌『メルキュール・ド・フランス *Mercure de France*』一七二五年七月号に掲載されたフランス語訳。前書きによれば、この訳文は一七二五年前後に清から帰還したフランス海軍士官がパリにもたらしたもので、フランス東インド会社の「仲買人の通訳」として養成された「語学生たち」によって原文から翻訳されたとのことである。この「語学生」は「構文が時にフランス語というより漢文的になる」との表現もあり、清の人々と推測される。

⑤『百科雑誌または科学誌 *Magasin encyclopédique, ou Journal des sciences*』第五年第六巻(一七九九)に掲載された、イエズス会士グラモン(Jean Joseph de Grammont)によるフランス語訳。グラモンは広東に到着後、外国貿易を独占していた広東十三行の商人潘同文《はんどうぶん》の推薦で宮廷に仕える人材候補として北京に上った。その遺詔の翻訳は一七九五年に完成し、広州スペイン王立フィリピン会社の主任管財人アゴテ(Manuel Facundo de Agote y Bonechea)に伝わり、さらにパリ自然史協会会員で当時セランポールで標本収集の任務にあたっていたマセ(Jean Macé)へと送られた。そしてマセの作成した複写がフランスへと送られた。この翻訳は遺詔の発布から七〇年以上後に作られたが、死に際した康熙帝の「むき出しの魂」を現前すべく、先人の翻訳に頼らず新たに原文から訳したという。

上掲の各翻訳は訳語の選択や翻訳の精度などの点で、②からの重訳と思われる③のイタリア語訳を除き、互いに大きく異なる。また翻訳やその出版を動機づけた関心の焦点も、②や③の典礼論争といった宗教的側面のみならず、④では清朝の統治術に、また⑤では歴史資料としての側面にあったことがその前書きなどから分かり、やはり多様である。なお一八―一九世紀に別の出版物に一部が転載されたものもあり、西欧内でさらなる経路と関心を得て広まっていった。

(†)

Deren
PP. MISSIONARIORUM
Soc. JESU.
Allerhand so Lehr- als Geistreicher
Brieffen/ Schrifften/ und Reiß-Beschreibungen
Ein und zwantzigster Theil.

Nachrichten und Brieff aus China.

Numerus 429.
Testament
Oder
Letzter Willen deß letzt-verstorben-Sinischen Kaysers Cambi,
Welches derselbe im Decembri 1722. errichtet hat.

Innhalt.

Kayser *Cambi* errichtet den letzten Tag seines Lebens/ das ist/ den 20. *Dec.* 1722. im sibenzigsten Jahr seines Alters/ und seiner Regierung im ein und sechszigsten/ ein Testament/ Krafft wessen derselbe vielerley Geschichten und Sitten-Lehren zu seinem Lob anführt/ endlich aber seinen vierdtgebohrnen Sohn *Ium-Tsching* zum Reichs-Nachfolger einsetzt. Bedencken und Anmerckungen über diesen letzten Willen/ der also lautet:

Ich auf deß Thien (das ist, auf GOttes oder deß Himmels) Befehl annoch bestellter Kayser sage und erkläre, daß meine Vorfahrer, die bißhero diß weitläuffige Reich beherrscht, müssen all-möglichen Fleiß angewendet haben den Thien Gebühr-mässig zu verehren, und in ihrer Vor-Eltern Fußstapffen zu tretten. Allein die wahre Verehrung deß Thiens und die rechtschaffene Nachfolgung seiner Ahnen beruhet meistens auf dem, daß man einerseits fremde Landsleut holdseelig empfange und ihnen Guts thue; Anderseits aber seinen Unterthanen die Fruchtbarkeit behöriger Lebens-Mitteln, und einen Vorrath aller Dingen verschaffe. Dann ein Kayser soll geflissen seyn nicht allein allen Reichthum deren vier Meeren zum Besten deß allgemeinen Frommens zu verwenden, sondern auch die Liebe all-seiner Völckern mit Gutthaten ihm zu verbinden: alle Gefahren vom Reich abzuwenden: sein Volck in friedsamer Ruhe zu regieren. Er soll Tag und Nacht (er schlaffe oder wache) sorgfältig nachsinnen, wie das Reich länger im Wohlstand könne bewahrt und erhalten werden. Wann er sich also aufführt, ist er gewißlich von der wahrhafften Verehrung deß Thiens, und der Nacharttung seiner Vorfahreren oder Ahnen nicht weit entfernt.

Ich Kayser hab nun das sibentzigste Jahr meines Alters, meines Reichs aber das ein und sechtzigste erreicht, und lebe gäntzlich der Mey-

Joseph Stöcklein, XXI. Theil.

『新世界の使者』に掲載された遺詔のドイツ語訳の冒頭

焦　点 | *Focus*

焦点 | *Focus*

明朝の中央政治と地域社会

岩井茂樹

一三五〇年代、モンゴル治下の中国はほとんど破綻国家だった。この頃、「太平に酔う」という皮肉なざれ歌が流行していた。

> 堂堂たる大元では、奸臣やおべっか使いが権力をほしいままにし、黄河の治水と鈔《カネ》の刷り換えとが禍《わざわい》のタネ、何万もの紅巾（白蓮教徒）を決起させた。お上の法規は乱脈で、刑罰は重く、人民は恨みをいだく。人が人を食らい、鈔で鈔を買う、こんなことはなかったぞ。賊が官となり、官が賊となり、愚者と賢者とが区別なしだ。哀れなるかな、憐れむべきかな（陶宗儀『南村輟耕録』巻二三）。

紙幣濫発や労役徴発が民衆の生計をおびやかすと、白蓮教は弥勒仏《マイトレーヤ》が下生して世を救うという預言をひろめて信徒を反乱にいざなった。塩の密売人などの「賊」が財富と武力を蓄えて割拠すると、討伐する力のない朝廷は彼らに高位の官職をあたえて帰順させるしかなかった。こうして「賊」と「官」の境界は失われた。

モンゴル政権は「中統交鈔《ちゅうとうこうしょう》」「至元宝鈔《しげんほうしょう》」などの政府紙幣を発行してきた。紙幣流通の行きづまりを打開するため、一三五〇年に新紙幣を発行し、旧紙幣を回収することを図った。「鈔で鈔を買う」とはこのことを指すが、紙幣とともに銅銭を発行する幣制改革は挫折した。政府発行の通貨にたいする信認はいよいよ失われ、交換手段の不安定が市場を混乱させた（宮澤 二〇二〇、二〇〇一）。

この混乱のなかで新たな天子となった朱元璋《しゅげんしょう》(一三二八―九八年)の政権は政治と社会の秩序回復をめざした。天の命を承けた皇帝のもとに進められた改革がどのような性質のものであり、それに対して社会がどのような反応を示したか、考察を加えてみよう。

一、秩序再建と皇帝の独裁

小僧から皇帝へ

現在の安徽省の農村に生まれた朱元璋は、父母を失い仏寺の小僧として糊口をしのぐなど辛酸をなめたすえに、白蓮教徒らの反乱軍に身を投じた。郭子興《かくしこう》(一三〇二―五五年)のもとで頭角を現し、主君亡きあとその後継者となった。一三六七年、蘇州に拠る張士誠《ちょうしせい》(一三二一―六七年)、慶元《けいげん》(寧波)を中心として強大な海上勢力を擁していた方国珍《ほうこくちん》(一三一九―七三年)をあいついで打倒すると、翌年正月、応天府(南京)を都に定めて皇帝に即位した。白蓮教の政権からの自立を宣言するとともに、およそ百年にわたって中国を統治してきたモンゴル皇帝にかわって「天下の主」となる意志を明らかにしたわけである(檀上 二〇二〇、呉 一九四九)。帝国の再生にあたり、朱元璋の政権には三つの課題があった。

中華の恢復

第一は、モンゴルの中国支配に終止符を打つことだった。流通の大動脈である長江流域を長らく叛乱者に占拠されていた元は北上する明軍を押しもどすことができず、一三六八年秋には皇帝トゴン・テムル(在位一三三三―七〇年)が大都を放棄した。翌年には夏都であった上都《じょうと》も陥落し、モンゴル高原へ撤退した。明はモンゴル語、トルコ語などの使用や遊牧騎馬民の風俗を禁じて「中華の恢復」を図った。一三八〇年代以降、海禁と辺禁(内陸の越境禁止)を強化し、国外との往来を制限したことによって、文化と経済、政治の国際化は後退することになる。

正統主義と儒学

第二は、動乱の要因となった社会と経済の混乱を収束させ、統治を安定させることだった。朱元璋は「学問をする機会がなかった」と告白しているが、支配圏を拡げるなかで宋濂《そうれん》(一三一〇—八一年)や劉基《りゅうき》(一三一一—七五年)など官僚経験のある知識人を取りこみ、政権を固めるための制度づくりに着手した。これに並行して白蓮教からは距離を置こうとした。

即位の前後、上は皇帝から下は庶民まで唐代の「衣冠」を復活させるとともに、律令を踏襲する刑法典『大明律《だいみんりつ》』、行政法令『大明令《だいみんれい》』などを制定した。また、官僚や吏員の不正を暴いて厳罰に処した事例などを記した『御製大誥《だいこう》』を頒布したのも、伝統的な統治の復活を求めたからだった。

一三七〇年には、朝廷が認めた神々だけを祭祀の対象とし、加持祈禱にさいして皇帝への上奏になぞらえた「章《しょう》奏《そう》」や「青詞《せいし》」を仏僧や道士が誦読することを禁じた。白蓮社、明尊教、白雲宗など民間宗教を「左道」、すなわち邪宗門として禁圧し、巫覡《ふげき》(シャーマン)、扶鸞《ふらん》(お筆先)、禱聖《とうせい》(お祈り)、書符《しょふ》(おふだ)、呪水《じゅすい》(魔法の水)などの風習を指弾した。西方伝来のネストリウス派キリスト教やマニ教なども勢力を失った。

洪武帝(朱元璋)自身は仏教や道教に心をよせ、宗教者を重用した(濱野 二〇一六)。しかし、政権の中枢にいた儒者たちは伝統的な礼制や儒学が採用した祭祀によって秩序を再建し統制しようとした。明代以降、義と利の弁別や礼の実践を重視する朱子学が官定の教学となるが、明初の政権が礼制祭祀の復興を目指したことはその端緒をなした。

独裁の徹底

第三は、天子に権威権力を集中し、皇帝独裁の体制を作りあげることだった（岩本 二〇一九）。元朝では、日常の政務は中書省の丞相《じょうしょう》らが「鈞旨《きんし》」を下すことによって処理されたし、皇帝の指示や決定を伝えるお言葉（聖旨《せいし》）も中書省を通じて伝達された。中書省が宰相府として民政を統括し、軍政は枢密院が司った。その長たる枢密使は文官のなかから選ばれ、丞相に次ぐ地位を与えられていた。

建国にあたり洪武帝は元の統治機構をほぼそのまま継承したが、一三八〇年、丞相胡惟庸《こいよう》（?―一三八〇年）に謀反の濡れ衣を着せ、その一族や配下の官僚らを粛清したさいに中書省を廃止した。こうして六部《りくぶ》（吏、戸、礼、兵、刑、工を分掌）や御史台《ぎょしだい》（監察）の各長官を皇帝が直接指揮する体制を実現した。

秦漢以来、丞相は皇帝の権力を掣肘《せいちゅう》するものではなかったが、官僚機構の頂点に位置し、日常的な政務については指揮権を握っていた。丞相を中書省もろとも廃したことによって、官僚から上がってくる情報は直接に皇帝に届けられ、皇帝は最終的な裁決を下すだけでなく、政策の決定過程をみずから制御することになった。

元はその帝国を中書省直轄地（腹裏《ふくり》）および七つほどの行中書省に分割して統治していた。洪武帝は中書省の廃止に先だって行中書省を廃止し（一三七六年）、省ごとに「三司」と総称される承宣布政使司《しょうせんふせいしし》（民政、財政）、提刑按察使司《ていけいあんさつしし》（司法、監察）、都指揮使司《としきしし》（軍政）を置いて集権体制を強化していた。中書省廃止にともない、各省の三司も皇帝直属となった。

軍権の分散

軍政を統括していた大都督府（宋元の枢密院に相当）もまた、胡惟庸の獄にさいして廃止され、中、左、右、前、後の五軍都督府を分立させて軍権の集中を防いだ。五軍の都督府にはそれぞれ左都督と右都督の二人の長官を配して相互に牽制させ、軍官の人事は文官がとりしきる兵部がおこなうこととした(奥山 二〇〇三、川越 二〇〇一)。

モンゴル時代には軍団を率いる王などが朝政を左右し、宮廷クーデタを起こすことがあった。洪武帝は軍権を分割するとともに、創業の中核であった功臣たち(多くは朱元璋と同郷であり、世襲の爵位と犯罪について恩赦を保証する「鉄券」とを与えられていた)にたいしても、機会をとらえて排除したり、その家門を軍権から切り離したりして、皇帝の独尊が脅かされるのを防止した。その一方で息子たちを王として要地に配置し、地方の軍政民政に睨みをきかせようとした(佐藤 一九九九)。

こうして民政、財政、軍政、監察の重要な政務を皇帝自らが指揮決裁する皇帝独裁の体制が出現した。これは帝政中国の歴史において画期をなした(檀上 一九九五)。

内閣と外廷

永楽帝(在位一四〇三―二四年)がはじめて内閣を設置し、ここに在勤する内閣大学士が宣徳帝(在位一四二五―三五年)期以降、皇帝の顧問として人事や政治決定に関わることになる。明の後半には、複数の内閣大学士のなかで筆頭の大学士(首輔《しゅほ》)の発言力が高まり、首輔が宰相の役割を果たしたといわれることがある。しかし、内閣には六部や都察院などに指令を下す権限はなく、皇帝の裁決に影響を与えるという間接手段によって朝政を左右したにすぎない。

外廷に属する六部や都察院などの官僚は、皇帝と宦官《かんがん》、皇太后、錦衣衛《きんいえい》(近衛軍)などからなる内廷の圧力や暴力に向きあわされた(岩井 二〇一一)。大学士は官僚としての声望や資歴がいかに高くとも、諸官庁を統制指揮することはできなかったし、大学士が内廷の利害と、正義を主張する官僚らの議論との板挟みとなることもあった(宋 二〇二〇、田 二〇一七、城地 二〇一二、小野 一九九六、譚 一九九六、王 一九八九)。

一四世紀の朝政の混乱にたいする反動として、中央から地方まで階層化され、相互牽制のしくみをもった統治機構を、天子たる皇帝ひとりが総攬する極度の独裁制が出現した。諸王にたいする軍権や「投下《とうか》」(領土領民)など経済的資源の分与、皇后のオルド(幕帳群＝宮殿)の独立性など、遊牧集団の伝統を中国に持ちこんだモンゴルの支配とその失敗が殷鑑となったといえるだろう。

二、里甲制と共同社会

「戸帖」から『賦役黄冊』へ

社会政策も大きく転換した。朱元璋の政権は基層の協働組織のなかにすべての人民を組みこみ、徴税や司法の末端を人民みずからに担わせようとした。これは財政資源の確保とともに、小民の保護を目的としていた。人びとの協働にもとづいて社会の秩序と生計の安定を図ろうとしたのだった(伊藤 二〇一〇、岩井 二〇〇四、一九九七)。

建国の三年目から、戸部は各戸の構成および土地や家屋、役畜などの資産保有を申告させ、それに基づく「戸帖《こちょう》」を配布した。一三八一年には、州県に命じて坊および里とそれに属する一〇の甲という階層組織のもとにすべての人民を編成し、『賦役黄冊《ふえきこうさつ》』(以下『黄冊』と略す)を作成した。洪武帝が賦役の不公平を是正するための簿冊の作成を命じたところ、戸部がこれに応えて具申したのが『黄冊』の制度だった(「范敏伝」『明史』巻一三八、欒 二〇〇七、韋 一九六一)。

中国では売買や均分相続を重ねることによって地片が細分化しており、所有する資産に応じて租税や徭役を課そうとすれば、戸ごとに所有地を調べあげ、一筆ごとの面積、等級、税額などを定めたうえでそれらを合算する必要があった。家族構成および合計税額、家屋、船舶、役畜などの保有にもとづいて各戸の負担能力を計り、能力に応じた租税と徭役をわりあてる根拠となるのが『黄冊』だった。

里甲編成と輪番制

『黄冊』は坊と里を単位とする社会の組織化を実現する手段でもあった。官署所在の都市には坊、郷村部には里の区画を配置し、各坊里には輪番でその長に就役する坊長、里長戸(以下里長戸と略す)を一〇戸、当年の里長戸のもとに輪番で就役する甲首戸を一〇〇戸(一〇の甲に分属)選び、坊里内の役務を担当させた。『黄冊』は一〇年ごとに改編された。一〇年は里長戸および甲首戸の輪番周期であり、『黄冊』には各戸がどの役職をになうか、そしてどの年に就役するか、予定が示されていた。また、役を負担できない戸は畸零戸《きれいこ》としてまとめて末尾に登載された(欒 二〇〇七、松本 一九七七、栗林 一九七一、韋 一九六一)。

納税戸の負担能力を評価するためには自己申告させるしか方法がないが、資産を漏れなく申告させるためには、近隣の戸を組織化して悉皆調査をおこなうことが有効だった。前述の「戸帖」による自己申告にさいしては、軍隊を動員して申告の脱漏を調査させ、発覚すればその戸を捕えて軍に編入するぞ、という威嚇が「戸帖」の上に刻まれていた。人戸を里甲の階層に編成すれば、相互の監視や保証、里長戸による督率が機能するので、軍隊による調査や威嚇は不要となった。宋代以降、郷、都、保、図、村などを賦税課徴の単位とすることが試みられてきた(陳 二〇一六)。旧来の保甲制の機能を拡張し、税務や司法などの末端公務をおこなう基層組織として全国画一に編成されたのが里甲だった。

里の規模

蘇州府太倉州を例にして坊里の規模をうかがってみよう。一三九一年の『黄冊』によると太倉州には六七の里があり、全戸数は八九八六戸だった。州全体で六七〇の里長戸、六七〇〇の甲首戸にたいし、畸零戸は一六二六戸と二割弱だった（周忱「与行在戸部諸公書」『双崖文集』巻三）。里の規模は平均すると一三四戸ほどになる。地主に小作料を払ってその土地を耕作する佃戸《でんこ》（小作農）は、自己所有地がない限り納税義務を負わないし、畸零戸になれば里甲の役職の輪番からはずれた。

百数十戸からなる団体は、その成員が相互に認知できる規模である。里長と甲首の役に当るのは計一一〇戸と一律だが、畸零戸の数を調整することによって、坊里の規模は街区や村落などに応じて柔軟に編成することができた。

『黄冊』の記載事項

総数一千万を超える戸は、供出する役務によって「民戸」（農民、商人など）、「軍戸」（軍官、兵卒）、「匠戸《しょうこ》」（職人）、「竈戸《そうこ》」（製塩）、「猟戸」（狩猟）などの「戸計」に分類された（元代の「諸色戸計」の制を踏襲）。「戸計」の類別が『黄冊』上の戸名の直下に記された。戸計や戸等など戸の属性の記載につづくのは、戸内の家族構成（人丁《じんてい》）と資産保有（事産《じさん》）の増減についての情報だった。

事産のなかでも、税糧（夏税秋糧からなる両税）課徴の対象となる土地については、過剰なほど詳細な記載がなされた。前期末保有（旧管）、前期売却（開除）、前期購入（新収）、当期首保有（実在）の四項目（中国で「四柱冊」とよばれる会計方式）が建てられ、各項目には一筆ごとに所在、境界、等級、面積および税種と税額が明記された（岩井 二〇〇〇）。土地だけではなく、家屋の規模、船舶や車輛、役畜の保有などもここに記載された。

明代の『黄冊』は戸籍、『魚鱗図冊《ぎょりんずさつ》』は土地台帳だと説明されることがあるが、戸の人的構成のほか、里長、甲首戸の就役の順番と税役課徴の根拠となる各戸の資産の変動とを把握するために編纂されたのが『賦役黄冊』だった。『黄冊』は坊里を単位としてつくられ、坊里、州県、府、布政使司に備えられたほか、「正冊」が南京応天府に送られ、点検をへたうえで宮殿の北にある後湖（玄武湖）の畔や中洲に建造された黄冊庫に保管された。

『黄冊』は官府が作成するのではなく、各坊里の一〇年目の里長戸が「大造」とよばれた改編作業を当年の甲首戸の補佐を得て担うことになっていた。その費用は坊里もちである。全成員が資産と家族構成の変動を一〇年ごとに申告し、『黄冊』の改編を里甲の内部でおこなう。官府の仕事は様式の配布や点検などにとどまった。民みずからに作業をおこなわせるのは、籍帳作成を口実とする金品の請求や、恣意による改変を防ごうとしたからだ。坊里全体の税糧額および各戸の負担額は一〇年間固定され、土地は随時に売買されても、その納税義務は次回の『黄冊』改編まで移動しない。賦税総額の納付は坊里の集団的な責務となり、徴収と指定場所への運搬は各年の里長戸と甲首戸の職務とされた。

糧長と民による税務

里甲制実施に先だって、江南では税糧総額数千石から一万石を基準として、区域ごとに「糧長」を指名し、南京までの税糧運搬をおこなわせた。糧長は身分としては庶民だったが、洪武帝は上京した糧長を親しく引見することがあった（梁 二〇〇八、小山 一九九二）。糧長制度の意図について宋濂は次のように説いた。

わが朝が天下を治めるにあたり、官と吏が細民を苦しめていることを患《うれ》えた。大臣らが廷議するに、（州県の）官は他処の出身であり、その土地の民情にうといし、ごろつきの下役どもにとり囲まれているのだから、民がその弊害をこうむるのは無理もない。富裕者であり民の信頼を得ている者を長となして、細民の田土の税糧をつかさどり、運送してお上に納入させるのがよい、と。そこで、富裕者を糧長となし、大なるものは万石の税糧をあつかい、小なる者は数千石の税糧をあつかうこととなった（宋濂「上海夏君新壙銘」『朝京稿』巻五）。

徴税という地方官府の要務を、官僚や下役の手から切り離し、集団化された納税戸と無位無冠の糧長におこなわせる。これによって納税者を保護しようというのが糧長制度の趣旨だった。

洪武帝が自ら編纂した『大誥続編』には、税糧の搬入について次のような指示が見える。

納税にさいし、税糧の少ない戸は一〇〇戸、あるいは一〇戸、三、五戸ごとにまとまって、みずから旅費をそなえ、水路は船をやとい、陸路は車をやとえ。みなの中よりいく人かの総領をたて、糧長とともにしかるべき倉庫におもむいて納入せよ。郷里で〔徴収にさいし〕三割をわり増し徴収して出立せよ。糧長がさまざまな名目で銭物の取り立てをすることは許さない。選ばれて納入に従事するものも、三割のわり増しを受け取って来たのだから、余分な出費をして不足をだしてはいけない(『大誥続編』議譲納糧第七八)。

これは里甲制実施直前の発言であるらしく、里長や甲首の名は見えないが、「いく人かの総領」とは里長に相当する役職である。他人に業務を委ねるのではなく、仲間のうちから選ばれた数名の「総領」が税糧納入の任にあたる。税糧納入のための経費は、税糧高にたいする三割のわり増しによってまかなう、つまり納税戸全体からの定率拠出によるべきだと命じられている。皇帝の指示がそのまま実現したわけではないだろうが、集団内の協働と公平な費用分担は、一〇年輪番制や負担能力に応じた里長戸、甲首戸の区別などの方法を貫く理念として提示された。このように税糧の徴収や運搬を集団化し、納税戸自身の協働によっておこなうことは、幕藩期日本の村請制度にも共通する(岩井 一九九七)。

「自分たち」の公務

相互扶助や教化も坊里のおこなうべき公務とされていた。さらに、坊里ごとに人望のある庶民を「老人」に選んで、住民間の紛争の裁決や軽い処罰を行使する権限をあたえた。官府の裁きを求めると経費や時間がかかる。「老人」による裁判や調停は、坊里という基層組織自体に司法の末端を担わせようとするものだった(中島 二〇〇二)。

糧長と里甲の制度および老人裁判は、末端の公務を「自分たち」で遂行させる構想の中核だった。大口の納税者である「巨室」を糧長にあて、中堅有産戸と目される坊長里長層に税糧徴収と運搬納入を役務としておこなわせ、庶民の一員たる「老人」に皇帝の指示にもとづく申明亭《しんめいてい》での裁判を主宰させる。これには同じ志向が通底している。また、明は「雑泛差役《ざつはんさえき》」(里甲役や駅伝などとは別に地方官府が必要とする雑多な役務)のわりあてを、募役や雇役の方式によらず、資力に応じた指名わりあて(点僉《てんせん》)により、坊里にかかわらず州県全体の有力戸に負担させる制度を採用した。差役を商人や地主の資産に応じた累進負担として公正にわりあてようとしたのだった。

里甲は村落などの地理上の境域を無視して編成されたという見方もある。しかし、坊里に期待された相互扶助や教化、徴税、運搬業務の集団化、「老人」による調停や懲戒などの機能を発揮させるためには、地縁にもとづく集団、すなわち一種の「ムラ」として編成するのが本来のあり方だったはずだ。

里長については「催辦銭糧《さいべんせんりょう》、勾摂公事《こうせつこうじ》」(税物を徴収納入すること、「公事人《くじにん》」=事件関係者を官府まで拘引すること)がその主要な職務とされた。従来、地方行政の末端たる州や県が「銭穀《せんこく》と刑名《けいめい》」(財政と司法)を集中的に担っていた。坊里は州県の官府の下請けとして財政と司法の最末端を担わされたのであり、成員の協働によって公務を遂行する小規模な行政村落として編成されたことになる(岩井 二〇〇四)。皇帝から任命された州県の官僚とその官府による統治は、往々にして郷村まで浸透しなかった。不十分な官治と放任された社会とを架橋することが坊里に期待された。

王土王民の公平

全国一千万を超える戸の資産変動を追跡できる詳細な簿籍をつくらせ、これに皇帝を象徴する黄色の装幀をほどこしたうえで宮殿北側の後湖に貯蔵した。『黄冊』は、天子たる皇帝の統治が「編戸の斉民」一人一人に及ぶことの象徴であり、統治の縮図だった。「大造」の年ごとに、高さ五〇センチ、厚さ一〇センチを超える大部の『黄冊』が六万数千冊、南京に送られた。滅亡の二年前まで計二七回に及ぶ編纂のたびに三〇間の庫房が後湖に増築された。中国歴代の王朝にあって、全国の膨大な籍帳を都に集中して管理保存したのは明だけである。
一四世紀中葉の動乱と秩序の崩壊は、朱元璋だけでなく、当時の知識人官僚層が親しく体験したところだった。智略をもって馬上に天下をとった皇帝を押したて、揺るぐことのない秩序と合理的な制度を実現する。これは朱子の学問を奉じる知識人官僚たちの共通願望であっただろう。里甲制による共同社会の実現と詳細を極める簿籍の作成とによって公正と公平を担保する。この理想主義が明という新政権を駆動した。負担義務は普遍かつ公正であるべきだ。古くより『詩経』の「溥《おお》いなる天の下《もと》、王の土《ど》にあらざるはなく、率《めぐ》りゆく土の浜《はて》まで、王の臣《しん》(臣民)にあらざるはなし」(北山《ほくざん》)という句が、近世においては『書経』の「維《い》正《せい》之供《きょう》」(無《む》逸《いつ》)がこの理念を示すものとして援用されてきた。公正公平は儒家が希求する「義」の観念の社会的側面であった。

三、民の対応と里甲の崩壊

江南の里甲

皇帝や官僚たちが合理的に設計した社会制度にたいし、坊里に編成された民はどのような対応を示したのだろうか。広大な中国にあって、状況は地域ごとに異なったであろう。ここでは、長江デルタの中心地、蘇州における人びとの動向をみることにしよう。人口稠密な江南では、一州県に一〇〇以上、大県では五〇〇を超える里がつくられていた。

永楽時代に事実上の北京遷都がおこなわれ、モンゴルへの出兵にともなって税糧の輸送に従事していた軍が動員された。これらは財政圧力となっただけでなく、里甲や糧長による運搬業務の困難を増大させた。さらに、「物料」の負担があらたに加わった。「物料」とは、朝廷や政府の必要物資の買付上納を命じたものが、代価なしに坊里から供出させるようになり、実質上の第二租税となったものである。もともと江南には、重い税糧を負担する「官田」とよばれた田畑が多くあった(森 一九八八)。重税をわりあてられていたことに加えて、「物料」が賦課されたことによって、税糧の滞納が深刻化した。この情勢のなかで、里甲に編成された戸が逃散や破産によって消失する現象が拡大した。

永楽帝が歿した翌年(一四二五)、蘇州、常州、嘉興、湖州、杭州などの府の視察を命じられた官僚は人民逃散の原因としてつぎの事を指摘した。

- 糧長が漕米の徴収と運搬にかこつけて小民を搾取している。
- ほんらい雑泛差役の一種として有力戸にのみわりあてられていた「弓兵《きゅうへい》」が、勢豪の手先となって郷村に横行している。

糧長の請負

視察報告によると、江南の各府では「無籍の徒が糧長に営充し、もっぱら小民を搾取して利益をあげている。徴収にさいしては、各里に俵づめのための倉庫を設け、ひそかに規格外の大きな枡を造って倍ほども量りとる。さらに見本米、枡とり米の名目で巧みにとりたて、民は規定額の五倍ほども負担している。ところが、小民に南京の倉庫まで運搬させるさいには、通常の枡で正味分の米を量りあたえるだけなので、途上の出費はほとんど捻出できない。こうして完納できなくなると、小民が賠償させられるため、なかには破産してしまうものもある。連年の未納分が朝廷のご恩によって棒引きとなっても、利益は糧長のものとなり、小民は恩恵にあずかれない」(『明宣宗実録』洪熙元年閏七月丁巳の条)。

この頃には、糧長の代役者が各里の徴税まで掌握して利益をあげることが普通になっていた。「無籍の徒」といわれるかれらは、在地の人間ではない。請負のためには、倉庫を建てて要員を配置する資本や、穀類の取り扱いと運送に習熟することが必須である。その条件をもつのは商人や有力戸だった。こうして徴税という公務は私的な営利事業となった。

糧里と里書

代行請負は糧長の職務にだけ現れたのではない。里長の職も同じ趨勢をたどった。明代の史料には、「糧里」とよばれる徴収役が登場する。これは「催糧里正」「催糧里長」の縮約語であろう。徴収の仕事はほんらい輪番制の里長の職分だった。ところが「歳ごとに各図（江南では里を「図」と言うことが多い）の一〇戸の里正のうち、その年の里長と催糧里正とを除いたそれ以外の里長にたいし、年限を切って輪番で差役にあてた」（「差役　国朝賦役」弘治『常熟県志』巻三）とあるように、本来その年の里長が催糧里正であるはずのところ、催糧の業務については輪番制から切り離され、特定の戸が専門におこなうことがあった。

また、一〇年ごとの『黄冊』改訂および土地売買にともなう納税義務者の書き換えの仕事はやはり里長から分離し、「里書」などとよばれる専従者があらわれた。代役者を里甲内部に得るならば、里内役職の分化にとどまるが、外部の人間による営利目的の請負にまで発展すると、非公式ながら制度化した請負となる（清代には包攬《ほうらん》とよばれた。山本　二〇〇七、西村　一九七六）。

協働にもとづく集団的な負担ひきうけが難しくなれば、税糧の徴収、土地売買にともなう納税義務者の把握、『黄冊』の作成などは「糧里」や「里書」、「協催」などとよばれた専門職に請け負わせるほうが、官府にとっても、里長戸にとっても効率的だった。社会の規模に比べて小さな業務遂行能力しか持たない州や県の官府にとって、請負は経済的にも魅力があった。糧長や輪番制の里長は存在するが、その職務の多くは請負人が代行し、糧長、里長はその経費や手当を支払い、場合によっては滞納分をかわりに負担させられる存在となった。

「以民管民」の困難

一四三〇年、周忱《しゅうしん》(一三八〇―一四五三年)という敏腕の官僚が「便宜《べんぎ》行事《こうじ》」、訳すと勝手御免の特命をおびて蘇州に送りこまれた。税徴収の変質や里甲の滅失が、社会と国家の危機となっていたからだ。先に見たように、太倉州には六七の里があった。ところが「今、宣徳七年(一四三二)の『黄冊』にはただ一〇里のみ、〔総戸数は〕一五六九戸が登載されているが、実地調査をすると実在するのは七三八戸に過ぎない。これ以外はすべて逃散したか、あるいは戸が絶えたものを水増ししているのだ。……〔課税対象の土地面積は減らされていないので〕七三八戸が洪武年間の八九八六戸分の税糧を負担することになっており、かれらにそれだけの税糧の納入を求めるのだから、逃げださないとやっていけない」(前掲周忱「与行在戸部諸公書」)。坊里に編籍されていた戸は、四〇年たらずの間に一〇分の一以下にまで減少していた。蘇州の里甲制はすでに崩壊していた。

一五二〇年代、蘇州府の人で戸部尚書、大学士を歴任した王鏊《おうごう》(一四五〇―一五二四年)は「我が太祖は有司《やくにん》が民を刻《くる》しめてきたことを患《うれ》え、殷実にして行義の家を推挙して、民をもって民を管《つかさ》どらせた。これは最良の法である」と評価し、「有司が民を刻しめる」のを防止することが糧長制度の目的であり、「以民管民」、つまり官治ではなく、民が自らを治めるのが制度の趣旨であったという(「呉中賦税書与巡撫李司空」『皇明経世文編』巻一二〇)。しかし、このような理念のもとに設計された制度は、はやくも永楽・宣徳年間(一四〇三―三五)には変質し、その趨勢は逆転することがなかった。

王鏊は「ちかごろは朝廷の徴求がかさみ、地方官の取りこみも甚だしい。かつては税糧徴収の督察だけが糧長の仕事だったが、糧長に北京まで運搬させるようになった。みずからの手にあまるため、奸民がこれを代行するようになっている」ともいう。糧長の側には負担を忌避しようという動機があり、請負人たる「奸民」にはそれを利益の源泉にしようという動機があった。職務から得られる利得に比べて負担のほうが大きくなると、税糧徴収の監督と運搬などの業務を代行者にまる投げしようとするのは当然だった。

「大戸」の行動

一四二五年の視察報告は弓兵についても役の代行と独占がみられることを指摘している。弓兵は雑泛差役の一種として民間から徴用され、地方の治安維持にあたる民警の役割を担っていた。ところが、在地の有力者である「大戸」が僕隷らをこの役にもぐりこませ、郷村で他人の田産を占拠したり、子女を誑《たぶら》かしたりするという。

弓兵の役は駅伝関係の役や倉庫関係の役などとくらべると負担が軽く、中下等の戸にわりあてられるべき役務だった。弓兵の役をわりあてられた戸が職務に就くのを避けて代行者を求めたか、あるいは、負担のより重い役をひきうけるべき「大戸」が賄賂などにものをいわせて弓兵の軽役を得たか、実情は不明であるが、こうした二種の状況が並存したのだろう。代行の拡大により、弓兵は特定の有力戸の暴力装置に変質していた。

重い税役を負担させられた人びとを逃散や破産絶戸に追いこんだのは、「無籍の徒」たる請負人だけではなかった。周忱は在地の「大戸」がその税糧負担を小民に転嫁することによって利益を得ていると見た。周忱の証言を森正夫氏による達意の翻訳によって引用しよう。

大戸と称される階層が一方に存在する。地域社会で勢力をもつ家である。その中にはこの階層の利害を代弁する人びとがいる。彼らは頭巾をかぶり靴《くつ》《ろ》をはくなど、社会的地位を示す衣裳をつけ、納糧の実際から離れた「游談《ひょうろん》」を事としている。彼らは、納糧戸であるが、自己の名義で登録されている田土の税糧の納入を拒否する。たとえ納入をしても、品質の高さと北京への輸送とを伴う白糧は納入しない。また毎畝の規定徴収額以外の附加部分である加耗は負担せず、遠距離輸途の労働の割り当てを受け入れない(森　一九八八:二八三―二八四頁)。

負担増大にともなって、公務が営利事業となり、特権をもつ「大戸」と小民との負担格差が拡大した。納税戸の保護＝財政資源の確保のために編成された協働組織たる里甲は、内と外からの挟撃によって江南では四〇年ほどで機能不全に陥った。

おわりに

一四世紀中葉の中国は、政治の混乱と社会の秩序崩壊によって、長期の動乱を経験した。この状況のなかから統一に成功した朱元璋の政権は、皇帝の独裁を確立して政治の安定を図った。さらに、民の協働にもとづく基層組織として坊里を編成し、一千万を超える戸について資産の変動を追跡するための籍帳を六万数千の坊里組織自らの手によって作成させた。それは資力に応じた税役を公平公正にわりつける根拠とされた。

「官と吏が細民を苦しめる」状況を覆すことをめざし、徴税、運搬納入、『黄冊』の編造、裁判関係者の拘引、相互扶助、教化、「老人」による裁判などの公務を、「自分たち」のものとして執行する里甲制が創始された。所有権には手をつけなかったものの、これは社会と統治のありかたを大きく変革する措置だった。

基層組織を「官治」の客体ではなく、民が自らを治めるための主体とし、上からこれを実現しようとした。資力や勢力において均一ではない社会のなかで、上層中層に位置する里長戸や甲首戸を官と吏の恣意的な権力行使から保護することが目指された。

しかし、当時の先進地であった蘇州では、里甲制が施行されてから四〇年ほどのうちに人びとが逃散し、里甲にとどまった戸数は激減した。社会制度の崩壊と変質の根底に、江南地域に課せられた負担の過重があったことは否めないが、里甲成員としての職務と協働とをつうじて「自分たち」の再生産を実現する努力を人びとが弊履《へいり》のごとく捨てさったことがその直接的な原因だった。

糧長も、里長戸も、甲首戸も官府からの請求にたいし「自分たち」としてこれに対処することを放棄し、自己の負担を軽減して生存を図る手段をまちまちに選択した。職務を請負人に委ねるのは選択の一つであり、官や吏の苛斂誅《かれんちゅう》求《きゅう》に自らの力によって抵抗できる大戸や官僚身分保有者のもとに、小民が自らと資産を偽装身売りして負担を免れることも選択の一つだった。大規模な逃散も個別的な解決策の集積としてあらわれた。

周忱が北京の戸部の大臣らに書き送った書簡を読むと、活力と、競争と、自由に富んだ社会と、そこで生存をかち取らねばならぬ人びとの逞しい行動の渦のなかで、協働にもとづく負担団体としての里甲が吹き飛んでしまったことがよくわかる。

流動性の高い社会のなかで、軍戸などを例外として人びとは身分や家職家産の束縛を受けず、共同体に包まれることもなく競争にさらされていた(中国社会についての多様な見方については、岸本 二〇〇六、足立 一九九八など)。資本と技量のある者は糧長や里長の職務を代行して利益をつかんだ。有力者や軍戸、匠戸などの戸籍にもぐりこんで負担を回避する行為、脱籍して水上居民となることなど、生存戦略は多様だった。指弾の的となった「大戸」も、競争のなかからのし上がってきた民だった。

里甲の組織に踏みとどまって「自分たち」の生計を維持する道を選ぶことは必須でもなければ、魅力的でもなかったようだ。蘇州の里甲制は民の生存戦略の交差のなかで崩壊あるいは変質せざるをえなかった。独裁する天子と儒学の徒が描いた理想の共同社会を人びとが拒否し、本来のありかたに回帰したと見るべきかもしれない。公正公平の理念よりも効率の追求が社会を前進させ発展をもたらす。そして、義と利、公的制度と私的関係のすりあわせの均衡点に自生的な秩序と事実上の制度が更新されていく。このような社会の性質と行動の型は後の時代にもひき継がれることになる(岩井 二〇〇九)。

参考文献

足立啓二(一九九八)『専制国家史論』柏書房。

伊藤正彦(二〇一〇)『宋元郷村社会史論――明初里甲制体制の形成過程』汲古書院。

岩井茂樹(一九九七)「公課負担団体としての里甲と村」森正夫編『明清時代史の基本問題』汲古書院。

岩井茂樹(二〇〇〇)「嘉靖四十一年浙江厳州府遂安県十八都下一図賦役黄冊残本考」夫馬進編『中国明清地方檔案の研究』京都大学文学部。

岩井茂樹(二〇〇四)『中国近世財政史の研究』京都大学学術出版会。

岩井茂樹(二〇〇九)「中華帝国財政の近代化」飯島渉・久保亨・村田雄二郎編『シリーズ二〇世紀中国史1』東京大学出版会。

岩井茂樹(二〇一一)「午門廷杖考――私刑から皇帝儀礼へ」冨谷至編『東アジアにおける儀礼と刑罰』同研究組織。

岩見宏(一九八六)『明代徭役制度の研究』同朋舎出版。

岩本真利絵(二〇一九)『明代の専制政治』京都大学学術出版会。

奥山憲夫(二〇〇三)『明代軍政史研究』汲古書院。

小野和子(一九九六)『明季党社考――東林党と復社』同朋舎出版。

小山正明(一九九二)『明清社会経済史研究』東京大学出版会。

川越泰博(二〇〇一)『明代中国の軍制と政治』国書刊行会。

岸本美緒(二〇〇六)「中国中間団体論の系譜」同編『「帝国」日本の学知』第三巻、岩波書店。

栗林宣夫(一九七一)『里甲制の研究』文理書院。

佐藤文俊(一九九九)『明代王府の研究』研文出版。

城地孝(二〇一二)『長城と北京の朝政――明代内閣政治の展開と変容』京都大学学術出版会。

宋宇航(二〇二〇)『閣臣李賢と明代天順期内閣政治の研究』京都大学大学院文学研究科博士論文。

谷口規矩雄(一九九七)『明代徭役制度史研究』同朋舎出版。

檀上寛（一九九五）『明朝専制支配の史的構造』汲古書院。

檀上寛（二〇二〇）『明の太祖　朱元璋』ちくま学芸文庫。

中島楽章（二〇〇二）『明代郷村の紛争と秩序――徽州文書を史料として』汲古書院。

西村元照（一九七六）「清初の包攬――私徴体制の確立、解禁から請負徴収制へ」『東洋史研究』三五―三。

濱野亮介（二〇一六）「明朝による無祀鬼神祭祀政策――祭厲制度と蔣山法会」『東方学報』京都第九一冊。

松本善海（一九七七）『中国村落制度の史的研究』岩波書店。

宮澤知之（二〇〇一）「元代後半期の幣制とその崩壊」『鷹陵史学』二七号。

宮澤知之（二〇二〇）「元末の至正権鈔銭と通貨政策」『佛教大学宗教文化ミュージアム研究紀要』一六号。

森正夫（一九八八）『明代江南土地制度の研究』同朋舎出版。

山本英史（二〇〇七）『清代中国の地域支配』慶應義塾大学出版会。


韋慶遠（一九六一）『明代黄冊制度』中華書局。

王其榘（一九八九）『明代内閣制度史』中華書局。

呉晗（一九四九）『朱元璋伝』生活・読書・新知三聯書店。

譚天星（一九九六）『明代内閣政治』中国社会科学出版社。

陳宏進（二〇一六）「宋元時期「都」「図」探析」『唐山師範学院学報』三八―一。

田澍（二〇一七）『明代内閣政治研究』人民出版社。

欒成顯（二〇〇七）『明代黄冊研究　増訂本』中国社会科学出版社。

梁方仲（二〇〇八）『明代糧長制度（校補本）』中華書局。

焦点｜*Focus*

明代中国における文化の大衆化

大木　康

明代の文化といえば、思想史の上では陽明学、藝術の世界では文徴明《ぶんちょうめい》や唐寅《とういん》などの文人画、そして文学の世界では、『三国志演義』や『水滸伝』などの通俗小説といったことが思い浮かべられるであろう。これら明代の文化全体に通底する一つの重要なキーワードが「大衆化」ではないかと思う。ここでは大衆化という切り口から、文学の問題を中心に明代の文化状況を概観してみたい。

一、エリートの大衆化

六朝の時代は、いわゆる門閥貴族の時代であり、社会のエリートは一部の名門出身の人々に独占されていた。隋唐に至り、科挙の制度が開始される。科挙はペーパーテストによって人材を登用しようとする制度で、これによって非門閥貴族出身の知識人にも官僚となる道が開かれ、エリートへの参入の道がより広くなった。宋代に至って、皇帝みずからが最終試験の主催者となる殿試《でんし》が行われるようになり、科挙の権威はより高まり、最終合格者である進士はエリート中のエリートとして尊重された。宋代までの科挙において重視されたのは、詩、賦、論、策、すなわち詩を作ったり、政策を述べた散文を書いたりする試験であって、文学的な能力、そして政治家としての資質が試されたといってよい。

科挙が停止された元の一時期をはさんで、明のはじめに、太祖朱元璋《しゅげんしょう》と彼を補佐した劉基《りゅうき》によって定められたという、「四書五経」の内容を四つの長い対句を用いた文章によって解説する八股文《はっこぶん》によって試験をする制度が開始された。科挙の試験で最も重視された「四書題」では、例えば『論語』の中の一句が問題として出される。その内容を、朱子の注釈に従いながら、「古人の語気」を用いて、つまり『論語』ならば、多くは孔子本人になりかわって述べよ、というのが試験の課題である。そしてさらにこの内容を四つの長い対句を用いて書け、との形式上の制約が加わる。

清代に編纂された『欽定四書文』(「欽定本朝四書文」論語巻上)に載録され、また清代科挙に関する詳細な概説書である商衍鎏《しょうえんりゅう》『清代科挙考試述録』の中で解説されている、康熙一二年(一六七三)の殿試の状元《じょうげん》(首席合格者)、韓菼《かんたん》の論語題。これは『論語』述而篇の「用舎行蔵」(之を用うれば則ち行い、之を舎《す》つれば則ち蔵《かく》る)の熟語で知られる一章の内容を、孔子の語気を用いて解説した文章である。なかでも圧巻は、次に掲げる一つの対句であり、対句の一片が七八字にも及んでいる。

　則嘗試擬而求之、意必詩書之内有其人焉、爰是流連以誌之、然吾学之謂何、　而此詣竟遥遥終古、則長自負矣。窃念自窮本観化以来、屢以身渉用舎之交、而充然有餘以自処者、此際亦差堪慰耳。

　則又嘗身為示之、今者轍環之際有微指焉、乃日周旋而忽之、然与人同学之謂何、而此詣竟寂寂人間、亦用自歎矣。而独是晤対忘言之頃、曽不与我質行蔵之疑、而淵然此中相発者、此際亦足共慰耳。

内容はさておき、冒頭から各句がほぼ同じ文字数、ほぼ同じ構文になるように作られており、末尾の「此際亦差堪慰耳」と「此際亦足共慰耳」に至るまで、いかにもよく整えられた対句である。明代以後の知識人たちは、幼少のころから、こうした八股文が書けるように修練を重ねたのである。まずは「四書五経」の本文、そしてその朱子たちによる注を覚えなければならない。それに対句を作る稽古が加わる。それはそれで相当な学習を必要とするのではあるが、清の呉敬梓《ごけいし》の小説『儒林外史』の第一回に登場する元末明初の実在の文人、王冕《おうべん》が、明の世になってから、今後は「四書五経」、八股文によって官僚の人材登用をはかる、とのお達しを目にした時、

こんなやり方を定めてはいけない。将来、読書人たちにこんな栄達の道が開かれたら、学問や品行のことなど、もう誰も重んじなくなってしまう。

と叫び声をあげるシーンがある。なぜ王冕が、こうしたことをいったのかといえば、つまりは、八股文があまりに形式的であり、規格が定まりすぎているために、ほんとうの文の力、その人物の実力をはかることができなくなってしまうから。つまり、以前と比べてより安易な方法で人材の登用が行われるようになることへの批判なのである。八股文による人材登用、これにはすなわち国家の支配階級、エリートの大衆化という側面もあったのである。

もちろん、子弟が八股文を書けるように受験勉強をさせるためには、それなりの経済力が必要であることはいうまでもないが、それにしても明代にあっては、父祖の代まで官僚ではなかった人が進士となり、高官となっている例は枚挙にいとまがない。その意味で明代の士大夫は、士大夫とはいっても、庶民との間の距離が比較的近かったことはたしかなのである。

それは官僚についてばかりではない。詩人についても、その裾野は広がりを見せていた。明代が舞台とうたっている『儒林外史』には、科挙の勉強に固執する八股の士のほかに、商売をやりながら詩作に夢中になっている「詩人」たちも登場する。第一七回、匡超人が楽清県から杭州に出てくる船の中、同じ船室に乗り合わせた人物があった。商人らしいいでたちで、ずっと書見をしている。超人がたずねてみると、頭巾屋だと答える。

「あなたはお店をやっておられるというのに、本などお読みになって、どうなさるんですか」。

「書物というものは、頭巾をかぶった秀才だけが読めるものだとお思いかな。私ども杭州の名士たちは、みな八股をやらないものたちです。かくさずに申しますと私は号を景蘭江といい、あちこちの詩選に私の詩が印刷さ

れるようになって、もう二〇年にもなります。出世された先生方でも杭州へ来れば、私たちと唱和したがるのですよ」。

自分のことを紹介するのに詩選にその詩が刻されていると述べていることは、印刷出版の普及という状況が背景にあるであろう。身分の高い人たちでも自分たちと詩のやりとりをしたがるのだといったあたりは、形を変えた権威主義であって、詩文の士も登場早々いささかなまぐさい。この後のところでも、杭州にやってきた、やれ内閣中書の誰それや通政司の誰それに呼ばれて詩を作ったというような話題が続く。雅であるはずの詩人たち同士の話題が、こんなに俗ではないかという呉敬梓の諷刺である。

この時代は、たしかに文学(詩文)そのものの通俗化、大衆化の時代でもあった。明代に至って、伝統的な詩文についても、その作者の数が爆発的といってよいほどに増加し、詩文の集についても、従来と比べて点数も増え、大きな分量のものも多く出されるようになっている。

明代後半期における伝統詩文壇の中心に位置していたのが、明代中期に活躍した前七子《ぜんしちし》、その後継者である後七子《こうしちし》らの擬古派(古文辞派)であった。前七子の代表が李夢陽《りぼうよう》(一四七二―一五二九年)、何景明《かけいめい》(一四八三―一五二一年)、後七子の代表が李攀龍《りはんりょう》(一五一四―七〇年)、王世貞《おうせいてい》(一五二六―九〇年)。その主張は、李夢陽の「文は必ず秦漢、詩は必ず盛唐」という言葉に典型的に示されている。つまり詩文を作るには、文なら秦漢、特に司馬遷の『史記』の文章、詩なら盛唐詩、特に杜甫の詩をお手本として模倣することにより、よい詩よい文章を作ることができるとする主張である。古文辞派の模擬の主張は、やがてあらわれた公安派の袁宏道《えんこうどう》(一五六八―一六一〇年)らによって、主として個性主義の見地から厳しく批判されることになるのだが、この古文辞派は、ほぼ一六世紀一世紀にあたる時代の中国詩文壇を牛耳る勢いを持っていた。

古文辞派が当時たいへん流行した理由について、吉川幸次郎「李夢陽の一側面――「古文辞」の庶民性――」では、お手本どおりにすれば簡単に詩を作ることができるとの主張は、折からの詩作者の裾野の広がり、文学の大衆化の一面であったと述べている。たしかにそれは文学創作のマニュアル化だったともいえよう。『儒林外史』が描いているのは、まさしくこうした時代の状況だったのである。

二、大衆を背景にした知識人

明代中期の蘇州に唐寅（一四七〇―一五二三年）という人があった。字は伯虎《はくこ》。唐寅は蘇州に生まれ、幼い時から才子として、つまりは科挙のための勉強で優秀な成績をおさめたことでよく知られていた。そして二九歳の弘治一一年（一四九八）、江南郷試にトップの成績（解元《かいげん》）で合格、挙人になった。郷試に合格して挙人になれば、翌年の春に北京で行われる会試を受験することになる。会試に及第し、さらにそのあと殿試に合格すれば、晴れて進士になることができる。唐寅は意気揚々、北京にやってきた。ところがここで、わけのわからない試験問題漏洩事件に遭遇し、これ以後、科挙の試験を受けることができなくなってしまう。かくして唐寅は郷里の蘇州に帰り、その後「江南第一風流才子」と称し、書画を売りながら奔放不羈の生活を送ったのである。馮夢龍《ふうぼうりょう》の短篇白話小説集『警世通言』巻二六「唐解元一笑姻縁」は、その唐寅が主人公である。最初に登場するところでは、

> ある日、唐解元（唐寅）が閶門《しょうもん》の遊船の上に座っていると、多くの人々がその名を慕って挨拶にやって来、扇を出して、唐寅に書画をかいてくれるよう頼みます。解元はいくつか水墨画を描き、いく首かの絶句を書いてやります。すると、そのことを聞きつけて、ますます多くの者がやってきます。解元は面倒くさくなって、おつきの少年に大杯に酒をついで持ってこさせ、窓辺で一人酒を飲んでいます。

とある。閶門は、蘇州の中でもとりわけ繁華な一帯である。科挙の試験に合格し、高官となる道が閉ざされてしまっ

た唐寅であったが、蘇州の人々は、その書画を尊重し、揮毫を求めたのであった。もちろんそれが唐寅の収入になってもいた。同じ物語の末尾にも、

〔華学士の〕召使いが書店に戻り、主人に、いましがたまでここで本を見ていたのはどなたですかとたずねます。店主「あれは唐伯虎解元さまですよ。今日は文衡山《ぶんこうざん》〔文徴明〕どのが、船の中で一席設けられたのです」。召使い「それではいまいっしょに行かれた方が文どのでしょうか」。店主「いいえ、あれは祝枝山《しゅくしざん》〔祝允明《しゅくいんめい》〕どので、みな同じように名士です」。

といったやりとりがあり、唐寅、文徴明、祝允明といった、蘇州を代表する文人たちが、連れだって船遊びをしていた様子が小説中に描かれる。このように科挙によらない知識人、いわゆる文人たちの活躍も目立ってくるのである。先に見た官僚知識人、詩人の大衆化と同様、かつては士大夫文人たちの狭い世界で行われた高雅な趣味であった文人趣味なども、どんどんその範囲が広がり、庶民の間へも伝わっていくことになる。こうした明末における雅の大衆化に積極的に関わった一群の人々が存在した。山人といわれる人々である。その山人の大御所として、陳継儒《ちんけいじゅ》（一五五八―一六三九年）がある。陳継儒、松江華亭《しょうこうかてい》の人、字は仲醇《ちゅうじゅん》、号は眉《び》公《こう》。『明史』において、陳継儒の伝は巻二九八、隠逸伝に収められている。二九歳にして科挙による仕進の念を絶ち、山林に住まいして、詩文書画を友とする優雅な生活を送った人物だったからである。一方で陳継儒には、例えばある時、宰相であった王錫爵《おうせきしゃく》の屋敷を訪れた官人が、そこにいた陳継儒を指し、「こちらはどなたか」とたずねた。「山人でいらっしゃる」と答えると、「山人といわれるなら、どうして山にゆかれぬのか」。そんな皮肉をいわれたエピソードが残されている（謝興堯「談明季山人」に引く『明季雑録』）。文雅な隠者と宰相の家に入りびたるなまぐささ。このいささか分裂した陳継儒の人物像それ自体が、明末山人という新しいタイプの知識人の誕生を物語るものともいえるだろう。

科挙を放棄した後の陳継儒は、何によって生活を立てていたのであろうか。まずは今見たように、貴顕のもとに出

入りして金品をねだる「打秋風」があったであろう。また文章を書くことによる「潤筆」による収入もあったであろう。陳継儒の場合、同郷の名人であった董其昌《とうきしょう》(一五五五―一六三六年)の後押しもあったとはいうが、「打秋風」にしろ「潤筆」にしろ、まずはそれなりの名声がなければ、これらの収入にありつくことはできまい。

その陳継儒の名声の背景にあったのが、当時の出版文化である。陳継儒には、その著作、編集、批評などにかかる数多くの書物があり、これらの流通が名声を広げるのに大いに役だったようである。銭謙益《せんけんえき》の『列朝詩集』丁集第一六「陳徴士継儒」に次のような一節がある。

仲醇はまた呉越間の窮儒(貧しい儒者)、老宿(年老いた僧侶道士)でもって生活に困り、餓えこごえている者を招き集めて、章節や語句を探しては切り取らせ、それを分類し、こまごまとした話や平素見かけない事柄を取ってきては、それらをかき集めて書物を作り、遠近に流伝した。知識見聞の少ない者は、争って買い求め、枕中の秘とした。かくして眉公の名は天下を傾動させた。遠くは夷酋土司たちもみな彼の詞章を乞い、近くは酒楼茶館ではどこでもその画像を懸けた。はなはだしきは、小さな村や町で揚げ菓子や味噌醤油を売るような者までが、商品に眉公の名をつけないものはなかった。地方官たちが都で報告する時に、推薦状には陳眉公の名がないことはなく、天子もその名を聞いて、しばしば詔を下して招聘しようとした。

ここでは陳継儒の書物の多くが、アルバイトを使った切り貼り作業によってできあがったものであることが記されている。このようにして作られた書物が飛ぶように売れることによって、まずは収入を手にすることができる。そしてさらにはその結果として、上は皇帝から下は村里に至るまで、社会の広い範囲にわたる名声を獲得することができた。科挙を放棄した陳継儒が、出版文化を背景に名と利とを手に入れてゆくメカニズムがここで明らかにされているのである。

科挙による仕進をあきらめ、松江郊外の佘山《しゃざん》に居宅を構えて暮らした陳継儒にとって、その主たる売り物は、高尚な文人の趣味的生活の指南書なのであった。例えば、山家暮らしの総論である『岩棲幽事』『太平清話』、逸民の通史である『逸民史』、茶についての『茶話』、酒についての『酒顛補』、書画についての『眉公書画史』などがそれである。文人趣味そのものは中国により古くからあったにちがいないのだが、明末に至って指南書が多くあらわれ、より広い層に普及していった。マスコミを背景にした山人陳継儒は、まさしく当時の文人趣味普及の立役者なのであって、彼は文人趣味の大衆化(俗化)に与っていたのである。

ではいったいどのような人々が、文人生活の教科書を必要としたのであろうか。おそらくほんとうの文人は、このような教科書を必要としなかったであろう。銭謙益が、陳継儒の書物を「知識見聞の少ない者は、争って買い求め、枕中の秘とした」といって嘲笑していたように、こうした書物に飛びついたのは、一種の新興成金たちだったのではないだろうか。やはり、明末に出た文人趣味の教科書の一つである文震亨《ぶんしんこう》の『長物志』に寄せた沈春沢《しんしゅんたく》の序では、

　近ごろ富貴の家の御曹司や、一二の凡庸愚鈍のやからが、得々として好事家を以て自任し、いつも骨董あさりのたびに、口を突いて出るのは俗、手に入れるのはお粗末、どれほど後生大事に抱えこむ様子でも、汚ならしさはいよいよひどく、そこで真の韻・真の才・真の情の士がお互い風雅を語らずと戒め合うようにさせてしまう。ああ、これまた行き過ぎなのだ。

といっている(文/荒井訳 一九九九:二九頁)。ここには「俗」と「雅」、「真」と「偽」の鋭い対立を見ることができるだろう。批判的な立場から見れば「俗」であり「偽」であるかもしれないのだが、ある意味こうした大衆こそが、当時の一部知識人、そして当時の書店にとっての顧客であったことはたしかなのである。

三、出版文化の隆盛

中国における印刷出版は、唐代にはじまり、宋の時代には社会の広い範囲に普及したとされている。しかし、宋代に刊行された書物の多くは、儒教の根本経典である「五経」や唐の詩などの古典、すなわちすでに評価の定まった書物であった。その意味においては、出版される書物の多様さの点から見ると、宋代にはまだ書物が本格的に普及したとはいえなかったのではないだろうか。

これが量的に見て本格的に普及したといえるようになるのは、明代の末、一六、一七世紀の、嘉靖（一五二二—一五六六）・万暦（一五七三—一六二〇）から天啓（一六二一—一六二七）・崇禎（一六二八—一六四四）年間にかけてのことである。

明末にどれだけの数の書物が出版され、それ以前とどれくらい異なっていたのであろうか。かつての中国で出版された書物の点数をすべて数えることは不可能であろうから、一九八七年に中国で刊行された楊縄信編『中国版刻綜録』（陝西人民出版社）という書物を一つの母集合に取って考えてみよう。この書物は中国で出版された書物を王朝別に整理したものである。これによると、

宋	三六二
金・元	二八〇
明（洪武—正徳）	四三三
（嘉靖・隆慶）	七〇一
（万暦）	九七三
（天啓）	一一四
（崇禎）	二三一

となっている。合計三〇九四点のうち、二〇一九点までもが、この嘉靖から崇禎の間に出ているわけで、宋金元そして明の正徳年間までの約六〇〇年の間に出版された書物の総点数の二倍以上にのぼる書物が、わずか一〇〇年の間に

刊行されているのである。

これは、宋代以来発展を続けてきた書物の印刷が、この時期にきわめて大きな変化、それも量的な変化があったことを物語るであろう。とはいっても、広い中国のこと、全国的に書物が大量に出回ったというわけではない。このころ出版業の中心であったのは、南京、蘇州、杭州など当時経済的文化的先進地域である長江下流の江南地域であった。この地域で出版が増加したその原因としては、明末に至って書物出版のコストが下がったこと、教育が普及し識字層が増加して、書物の需要が増大したことなどが考えられる。

書物の出版には、版木、紙などの材料の他に、版木を彫る職人の工賃など多大の費用がかかる。宋代においては、出版の主体は多くは寺院や役所であったが、それはある意味では、お金のある寺院や役所しかその負担に耐えられなかったということでもある。ところが、明末になると、原材料の供給や技術の革新などによって、以前より容易に印刷が行えるようになった。例えば、もともと一人の職人が一枚の版木全体を請け負って彫っていたのが、分業によってより早く簡単に彫れるようになったこと、また直線が主体となり比較的彫刻がしやすい字体である明朝体が生まれたことなどである。

出版量の増加にしたがって、種々の社会的変化も生じてくる。特にこの地域では、印刷の量的普及とともに、ニュースなども印刷物の形で人々に伝わるようになったし、世論形成や思想の流行などの現象も出版メディアを媒介とするようになっている。

広い中国の中で見れば、経済的先進地域である江南地方に限られたことかもしれないが、この当時この地域では、初期的な大衆伝達社会が成立していたと考えられる。そして、小説をはじめとする通俗文藝の隆盛も、まさにこの出版業の成立、読者の成立、大衆伝達社会の成立がその背景になっているのではないかと思われるのである。

四、通俗文藝の隆盛

中国にあって、高雅な文化は古くから存在していた。だがそれらは、一部の上流階級の人々によってしか享受されず、大多数の民衆にとって、高級な文化は縁のない存在であった。そしてまた、社会的地位の上下はそのまま文化的な価値の上下とも重なっていたから、上位の人々が下位のそれに関心を持つこともなく、民衆の文化はほとんど記録に残されることがなかった。

社会の上層下層の情報の風通しがよくなることによって、以前にはなかったさまざまな現象が生まれてくる。明末の文学史を彩る白話小説の発展はまさしくそうした現象である。現在われわれが読んでいる『三国志演義』『水滸伝』『西遊記』などは、いずれもこの明末に、現在見られるような形に完成した作品群である。もちろん、それ以前にも物語そのものが存在していたことは、断片的に残る資料によって確認できる。しかしおおむね一〇〇回ほどの長さを持つ長編の形で作品が完成したのはこの時代のことであり、明末にできあがったテクストが、基本的には今日まで受け継がれてきているのである。このような作品(文学ジャンル)が成立したのは、当時の知識人が、下層の文化に関心を持ち、それらを積極的に取り込もうとしたことにその理由が求められる。明末における白話小説の登場は、メインカルチャーである詩文に対する、サブカルチャーの旗揚げだったのである。

こうした状況を背景に、あたかも水を得た魚のように、旺盛な出版活動を行ったのが、やはり明末蘇州の人、馮夢龍(一五七四―一六四六年)である。小説、戯曲、歌謡など多くの作品があり、当時の「通俗文学の旗手」とされ、とりわけその編纂した短篇白話小説集「三言」によって知られる。

馮夢龍には、経史子集の四部にわたる多くの著作があるが、科挙のための参考書が、馮夢龍の重要な出版物の一つであったことは注目されてよい。馮夢龍には『四書指月』『麟経指月』『春秋衡庫』など、科挙の参考書があり、それらは当時よく読まれていたことが知られている。『江南通志』巻一六五人物志の馮夢龍の条には、

才情をほしいままにし、詩文は美しく、とりわけ経学にすぐれていた。その『春秋指月』『春秋衡庫』の二種は、科挙の受験生たちに尊ばれた。

とある。『春秋指月』は『春秋』を題材にした八股文の書き方を示したものであり、『春秋衡庫』は『春秋』の各伝を対照して見やすくした参考書である。科挙の試験を受ける知識人の大衆化という場合、出版文化の隆盛を背景に生まれた受験参考書などは、その大衆化を如実に示すものといえるだろう。馮夢龍は、いまでいえばさしずめ受験界の神様のような存在であった。

通俗文藝について、馮夢龍は蘇州地方で歌われていた民間歌謡を集めた『山歌』一〇巻を残している。『山歌』には、次のような歌が多く収められている。

利口

おっかさんが利口なら娘も利口
おっかさんに部屋じゅうに石灰をまかれ
わたしはなんとか恋人を背負ってベッドの上がり下り
人は二人で鞋一足(巻一)

忍んでやってくる恋人を、目を光らせる親からいかに隠すかという娘の策略を歌ったものである。心ひそかに恋人を思っているばかりではなく、恋人に会うための困難を克服し、積極的に実行にうつしている娘の姿が印象的である。『山歌』には、右に見たようなもののほかに、より卑猥ともいえる内容の歌も含まれている。馮夢龍はどうしてこのような卑俗な山歌を集めたのだろうか。一地方の歌謡を収集して三八〇首にものぼる一大総集にまとめるのは容易

なことではない。そこには、やはり馮夢龍の相当な思い入れがあったと思われる。そのいわば編纂の意図については、自身の筆になる「叙山歌」が残っており、それについて見ることができる。

　言葉あって以来、代々歌謡があった。太史が集めたもの（『詩経』）で、風と雅とをともに評価しているのは尊いことである。『楚辞』や唐詩になると、美しさあでやかさを競って、民間の性情の響きは、詩壇に列せられなくなってしまい、別に山歌といわれるようになった。（山歌は）農夫や村童たちが口から出るにまかせて思いを寄せたもののことで、紳士や学者たちが口にするものではない。

はじめの一段では、中国における詩歌の歴史が述べられるが、ここでは古代の『詩経』において、民間の歌である「風」と宮廷の「雅」とがともに収められていることを評価し、その後『楚辞』や唐詩など雅の系列に属する作品の方がもてはやされるばかりで、『詩経』の中ではれっきとした詩としてその位置を認められていた風の流れがその後認められず、結局今の山歌のような卑俗なものになってしまったと述べる。ここでは、

（A）「風」—民間風情の響—農夫・村童—山歌

（B）「雅」—『楚辞』・唐詩—紳士・学者—詩壇の詩

の図式で中国の文学を捉えている。もちろん馮夢龍はこの（A）の立場に立って、（B）系列を批判しているのである。これに続いて、『詩経』は孔子が編纂したものとされているが（これは司馬遷『史記』孔子世家にある説）、孔子も淫猥な歌とされる鄭《てい》の国、衛《えい》の国の歌を収めていた。それはなぜかといえば、「情が真であって、廃することができないからである」と、山歌収集の理由の核心ともいえる「真」と「仮」の議論になる。正統派の詩文は、体裁を整える必要から「仮」になりがちであるのに対し、山歌の方は何も飾る必要がなく、内心の情を素直に表しているから「真」なのである。仮ばかりになって生気を失っている詩壇の詩に生気を吹き込むためにも、飾り気のない真なる山歌が意味を持つのだ、というわけである。

庶民に価値を見出すこうした考え方（庶民の発見）は、実はある意味では当時の知識人に共通した考えであった。「叙山歌」は次のように結ばれる。

さて、そして今の人が、昔太史によって集められたものはこれこれであり、最近の民間に残っているものがしかじかであることを思えば、なお世を論ずる材料にはできるであろう。もし男女の真情を借りて、名教が偽薬たることを暴くことができるならば、その効能は『掛枝児《かいしじ》』と同じことになろう。それで、『掛枝児』を採録した後で『山歌』に及んだのである。

方言俗語で書かれた民衆の山歌を持ち上げることは、必然的に支配階層と結びつく文言の文学、そしてさらには彼らの支配的思想である儒教と対立せざるをえなくなってくるであろう。そこから、この「男女の真情を借りて、名教（儒教）が偽薬たることを暴く」との激烈な発言が出てくる。「叙山歌」における方言文学収集の意義は、言語文学の問題にとどまらず、儒教批判にまで至る射程を持っていたのである。『山歌』の世界は、従来の文学観念において上位におかれていた士大夫知識人（すなわち支配の側）、男性、文言などのあらゆる項目において、その正反対にあるものの価値を主張するものだったのである。

馮夢龍が小説、歌謡など、幅広く通俗文学に関心を寄せた背景には、おそらくこの「叙山歌」に述べられたような精神的意図があったのではないかと思われる。そしてそれはまた、馮夢龍ばかりでなく、広くこの当時の知識人に共通した思潮でもあり、それが、小説や戯曲など通俗文学の隆盛を招いたのではないかと考えられるのである。

実は「真詩」ということばは、より早く、すでに明代擬古派前七子の李夢陽の文章の中でも見ることができる。李夢陽の詩集の自序に、次のようにある（『空同先生集』巻五〇）。

そもそも詩は天地自然の音である。今道路や路地裏で歌い、労働の折や休息の折に歌って、一人が歌い出すとみなが唱和するのは、真だからである。これを風というのである。孔子は「礼 失われてこれを野に求む」といった。いま真詩は民間にあるのに、文人学士はしばしば韻を踏んだだけの言葉を作って詩だといっている。そして別の資料によれば、李夢陽は実際に「鎖南枝《さなんし》」なる俗曲を挙げて、それを高く評価していたという。「真詩は民間にあり」の発言を裏返していえば、「文人学士はしばしば韻を踏んだだけの言葉を作って詩だといっている」とあるように、詩人の詩は真ではないということになるであろう。李夢陽はみずから知識人の列に属しながら、民間の、すなわち庶民の素朴な真情に、より大きな価値を見出していたことになる。「鎖南枝」もまた、男女の恋情を赤裸々に詠じた歌である。何の束縛もなく、気ままにやりたいことをやっている（ように彼らには見えた）庶民に憧れの気持ちをいだいていたのである。

五、民衆の発見

李夢陽の「真詩は民間にあり」といい、馮夢龍の「叙山歌」といい、明の知識人はみな一様に「真」について考えていたといってよい。そして、詩に「真」を回復するにはどうしたらよいかということに、みな一様に悩んでいた。どうしたら文学的な感動を得ることができるだろうか。どうしたら人を感動させられる作品を作ることができるのだろうか。擬古派の場合、まずはそれをすぐれたお手本の模倣、具体的には『史記』、杜甫の文学の模倣という、ある意味では機械的な方法によってそれを手にいれようとした。しかし、その擬古派の李夢陽が、一方では「文人学士」の詩を否定し、民衆の間で歌われている歌を評価する発言をしていること、素朴無垢なる民衆を評価していることはきわめて興味深い。この素朴無垢なる民衆の発見こそが、擬古派や李卓吾《りたくご》、また公安派の袁宏道など、明代の文学・思想全般に共通した関心だったのである。これはまた王陽明《おうようめい》『伝習録』巻下。

ある日、王汝止《おうじょし》が外に出かけて戻ってきた。先生がたずねた。「出かけて何を見てきたのか」。答えていった。

「町中の人がみな聖人であるのを見ました」。先生がいわれた。「おまえは町中の人が聖人であるのを見たが、町中の人はおまえという聖人がいるのを見たのだ」。

この「町中の人がみな聖人」の発言は、「君子」ばかりでなく、すべての人が聖人たりうる可能性を持つものとして、従来の「士」と「庶」の階級差を否定する発言ともいえ、明代の思想史においても同様の「民衆の発見」が並行的に行われていたことが観察される。こうした時代の空気こそが、通俗文学発展の下地をなしていたのではないだろうか。

結び

科挙における八股文の採用によって、より多くの人が知識人の世界に参入できるようになったことからはじまり、文人趣味の普及、通俗文藝の隆盛など、明代は一種大衆化の時代であったといってよい。とりわけ明代の後半、江南地方を中心とする出版文化の隆盛によって、その流れは決定的になった。出版業の隆盛は、大衆化の原因でもあり、またその結果でもあった。

大衆化は、士大夫文化の普及とともに、庶民の価値の発見をもたらした。明末文学を彩る小説などの通俗文藝は、まさしくこうした状況を背景に花を咲かせることになったのである。

参考文献

入矢義高（一九六八）「真詩」『吉川博士退休記念中国文学論集』筑摩書房。
大木康（二〇〇四）『明末江南の出版文化』研文出版。

大木康（二〇一八）『馮夢龍と明末俗文学』汲古書院。

大木康（二〇二〇）『明清江南社会文化史研究』汲古書院。

中砂明徳（二〇〇二）『江南　中国文雅の源流』講談社。

文震亨（一九九九）『長物志1』荒井健他訳注、平凡社。

吉川幸次郎（一九六〇）「李夢陽の一側面——「古文辞」の庶民性——」『吉川幸次郎全集』第一五巻、筑摩書房。

商衍鎏（一九五八）『清代科挙考試述録』生活・読書・新知三聯書店。

焦点 | *Focus*

マンジュ大清国の支配構造

杉山清彦

一七―一八世紀、東ユーラシア圏域の大半を制覇したのは、「大清《だいしん》」なる国号を称する王権であった。

この国家は、しばしば次のように説明されてきた――明からその地位を受け継いだ皇帝のもと、明の制度をそのまま継承して科挙官僚を用いた統治が行なわれた。それ以外には八旗《はっき》・軍機処《ぐんきしょ》・理《り》藩院《はんいん》など若干の独自制度を附加したにすぎず、内外に対して儒教を奉じる天子として臨み、中華の文化の浸透していない地域には間接統治がしかれた、と。つまり、明の体制を基準とした上で、その枠に収まらない要素を「清代に附け加えられた部分」として処理するか「征服王朝としての側面」と片づけてしまい、全体として「中華王朝・清朝」と説明するのである。しかし、これらは漢人の社会と価値観、そしてそれに基づく王朝像に当てはめたものにすぎず、それ自体に即した説明ではない。

いうまでもなくこの国家は、アイシン・ギョロ Aisin Gioro(愛新覚羅)姓を称するヌルハチ(太祖、一五五九―一六二六年)の子孫を君主として戴き、その出身であるマンジュ Manju(満洲)人をはじめ、モンゴルの遊牧民やチベットの仏教信徒、オアシスに住まうムスリムなど多様な人びとによって構成される帝国であった。では、マンジュ人が築いた支配のしくみはどのようなものであったか。自らに数百倍する人口を擁する漢人や、中央ユーラシア(杉山 二〇一六)に広がる巨大な版図《はんと》を、少数者のマンジュ人はどのようにして統合・統治していたか。

むろん、版図の広大さと多様さ、命脈の長大さゆえにその姿は一つには定めがたく、帝国の全体像や支配の根幹をなす八旗制についてさえ、解釈や評価は分岐している(要点は岸本 二〇二一b：三三七―三五四頁)。本稿では、マンジュ的・中央ユーラシア的性格を重視する立場から、この国家の支配構造とその特質について素描したい。

一、ジュシェン(女真)からマンジュ(満洲)へ

マンジュ国から大清国へ

マンジュ人は、かつて一二世紀に金《きん》を建てたジュシェンJušen(ジュルチン、女真《じょしん》・女直《じょちょく》)人の後裔で、現在の満族《まんぞく》の前身に当る。マンジュとは元来ヌルハチが出た部族名で、彼が樹立した政権の名でもあり(神田 二〇〇五b)、それを漢字音写したのが「満洲」である(したがって州名ではなく、氵のつく好字を用いた固有名詞である。松村 二〇〇八)。後年の地域名としての「満洲《マンチュリア》」は、このマンジュの語から起ったものであるが、元来は国名・族名だったのである。

マンジュ国を興したヌルハチは、一六一六年にハン位に即いて後金《こうきん》(のち金)なる漢字国号も立て、ジュシェンの統一王権の再来を標榜した。これを継いだホンタイジ(太宗、在位一六二六―四三年)は、一六三五年にモンゴル宗家のチャハル・ハーン家を降したのを契機として、長く用いられてきたジュシェンの称を改めてマンジュを民族名と定め、翌三六年に皇帝位に即く。このとき、かつてモンゴルに滅ぼされた金の名に代えて、新たに満・蒙・漢の三言語で「ダイチン・グルンDaicing gurun／ダイチン・ウルス／大清国」の国号が定められた。「ダイチン」はモンゴル語で堅固、卓越の意、マンジュ語のグルンはモンゴル語のウルスと同じで「くに、くにたみ」を意味しており、彼らの世界では、この国号は大元《ダヤン》を継承し大明《ダイミン》と対峙する意をもつものだったとみられる。したがって、これと対応する漢字国号の「大清」は本来「大いなる清」ではなく、由来・含義こそ不明ながら、「大元」を踏襲した二字国号であった。

マンジュ王権として捉える本稿では、ヌルハチの政権をマンジュ国、一六三六年に成立した王権を大清国と呼ぶこ

とにしよう。この王権は、一六四四年に明の自滅に乗じて北京に入り(入関《にゅうかん》)、帝国へと成長していくことになる。

マンチュリアのジュシェン＝マンジュ人社会

この国家の担い手となったジュシェン＝マンジュ人は、しばしば誤解されているが遊牧民ではなく、元来畑作農耕を主生業とし、集落をつくって農牧業を営むかたわら狩猟や漁撈、また朝鮮人参の採集などに従事した。一方で、かつての主筋に当るモンゴルとの政治的・社会的関係は密接で、金代の女真文字が擬似漢字であったのに対し、一五九九年にヌルハチが創案させたマンジュ文字は、モンゴル文字を借用・改良したものであった。狩猟・武芸でも、モンゴル人と同様に馬上で操りやすい短弓を武器とし、弓の歩射・騎射は、後年まで必須の戦技とされた。

社会面では、父系の血筋とその門地の高下の意識が強くあり、また母親の地位・出自による嫡庶の別を重視した。資産や権利は一族の共有と観念されており、それに与る資格は嫡出男子間において平等であった。家産は分割相続で、長じると資産を分与されて独立してゆくことが一般的だったが、首長の地位は嫡出の近親男子間の実力主義とされ、長子相続などの原則は存在しなかった。これは、モンゴル社会と同様に、厳しい環境で暮すために適格な指導者の選出を重視したからであるが、このため集団はたえず分化をくり返し、また継承をめぐる紛争が絶えなかった。

明代、彼らの社会は領主層とその属下・領民から構成され、それぞれの領主のもとで労働や交易、さらには外敵との戦闘・防衛に従事した。大は首長から小は一般民まで、彼らの家は主人(マンジュ語でエジェン ejen)と奉公人・奴僕《ぬぼく》(アハ aha)からなっていた。両者の関係は明確な分業と厳格な上下関係のもとにおかれていたが、同時に一方が欠ければ他方は立ちゆかないという関係でもあり、その結びつきは極めて鞏固《きょうこ》であった。身分差は厳格であるけれども緊密・親密という上下関係のあり方は、家庭内から君臣関係に至るまで、社会秩序の根柢をなした。

一五八〇年代にその中の一領主から身を起したヌルハチは、それまでのジュシェン勢力とは一線を画する強力な政権を打ちたてた(増井 二〇〇四)。その軍事組織にして国家組織として創設したのが八旗制である。

二、国制・軍制としての八旗制

グサ－ニル制と満洲・蒙古・漢軍、包衣

八旗とはマンジュ語でグサ gūsa という集団八つからなる組織で、各グサは黄・白・紅・藍色の正《せい》・鑲《じょう》(縁取りのないもの・あるもの)の軍旗によって呼称されたので、旗《き》というのである。ヌルハチは、一六〇六年に家臣・領民を四旗に編制して自身と子弟で分領し、一六一五年までに八旗に拡充した(三田村 一九六五、増井 二〇〇九)。

八旗制は、このグサを頂点とする階層組織として説明されることが多いが、実はそれは八旗がもつ多様な側面の一つでしかない。そこで、国制にして軍制でもあるという姿を図案化してみるならば、**図1**のように描くことができるであろう。以下、これに基づいて全体像を素描してみたい(杉山 二〇一五:第五章)。

第一が、ピラミッド型の階層組織体系である。八旗は、ニル niru(漢語では佐領《さりょう》)と呼ばれる組織を基本単位として、五－十数ニルで中間単位のジャラン jalan(参領《さんりょう》)を構成し、五ジャランで一グサすなわち旗を構成するという階層構造をとった。このような階層組織体系を、後述する他の特徴と区別して、特にグサ－ニル制と呼称しよう。

基本組織のニルは、在来の集落・集団を再編して、兵役・労役に服する壮丁《そうてい》の供出母体としたものである。出征・狩猟時の動員や租税・労役の賦課、戦利品の分配などあらゆる行為はニルを単位として行なわれた。ニルは、行政単位・社会組織としてみた場合は、壮丁だけでなくその家族・奴僕、および居宅・耕地・家畜などを含む一つの集落・社会集団であり、他方、軍制単位としては、そこから抽出・編成された部隊を指した。ニルの壮丁の規準数は一五〇－三〇〇人(時期により相違)だったが、全員が兵丁というわけではなく、軍務に就くのは三人に一人であった。ニル

の総数は人口増や征服の拡大につれて増加し、当初の約二〇〇ニルから、一八世紀には一〇〇〇ニルを超えた。

グサ－ニル制は、匈奴《きょうど》以来の十進法型軍事組織や金の猛安《ミンガン》・謀克《ムケ》制と共通した階層組織であり、八旗制がそのような中央ユーラシア軍制の系譜上に位置することは一見して明らかである。一方で、傘下に入った集団は厳格な組織体系のもとに再編され、その構成単位として位置づけ直された。八旗各単位の長官の多くはかつて領民を従えて割拠していた大小の領主であったが、それが所領はニルという形に、領主としての地位は長官職という形に置きかえられ、強い統制下におかれたのである。ここに、中央ユーラシアの組織伝統と八旗に顕著な統制力との両面を看取できよう。

グサ－ニル制は、勢力の拡大にともなって柔軟に適用された。モンゴル人・漢人の帰順者が増えると、在来の満洲ニルから分離して蒙古ニル・漢軍ニルに組織し、さらにジャラン、グサに編制したので、各旗は満洲・蒙古・漢軍の三つのグサからなることになった。**図1**に示したように、これらは平時には八旗各旗(恒常的な行政単位の意)に隷しているが、戦時になるとそれぞれ抽出されて、満洲・蒙古・漢軍の八旗(戦時編制の部隊単位の意)を編成した(八旗蒙古は一六三五年、八旗漢軍は一六四二年に成立)。これらの組織名称には民族名が用いられているが、帰属と必ずしも対応していたわけではない。八旗漢軍はマンジュ語では烏真超哈《ウジェン・チョーハ》(重い兵)といって、火砲の製造・使用ができる漢人将兵を編制した重火器部隊であり、大多数の漢人は隷民として満洲ニルに属していた。

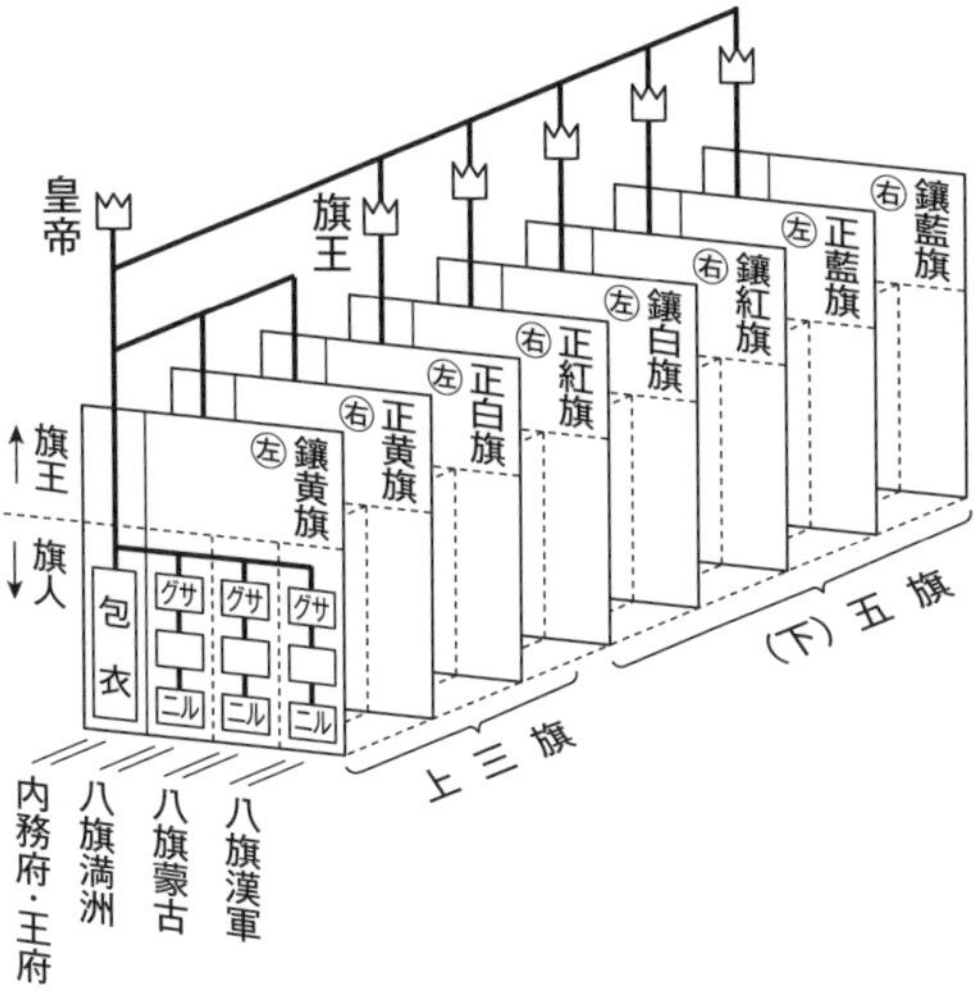

図1 八旗制の全体構造

これらが国家の役務に服すのに対し、皇帝・旗王《きおう》(後述)に奉仕する包衣《ボーイ》と呼ばれる家政組織があった（祁 二〇〇九、谷井 二〇一五：第三章）。包衣ニルとは「家《ボー》のニル」の意で、皇帝直属の上三旗《じょうさんき》（後述）の包衣ニルで組織した家政機関を内務府、旗王のものを王府などといい、漢人や朝鮮人も多く所属した『紅楼夢《こうろうむ》』の作者曹雪芹《そうせっきん》の家系もその一つである）。各旗は、これら満蒙漢の三グサと包衣からなっていた。

旗王制・八分体制・左右翼制

第二は、階層組織体系とは区別された、垂直方向に見たときの支配関係と身分秩序である。図示したように、八旗制下の全成員は、ハン＝皇帝（以下、皇帝と呼ぶ）を頂点として、各旗に分封《ぶんぽう》された上級王族たちと、ニルに属して各旗に分属した家臣・領民すなわち旗人《きじん》とに截然《せつぜん》と分たれた（杜 一九九八）。帝室アイシン・ギョロ氏のうちヌルハチ兄弟（系図は後掲**図4**）の子孫を宗室《そうしつ》、それより疎遠なものを覚羅《ギョロ》といい（神田 二〇〇五a）、宗室の中でも王公爵（和碩《ホショ》親王から輔国公までの位）を授かり旗を分領する嫡系の上級王族（ふつう各旗に複数いる）を研究上旗王という。彼らはグサ－ニル制に組み込まれるのではなく、その上に立って麾下の旗人を従える存在であった。

八旗は皇帝が一元的に掌握していたのではなく、これら旗王が分領していた。国制総覧『（康熙《こうき》）大清会典《かいてん》』に「鑲黄《じょうこう》・正黄《せいこう》・正白を以て上三旗と為し、其れ五旗は各々王・貝勒《ベイレ》等を以て之を統べしむ」（巻八一・八旗官制。ベイレは王の意）とあるように、皇帝自ら上三旗（一六五一年以前は正黄・鑲黄の二旗）を直率したが、その後もそれ以外の五旗は旗王たちが分領し続けた（杜 二〇〇八）。旗王は、グサ－ニル制の原則に基づいてニルを単位として属下を与えられ、ニルに属する旗人は、ひとたび分与されるやその旗王を主として仰いだ（細谷《ほそや》 一九六八、鈴木 二〇〇七）。旗人たちは、官職に就いて公務を担うという面ではひとしく皇帝の臣僚であったが、それぞれの主人の家に伺候しその命令に服するという点では、旗王に仕える家臣だったのである。このような一族分封制とニル制との主従的結合の側面を、管轄体系を表すグサ－ニル制と区別して、旗王制と称する。

第三は、水平方向に見たときの並列体制である。各旗は組織としては同格であり、兵役・労役・戦利品分配などあらゆる権利と義務は、各旗均分が大原則であった。これを「八分《はちぶん》」という。分とは分け前、およびその分け前に与りうることを意味し、八とはその資格が八旗に等分されていることをいう(杜 一九九八)。これは分配・負担の均等化を図ったものであり(谷井 二〇一五:第二章)、同時に、征戦の果実が皇帝の独占ではなく一族の共有であることを意味している。したがって上三旗にも特権扱いはなく、その統領たる皇帝も、国君としての役割は別にして、自らの領旗を率いるという点では旗王と同列の存在だったといえる。この点において、君主は中華皇帝のように全体に超越するものではない、また同じ分封制でも、ハーン自身が圧倒的多数を掌握するモンゴルの形態とも異なっていた。

並列の形態としてもう一つ注目されるのが左右翼制である。**図1**に㊧㊨を記したように、八旗各旗は左翼四旗と右翼四旗に分けられた。一見すると無原則のようにも思える八旗の序列は、実は左翼・右翼各旗が交互に配列されたものであり、これはまた、両翼首位の両黄旗を中央として鶴翼《かくよく》の陣形をなしたときは、左翼に両白旗、右翼に両紅旗が展開し、翼を閉じると翼端の両藍旗が合わさって円陣を構成するようにもなっていた。このように左右翼に基づく空間配置は、儀式時の整列位置、戦時の出陣隊伍から北京城内の居住区画(劉 二〇一六)まで、あらゆる集団生活・団体行動と対応しており、制度・人事、さらには社会的結合にまで結びついていた。左右翼制はモンゴル帝国に代表される遊牧軍制や巻狩の陣形として知られるが(例えば鈴木 二〇二二)、それが八旗制においても貫かれていたのである。

八旗制の全体構造

もう一つの特徴は、皇帝の強い指導力と求心力である。八旗制下では、皇帝自身もその中の領主の一人という形式をとっていたが、同時に皇帝は国家全体を治める君主として、また八旗を分領する旗王たちの家長として、強力な指導力を発揮した。各旗には人事権・司法権などは認められておらず、賞賜・俸給なども中央が一元的に差配した。

その背景にあるのが、徹底した集住政策である。明代のジュシェン諸勢力は、分割相続の慣習とそれにともなう分居のために勢力の分裂をくり返していたが、ヌルハチは服従した勢力を首府周辺に領民ごと移住させて管理下におき、加えて旗王たちに対しても領土分封を行なわず、主従関係のみを設定して首府に集住させた。これによって、それまで常態であった分裂を根絶するとともに、強力かつ長期にわたる専制的政治指導が可能となったのである。

八旗はもっぱらピラミッド的階層組織として説明されてきたが、それは指揮・管轄体系の一面(本稿でいうグサーニル制)を表すものにすぎない。あらためて全体像を見るならば、八旗とは、グサーニル制のもとに編制され、満蒙漢三グサ・八分・左右翼によって区分・整序され、旗王制によって統べられた、一つの社会の全構造だということができよう。そして全体は、旗王たちが皇帝を八旗の代表、一族の長として戴くことによって統合されていた。

すなわち八旗制は、中央ユーラシアに伝統的な階層組織体系をとりつつ、皇帝の強力な求心力のもと垂直方向の厳格な統御と水平方向の緊密な連合によって全体を構成した、軍事組織兼国家組織であったということができる。このような点で、八旗を国制の核とする入関前の国家を、八旗制国家と呼ぶことができるであろう。八旗制は入関後変容や改革を重ねてゆくが、マンジュ人・旗人の行政・社会組織として二〇世紀まで役割を果し続けた。

三、帝国の構造と運営

複合国家体制と旗制ユニット

マンチュリアで築かれた八旗制国家は、一六四四年以降北京に進出して漢地征服を進めるとともに、ロシアやジューンガルとの対決を通して北方・西方へも版図を広げていった。そして一八世紀半ば、乾隆帝《けんりゅう》(在位一七三五―九五年)のときにジューンガルを滅ぼしてその領域を「新疆《しんきょう》(イチェ《新しい》・ジェチェン《領域》)」と名づけ、最大版図に達するのである。

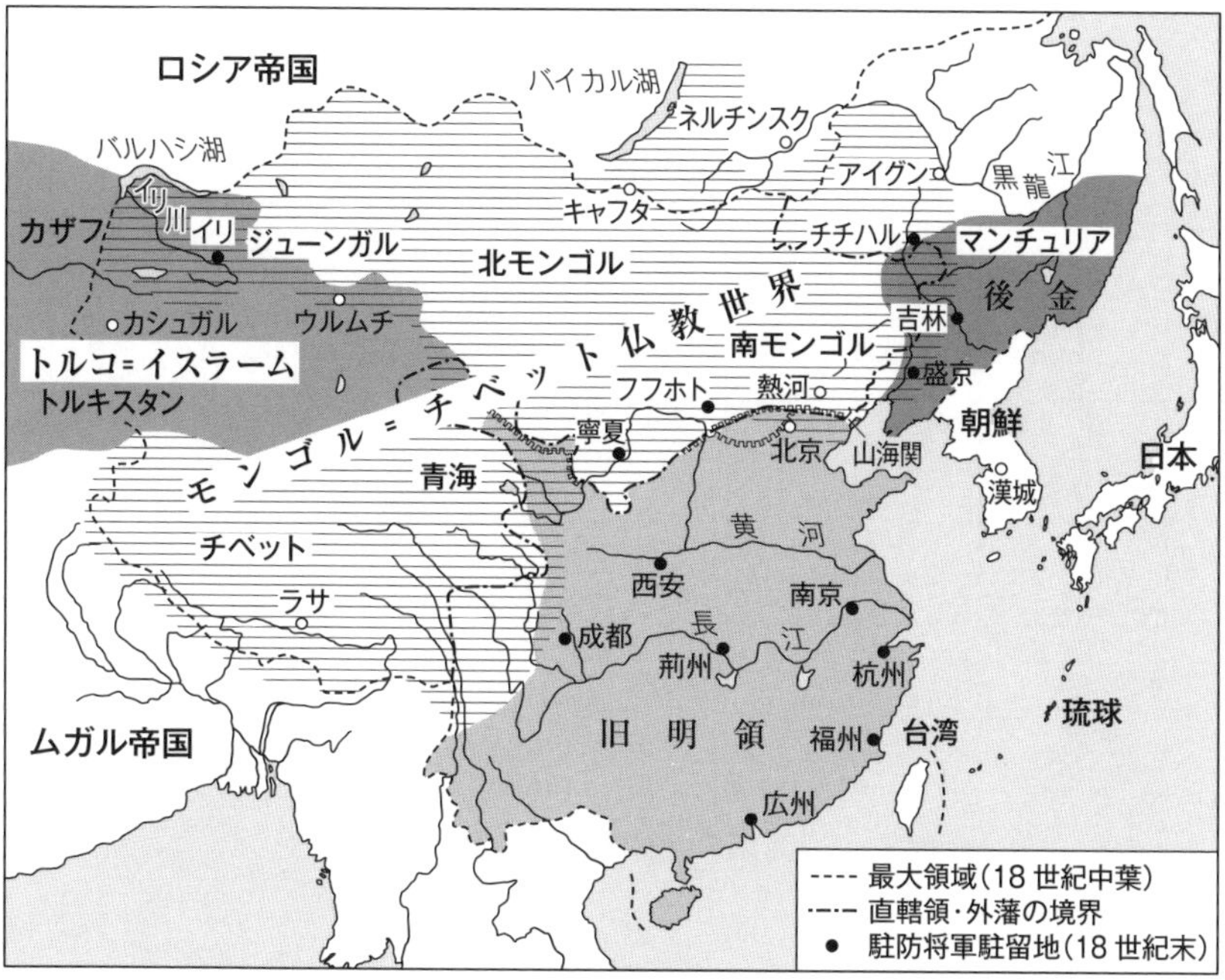

図2　大清帝国の支配領域とその構造

図2から看取されるように、その広大な版図はたんに複数の先行勢力を吸収・併合したというだけでなく、環境・生業や信仰、言語文化などを根柢から異にする諸地域に広くまたがっていた。またその拡大過程は、一貫した構想に基づき何らかの目標へ向けて進められたものではなく、その時々の課題に対応していった結果の集積であった。では、それぞれの成り立ちも服属の経緯も異にする多様な地域・集団を、王権はどのように統合していただろうか。

漢地に視点をおくのではなく、マンジュ王権として見たときの大清支配の特徴は、第一に複合的な統治構造、第二にマンジュ人による支配と各地在来の支配体制との両立、第三にそれらを束ねる皇帝の多面性と求心力、とまとめることができる。

まず統治構造について見てみよう。**図3**はそれを模式化したものであり、水平方向に見ると、帝国は構成集団と統治形態によって大別五つのブロックに分けられる。他方、垂直方向に見るなら

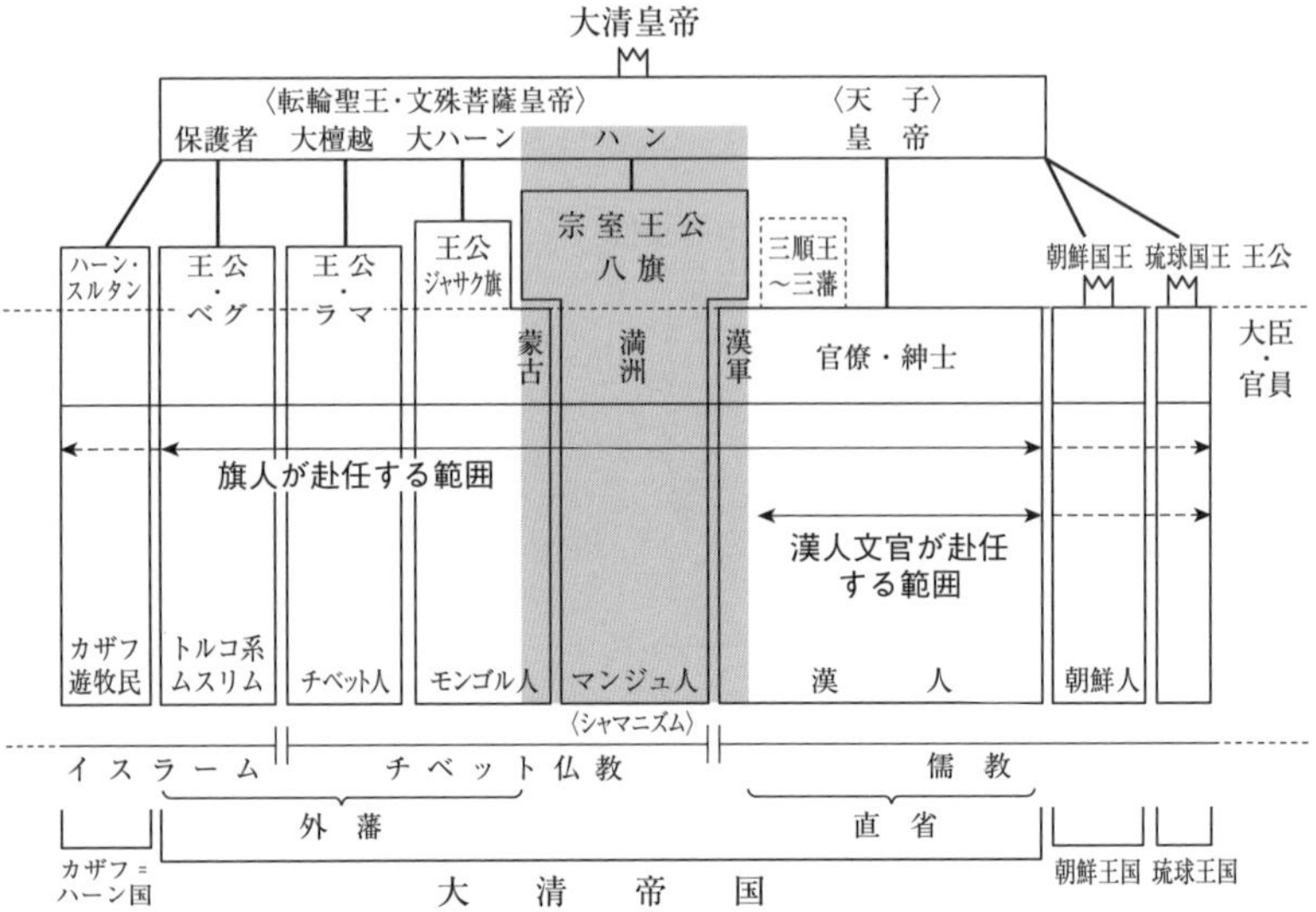

図3 大清帝国の支配構造と「行政的巡礼」圏

ば、横に引かれた実線で示した支配層・被支配層の区分だけでなく、破線で示した王公身分とそれ以下の大臣・官員層との区分があることにも注意しなければならない。

帝国形成の出発点となったのは、**図3**中央の網かけ部分である。八旗制国家においては、皇帝と宗室の旗王たちが破線以下に示した旗人たちを率いるのが基本型であり、国勢の伸長にともなって、これが両側にもアレンジして適用されていった。内属した集団や捕虜、投入者は直接八旗に編入する一方、まとまった規模の集団は八旗と同形式の組織に編制して外縁に連ねた。すなわち、ホルチン部をはじめ牧地に留まったまま服従したモンゴル諸勢力は、その首長に王公爵を与え、麾下の集団をジャサク旗という形式に組織した(岡 二〇〇七、楠木 二〇〇九)。また、部隊ごと投降してきた明の部将孔有徳《こうゆうとく》・耿仲明《こうちゅうめい》・尚可喜《しょうかき》に対しても、王号を与え(三順王《さんじゅんおう》)、軍団を階層組織に改編して従属させた(細谷 一九八七)。これが後の三藩《さんぱん》になってゆく。

八旗蒙古・漢軍に属する者があくまで八旗の成員であって各旗王に臣属した(**図1**)のに対し、これらジャサク旗・漢人軍団は、八旗には編入されず在来の統属関係を維持したまま従属したものであったが、王公の支配する八旗型のユニットという点では同列のものということができる。

一六三六年にホンタイジを皇帝に推戴したのは、それぞれが旗制ユニットを率いるこれら満・蒙・漢の王公であった。入関前の大清国は、**図3**中央とその左右に示される、宗室の旗王たちが皇帝とともに率いる八旗を中核とし、その外縁にモンゴル王公と三順王がそれぞれの軍団を率いて連なった、旗制ユニットの連合体だったのである。

このような体制は、入関後も基本型として堅持されつつ、それぞれの拡大方向に応じて分化していった。図の右方についていえば、入関当初は旗制ユニットの三藩(呉三桂《ごさんけい》が加わり、孔有徳が戦死して脱落する)と、王公を介さず直接服従する旧明朝治下の漢人とが並存したが、前者は三藩の乱(一六七三―八一年)後に解体されて八旗漢軍に編入され、漢地については一元的な支配がおおむね達成された。統治に当っては、省―府―県を基本とする明代の行政区がそのまま踏襲され、総督(複数省を管轄)・巡撫《じゅんぶ》(各省。両者を督撫と総称)以下各級の地方長官による行政制度が引き継がれた。

他方、左方に目を転じると、様相は全く異なる。本巻の柳澤論文で詳述されているように、モンゴルに対してはジャサク旗制が広汎に適用され、さらに複数のジャサク旗で盟を編成した(盟旗制)。ジャサク旗制は青海《せいかい》(アムド)にもしかれ、東トルキスタンでもハミ、トゥルファンのムスリム君侯や北部草原地帯のオイラト系首長に対して適用された。ダライラマのもと王や貴族が政を執るチベットに対しては、チベット仏教の保護者、大檀越《だんおつ》として布施を献じ、駐蔵大臣を顧問として派遣して外交と安全保障を代行した。東トルキスタンのオアシス地帯ではトルコ系ムスリム(現代のウイグル人)の有力者をベグという官職に任じて行政に当らせ、旗人のイリ将軍が駐屯軍やジャサク旗ともども統轄した(承志 二〇一二、小沼 二〇一四)。このように、旗制・爵制を用いつつ対象ごとに組織したのである。

マンジュ人による支配と在来の支配体制との両立

このような複合的な領域の統治に当っては、マンジュ人による支配と各地在来の支配体制との両立が図られた。

統治体制を構築する際の原則は、在来の統属関係を基本的に維持し、現地支配層を統治組織に組み込んだ上で監督官・駐留部隊を派遣して間接支配するというものであった。モンゴルなどのように領主―領民の形で把握される社会の場合は、王公爵を授けてその集団をジャサク旗に編制した。これに対し、在地有力者・指導層はあるけれども領主とはいえない場合は、ベグや科挙官僚のように統治官に起用した(チベット仏僧には僧職位を授与、池尻 二〇一三)。

臣従して王公爵を授けられた図3左側の諸地域の首長層は、宗室王公に対して外藩王公《がいはん》と呼ばれ、その集団・領域は外藩と称された(外藩、藩部の概念については岡本 二〇一七:第一章)。外藩王公の地位は宗室王公と同列で、両者は共同で王公身分を構成して身分秩序の頂点に立ったのである(岡 一九九四)。王公の地位は極めて高く、担当官庁の理藩院は、外藩を支配するものではなく事務を掌管するにすぎなかった。帝国は一面において、八旗を統べるアイシン・ギョロ氏の宗室王公と、ジャサク旗を率いるモンゴル王公を頂点とする外藩王公との連合であったのである。

ひるがえって、明の諸制度が継承された漢地も、方策としては同じだったということができる。直接民衆統治に当る州県レベルはもっぱら漢人官僚が行政を掌《つかさど》っており、これは在地社会の統治を在来の支配層に委ねているという点で、身分編成や形式は異なるものの、外藩統治と基本型は同じとみることができよう。漢地が直轄支配の形式をとったのは、たんに征服以前の明代において領主や首長が分有支配するような社会ではなかったからにすぎない。また王公身分が存在せず、非世襲原理の科挙官僚が直接出仕するという点において、むしろ漢地こそが異質な地域であったということも――人口・経済力では圧倒的な位置を占めていることはいうまでもないが――できるであろう。

帰順以前の状態を維持し、無用の摩擦を避けるため、ブロック間では隔離の原則がとられた。マンチュリア、モンゴル、チベット、東トルキスタンでは原則として漢人農民の入植や商工民の移住は禁じられ(封禁《ふうきん》)、現地支配層と協同して統治に当った監督官・駐留軍は、基本的にマンジュやモンゴルの官員・将兵であった。そのもとで在地の社会には極力干渉しないという方針がとられ、イスラームやチベット仏教の信仰、遊牧生活は引き続き保障された。

八旗による帝国統御

広域統治に当っては、このようにマンジュ人による支配という〝固い〟原則が堅持される一方、在来の支配層の協力の取りつけと統治方式の流用という〝柔らかい〟運用がなされた。その統御の担い手となったのが、八旗という〝固い〟核である。入関後、八旗は世襲的な身分集団となり、旗人は農・工・商業に従事することを禁じられて、軍人・官僚の人材供給源となった。彼らは人事を通して統治機構に浸透し、組織を内部から押えた。官制はほぼ明代そのままであっても、要職にはポストを複数設けて旗人と漢人を同数任用し(満漢併用制)、また併用制ポストか否かにかかわらず高官ほど旗人を重用して、意思決定・執行の実権をマンジュ人の手に確保したのである。

任用においては、官職ポストすなわち「缺《けつ》」に就任資格を指定し、旗人を優先した。その序列は、宗室を筆頭として以下満洲旗人、蒙古旗人(村上 二〇〇七)、漢軍旗人、内務府包衣、そして最後が一般の漢人というもので、上位のカテゴリーの者ほど就任可能な役職は幅広く、また要職が多かった。その関与する範囲も、**図3**中に示したように、旗人は帝国全域をいわゆる「行政的巡礼」圏(アンダーソン『想像の共同体』が説く、帝国において行政官が赴任しうる空間範囲)としていた。これに対し漢人文官は、一九世紀まで原則として漢地以外の統治には関与を許されなかった。

軍事面では、数の少なさをカバーするため、要所に集中的に配置して効率的に拠点を押えるという方針がとられた。主力の八旗は北京に集中させるとともに(禁旅《きんりょ》八旗)、要地にはまとまった数の駐防《ちゅうぼう》八旗を駐留させ(定 二〇〇三)、漢地では明の衛所軍を再編した緑営《りょくえい》(緑旗。北京は歩軍統領、地方は提督や督撫が指揮)と、外藩ではジャサク旗の軍事力と組み合わせて、全土を統制した。漢地では、地方長官は督撫など上級になるほど旗人が多く充てられ、駐防八旗を指揮する将軍(**図2**●印)など旗人駐防官と協同して広域統治に目を光らせた。広州《こうしゅう》、蘇州《そしゅう》など主要な港・関所や産業の要地には、内務府の包衣旗人を海関《かいかん》監督や織造《しょくぞう》(官用絹織物製造局長)として送り込み、利権や現地情報を把握した。

一方で、人事や命令系統は中央で強力に管理していたため、駐留軍や地方大官が任地で自立化することはなかった。清代、中央・地方ともにマンジュ人支配層内部の反乱が一切起らなかったことは、世界史上特筆すべきである。八旗制固有のこのような強い求心力と厳格な統制が、長期にわたる安定した広域支配を可能にしたのである。

マンジュ人・旗人と「儒教化」「士人化」

このような支配のしくみを維持するためには、わずか数十万人にすぎないマンジュ人を核とした旗人が、他から区別される存在であり続けることが必須である。このため、埋没・同化することがないよう、権利とエスニシティの境界の維持に注意が払われた(Elliott 2001)。旗人は民戸《みんこ》に属する漢人とは別に旗籍《きせき》に登録され、民籍の漢人との通婚は禁じられ居住地も区別された。女性も、旗人は纏足《てんそく》をせず騎乗するなど、漢人女性とは異なる慣習を保持した。

では、入関後に進行するマンジュ人の漢文化受容や母語の衰退といった変容は、どう解すべきだろうか。従来、この現象は「漢化」といわれ、清が中国王朝であるとする説明(「満洲人は漢人・漢文化に同化され、したがって満洲的要素を考慮する必要はない」との見方)に用いられてきた。だが近年、そのような理解は二つの点から修正を迫られている。

一つは、全てのマンジュ人が民族的特質を喪ったわけでも、一人のマンジュ人が全ての面において喪ったわけでもないという点である。分住や軍務など居住・勤務形態によっては清末になっても言語や習慣が維持されていたり、口語は漢語が優越するようになっても書面では満文を用い続けたり(またはその逆)している事象が指摘されている。

もう一つは、漢字文化・儒教規範の浸透についての新しい解釈・評価である(杉山 二〇一五：三七六－三八三頁)。一七－一八世紀の東アジアを見渡すと、統治階層・社会エリートの儒教規範受容、すなわち「儒教化」というべき趨勢が漢地のみならず朝鮮・日本でも広くみられ(要点は岸本 二〇二一a：付論)、また通時的に鳥瞰すると、モンゴル時代の漢地において、多様な出自の外来知識層・統治エリートが自らの言語や習俗・自己認識を保持しながら儒学を修得して士人層に加わっていく「士人化」(literatization)という現象が指摘されている(蕭 二〇〇八)。これらの観点を援用するならば、マンジュ人の漢語習得や儒教規範受容は、漢文化への埋没と文化的境界の喪失を意味する「漢化」ではなく、支配層におけるハイカルチャーの選択的受容としての「儒教化」や「士人化」と評することができようし、そのように捉えれば、マンジュ固有の習俗・規範の維持と両立させて説明できるように思われる(エリオット 二〇〇九)。

王朝が振興し支配層が学んだハイカルチャーは、漢文で書かれた儒教の経書だけではなかった。清代の文化事業としては、一大叢書「四庫《しこ》全書」をはじめとする大規模編纂事業が知られるが、入関前から始まっている史書、経書、文学など多方面にわたる翻訳事業(漢籍の満訳が中心)や、康熙年間(一六六一—一七二二)以降盛んに行なわれる各種「清《しん》文鑑《ぶんかん》」など多言語辞書の編纂も王朝にとって重要な事業であり(葉 二〇〇二)、またモンゴル文・チベット文・マンジュ文「大蔵経《だいぞうきょう》」の出版・頒布は、版図に広がるチベット仏教世界の紐帯の可視化・緊密化に貢献した。それらの基底には翻訳や並記(合璧《がっぺき》という)を行なう多言語併用体制の整備があり、内閣がその中枢機関だった(宮崎 一九九一b)。

四、大清皇帝による統合と執政

帝国を束ねる〝皇帝のいくつもの顔〟

支配の特徴の第三点は、複合的な統治構造を、皇帝が多面性と強力な求心力によって束ねたことである。マンジュ人の大清皇帝は、治下のさまざまな人びとに対し、それぞれに対応した〝いくつもの顔〟——八旗を率いるマンジュのハン、明皇帝を継承した天子、モンゴル君長たちを従える大ハーン、チベット仏教の保護者にして自らも文殊菩薩の化身《けしん》、そして異教徒ながらムスリムの信仰を是認する君主——をもつことによって君臨・統合していた(図3)。

それゆえ、皇帝支配を支える正統性の来源は一つではない。帝国の多元性を反映して、支配権は天、チベット仏教、儒教など複数の論理で正統化されており、秩序の頂点に立つ皇帝は、いずれかに依るのではなく、まさに秩序と安寧を実現していること自体を根拠として君臨していた。とりわけ広域の秩序理念として重要だったのは、一六世紀後半以降に中央ユーラシア東部に広く共有されたチベット仏教世界の観念である(石濱 二〇〇一)。その特徴は、天子の一元的支配に収斂《しゅうれん》して並立する存在を認めない儒教的天下観とは異なり、複数の王権・神格の併存・交渉を許容するところにある。それゆえ、乾隆帝のときに政治的にはチベット仏教世界全体を統べることになるものの、宗教的には仏教的神格をもつ化身同士として、ダライラマやパンチェンラマと——上下の関係でなく——並び立って臨んだ。

注意すべきは、このような複合的・多面的な性格は、はっきりとは分けられないという点である。これら〝いくつもの顔〟は、別々の顔を使い分けるというものではなく、皇帝個人の一つの人格として体現されていた。したがって、ある宮殿に入ればハーンから皇帝に変るというわけではなく、また天子なりハーンなりの資格で対象ごとに法令を発したり特権を付与したりしているのでもないのである。このような特質は、皇帝はいくつもの顔をもちながら、見る側からは自分に向いた顔しか映らない、と表現することもできよう。このように多元的でありながら一体であるという皇帝権力のあり方こそ、多様な経緯・論理で支配を受け容れたさまざまな集団・地域を統合する秘訣であった。

このような王権のあり方のもとでは、その裏返しとして、皇帝はさまざまな文脈から慣習的・道徳的な期待や制約を課されることになり——公正なる族長、徳目を体現する明君《めいくん》、騎馬戦士たちの統領たる武人、篤実な信仰の実践者・保護者など——、じじつ歴代皇帝はそれを実現するために並大抵でない努力を払った。一方、いずれの文脈においても皇帝は法によって規定・制約されるものとは観念されておらず、法規上その権力は無限定であった。会典など数多《あまた》の政書・法典がありながら皇帝の権限を規定したものはなく、成文法の世界における専制性と慣習法の世界における有限性との間で、歴代皇帝はそれぞれに立ち位置を探りながら手綱を操ったのである(岸本 二〇二一 a：第二章)。

皇帝への〝近さ〟の序列と側近政治

核心となったのは、マンジュのハンとしての側面である。第二節で見たように、それは皇帝の統率力・指導力にみられる強い求心性と、それを支えかつ牽制する八旗の連合体制という、二つのベクトルのバランスの上に成り立っていた。前者の側面こそ、長きにわたって凝集力を維持し続けて他勢力との競争に打ち勝ちえた秘訣であり、他方、後者の側面は、権利や資産を一族の共有とみなす、マンジュ社会の伝統的観念の表れであった。この両面は、互いに矛盾・対立するものというよりはむしろ、巧みに組み合わさることで、自分たちの価値観・慣習とそれがもつ安定性・結束力を損なわずに、権力の遠心化という伝統的課題を克服せしめたものということができる。

このような独創と伝統との緊張ある両立は、専制的な指導力をもつはずの皇帝の、地位の継承と執政の手段とにも見出すことができる。マンジュ社会の観念では、指導者はその交代時に最適格者を選出すべきものとされ、有資格者たちの合議ないし承認が必要と考えられていた。このため、次期皇帝は王族会議(ホンタイジ、順治《じゅんち》帝)や前帝歿時の指名(康熙帝、雍正《ようせい》帝)によってそのつど選出され、皇太子制は根づかなかった。**図4**で名前右側の数字は第何男子であるかを示したものであり、第一〇代の同治《どうち》帝(在位一八六一―七四年)まで八代続けて長子ではないのである。

また執政においても、帝国は現皇帝個人のものではないので臣下の中から特定の宰相を選んで一任することはなく、王朝に対し権利と義務を共有している意識をもつ宗室王公たちが、譜代の重臣とともに皇帝を取り巻いて累代国政に参与した(主要な王家は**図4**参照)。当初は国政・軍事の重要事は議政王・議政大臣と称される旗王・重臣たちが合議しており(神田 二〇〇五c、杜 二〇〇八)、複数の有力者による衆議と承認のプロセスが必要とされていたのである。

一方で、ひとたび正当に登位した君主は、アハ(奴)に対するエジェン(主)に準えられる強大な権限をふるった。旗王・重臣も、合議はするものの明確な権限や拒否権はなく、役割は諮問に対する答申や日常事務の処理にとどまっていて、最終的な決定は常に皇帝自らが専断的に下した。その執政のあり方は、次のような特徴にまとめられる。

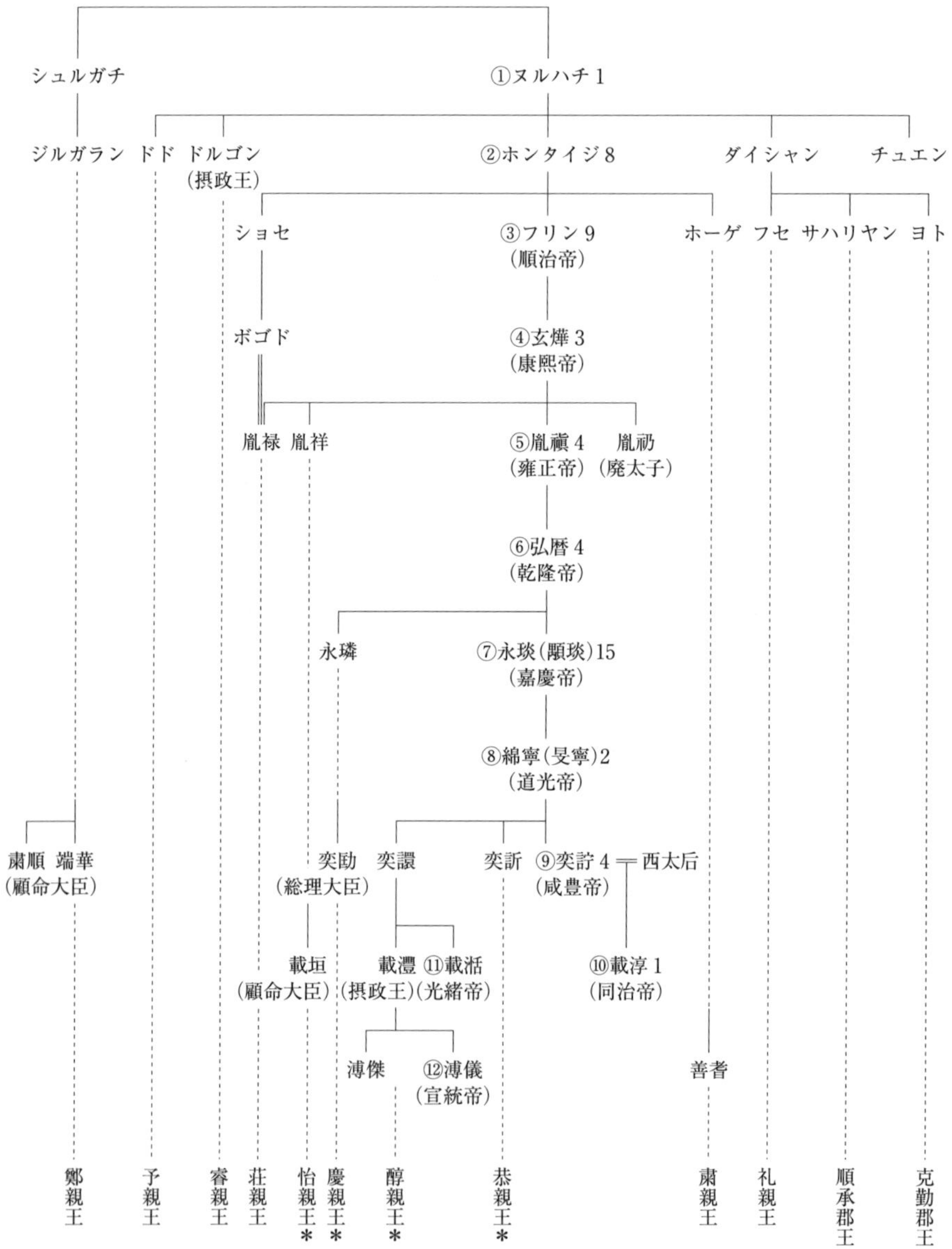

図 4　帝室アイシン・ギョロ氏　略系図．丸囲み数字は皇帝在位順．点線以下は建国期の功績により爵位が降等しない(世襲罔替《ぼうたい》)八王家，＊印を附したものは新たに加えられた四王家

第一に、直接の政治指導。皇帝は、御前会議や引見、賜宴、あるいは奏摺《そうしょう》(親展状、宮崎 一九九一 a)など、さまざまな場や手段を駆使して、多彩な臣下からの意見や情報に接した上で直接判断・指示を下す政治スタイルをとった。

第二に、多様な人的リソースの併用。広大・多様な領域・集団からさまざまな人的資源を動員し、帝国統治のための手足とするとともに、帝国各部を皇帝のもとに結びつけた。旗人と科挙官僚を二本柱としつつ、モンゴル王公やチベット仏教僧、西洋人宣教師など、多様な人材を使い分けながら活用した。

第三に、常時政務を指揮するための、移動する政府・宮廷。歴代皇帝は頻繁に動座しており、北京の紫禁城と離宮、熱河《ねっか》の承徳《しょうとく》避暑山荘といった宮殿群を使い分けながら政務を執った。加えて、一九世紀初めまで、江南《こうなん》など各地への巡幸も活発に行なった。その際、政府・宮廷の主要部も随行して移動しており、固定された紫禁城の宮殿ではなく随時の皇帝の居所こそが政治の中枢であり続けた。

第四に、これらを貫く、皇帝への〝近さ〟による序列という原則。〝近さ〟とは、個人・家系・集団と皇帝・王朝との関係の濃淡の度合いである。具体的には、血縁・姻縁の親疎、帰順時期の先後、空間的な近接・近侍といった諸条件であり、それが密な者ほど、より皇帝に近い存在、王朝において高い存在とされたのである。したがって、建国以来の功労集団である八旗や、帝室の姻族であるモンゴル王公が秩序の中枢に位置づけられたことは、異とするに足りないであろう。他方、漢人士大夫や下級旗人でも、王朝に対する寄与を認められた者や期待される者を、より〝近い〟ところ――**図3**でいえば、下から上へ、左右から中央へ――へ引き上げることで、恩寵を示したのである。

皇帝は、そのような〝近い〟人材すなわち側近を自らの身辺に集め、執政の手足とした。御前大臣・侍衛《じえい》や内務府包衣、書記・儒官は、その主要な来源であった。一八世紀前半に成立し、以後国政の中枢を担うようになる軍機処も、元来皇帝が信任する重臣を集めた補佐組織であり、側近政治の一形式ともいえるであろう。その意味では、大清王権の政治は、一見整然とした政府組織・官僚機構のピラミッドによって動いているように見えつつ、その実は独裁的な権力をもつ皇帝が、さまざまな名目で身辺に集めた側近によって運営する側近政治であったということができる。

大清皇帝は、一方で王族・重臣に諮問し衆議を求め、他方で側近と謀議し時に実行をも委ねながら、親裁・専決の大権を行使したのである。そして一九世紀、このような側近政治体制と〝近さ〟の序列とが、自らはそれを統御できない幼帝のもとで組み合わさったとき、最も〝近い〟西太后《せいたいこう》と恭《きょう》親王奕訢《えききん》らが実権を握る時代が出現することになる。

参考文献

アンダーソン、ベネディクト(二〇〇七)『定本 想像の共同体――ナショナリズムの起源と流行』白石隆・白石さや訳、書籍工房早山(初版一九八七年、原著一九八三年)。

池尻陽子(二〇一三)『清朝前期のチベット仏教政策――扎薩克喇嘛制度の成立と展開』汲古書院。

石濱裕美子(二〇〇一)『チベット仏教世界の歴史的研究』東方書店。

エリオット、マーク(二〇〇九)「清代満洲人のアイデンティティと中国統治」楠木賢道編訳、岡田英弘編『清朝とは何か』藤原書店。

岡洋樹(一九九四)「清朝国家の性格とモンゴル王公」『史滴』第一六号。

岡洋樹(二〇〇七)『清代モンゴル盟旗制度の研究』東方書店。

岡本隆司(二〇一七)『中国の誕生――東アジアの近代外交と国家形成』名古屋大学出版会。

小沼孝博(二〇一四)『清と中央アジア草原――遊牧民の世界から帝国の辺境へ』東京大学出版会。

神田信夫(二〇〇五)a「愛新覚羅考」b「満洲(Manju)国号考」c「清初の議政大臣について」『清朝史論考』山川出版社。

岸本美緒(二〇二一a)『明末清初中国と東アジア近世』岩波書店。

岸本美緒(二〇二一b)『史学史管見――明清史論集4』研文出版。

楠木賢道(二〇〇九)『清初対モンゴル政策史の研究』汲古書院。

承志編(二〇一二)『中央ユーラシア環境史2 国境の出現』臨川書店。

杉山清彦(二〇一五)『大清帝国の形成と八旗制』名古屋大学出版会。

杉山清彦(二〇一六)「中央ユーラシア世界——方法から地域へ」羽田正編『地域史と世界史』ミネルヴァ書房。

鈴木宏節(二〇二二)「トルコ系遊牧民の台頭」『岩波講座 世界歴史6 中華世界の再編とユーラシア東部』岩波書店。

鈴木真(二〇〇七)「清朝入関後、旗王によるニル支配の構造——康熙・雍正朝を中心に」『歴史学研究』第八三〇号。

谷井陽子(二〇一五)『八旗制度の研究』京都大学学術出版会。

細谷良夫(一九六八)「清朝に於ける八旗制度の推移」『東洋学報』第五一巻第一号。

細谷良夫(一九八七)「後金国・清朝に来帰した漢人の様相」『中国——社会と文化』第二号。

増井寛也(二〇〇四)「建州統一期のヌルハチ政権とボォイ＝ニャルマ」『立命館文学』第五八七号。

増井寛也(二〇〇九)「マンジュ国〈四旗制〉初建年代考」『立命館東洋史学』第三二号。

松村潤(二〇〇八)「崇徳の改元と大清の国号について」『明清史論考』山川出版社(初出一九六九年)。

三田村泰助(一九六五)『清朝前史の研究』東洋史研究会。

宮崎市定(一九九一)a「雍正硃批諭旨解題」b「清朝における国語問題の一面」『宮崎市定全集14 雍正帝』岩波書店。

村上信明(二〇〇七)『清朝の蒙古旗人——その実像と帝国統治における役割』〈ブックレット《アジアを学ぼう》〉、風響社。


定宜荘(二〇〇三)『清代八旗駐防研究』遼寧民族出版社(初版一九九二年)。

杜家驥(一九九八)『清皇族与国政関係研究』五南図書出版。

杜家驥(二〇〇八)『八旗与清朝政治論稿』人民出版社。

劉小萌(二〇一六)『清代北京旗人社会(修訂本)』中国社会科学出版社(初版二〇〇八年)。

祁美琴(二〇〇九)『清代内務府』遼寧民族出版社(初版一九九八年)。

蕭啓慶(二〇〇八)「論元代蒙古色目人的漢化与士人化」『元代的族群文化与科挙』聯経出版(初出二〇〇六年)。

葉高樹(二〇〇二)『清朝前期的文化政策』稲郷出版社。

Elliott, Mark C. (2001), *The Manchu Way: The Eight Banners and Ethnic Identity in Late Imperial China*, Stanford: Stanford University Press.

コラム｜*Column*

明清時代の家族と法

岸本美緒

長子相続が一般的であった近世日本と異なり、中国では漢代から財産を男子に均分する慣習が広く行われ、それは、明清時代にも同様であった。法律上では、唐代の令に既に男子均分相続の規定がある。財産分割に際しては厳密な公平性が追求され、そのため、一家の財産を前もって均等に分けて人数分のセットを作成し、その公平性を全員で確認した上で、一人一人が籖を引いて当たった分の財産を取る、という手続きが取られた。その証書である明清時代の「鬮書《きゅうしょ》」(鬮は籖の意)は、現在にも多く遺されている。

それらの証書の前書きには往々にして、祖先から現在、さらに未来に至る家の発展を、河の流れや樹木の生長に例える修辞が見られる。「河流が長くなれば百の支流に分かれ、木が大きくなれば多くの枝が競って茂る。……(公平に財産分けをすれば)財産は分割されても義は常に存し、枝は盛んになっても本はいよいよ固く、代々永遠に栄えることができるだろう」(康熙一一年〈一六七二〉呉氏「天字鬮書」『徽州千年契約文書 清・民国編』第四巻、花山文芸出版社、一九九二年所収)。長子がイエの社会的な地位や職業を受け継ぎ、それを守っていくことが求められた近世日本と比較してみると、中国の家においては、固定的な社会的地位や職業は存在せず、子孫はそれぞれに職業を選択して社会的上昇をめざしながら、末広がりに「家」を発展させてゆくことが求められた。その結果、一族のなかでも個々の家の地位や職業には大きな差ができるわけだが、それにもかかわらず一族としての一体感を支えるものは、河の支流や樹木の枝のように、子孫には祖先から男系を通じて受け継がれた同じ生命が流れているという感覚であった。この「同じ生命」の感覚は往々にして「気」という語で表され、同じ姓を持つ者は同質の気を持つ者と見なされた。

同じ「気」を持つ者どうしが結婚すると子孫が繁栄しないという考え方から「同姓不婚」の規範が生まれ、また他の「気」を持つ者を養子として家を継がせると一族の気の同質性が乱されるという考え方から「異姓不養」の規範が生まれた。これらについては、唐律以来、明律、清律に至るまで違反者の罰則規定がある(ただし、民間では必ずしも全面的に遵守されたわけではない)。

女性も父親からその「気」を受け継いでいるため、他姓に嫁いでも実家の姓で呼ばれるが(いわば「夫婦別姓」)、子供を産むとその子は父親の姓になるので、女性の「気」はその子供には受け継がれないということになる。「同姓不婚」のため父方の一族との婚姻は忌避されるが、母方の一族では、いとこなどのようにかなり関係が近くても問題ない。その点では、「同姓不婚」は「近親婚の禁止」一般とは異なる。

　中国の「家」の観念は「伸縮自在」であるといわれる。狭義には「同居共財」即ち家計をともにする集団を指し、その平均規模は漢代頃から五―六人程度とかなり小型であったことが定説であるが、構成的には夫婦と子供の核家族というわけではなく、多世代或いは父親の兄弟を含むなど、複合的である場合も多い。一方、上記のような「同気」の感覚からすれば、「家」の一体感は、「同居共財」の範囲を超えて、祖先を共にする一族全体へと広がる。祖先を共にするという意識で結びついた男系の集団を「宗族《そうぞく》」というが、このような集団は、古来の氏族集団の遺制というわけではなく、むしろ宋代以後、特に明代後期以降、積極的に形成されたものである。その背景には、商品経済の発展とともに競争が激化していった社会状況があり、そのなかで相互扶助をはかるための最も自然な結集の仕方として「同気」の関係が選ばれたものと見ることができる。華南によく見られる同族村から、日常はほとんど交流がないが数千人の族人を擁する大規模宗族まで、その結集の強さは様々であるが、一族の系譜を記した族譜、共同の祖先を祀る祠堂、相互扶助の財源となる共有田などが設置されることによって、一族の共同意識は生成・強化された。

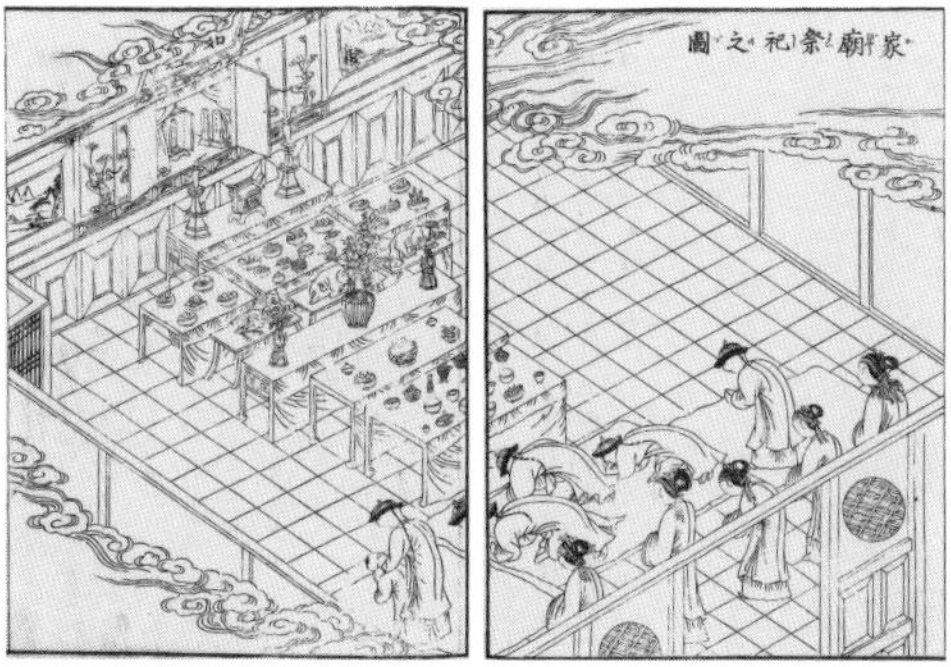

『清俗紀聞』(18 世紀末，長崎で清国商人からの聞き書きをもとに作られた中国風俗図鑑)に見える，家廟での祖先祭祀

　相互扶助のための集団という観点からすれば、宗族は、下層民衆の間に広まった宗教結社や都市の同業集団などと同じ時代状況のなかで生まれてきたものといえる。しかし、宗族の特徴は、集団内の尊卑・親疎の序列に関わる規範の重視にある。家の観念に基づく結集のなかには、共同性への強い志向とともに、序列づけによる秩序化の仕組みが埋め込まれている。そして、国家の法律も、宗族が国家に対して自立的な集団になることを警戒しつつも、犯罪の処罰に際して加害者と被害者との間の尊卑・親疎の関係に応じた量刑の細かい差等を設けることなどを通じて、この秩序の強化を目指したのであった。

集点 Focus

清朝時代のモンゴル社会

柳澤 明

一、清朝の拡大直前のモンゴル

清朝時代のモンゴルについて語るためには、まず、当時における「モンゴル」の範囲を考えてみなければならない。モンゴルという「民族」の形成については、清朝の統治自体がそこに作用したという議論もあるが(Crossley 2006)、本稿では、民族的まとまりとしての「モンゴル」を、清朝の作り出した枠組みとは別に、おおむね次の基準によって設定したい。それは、第一に、モンゴル系言語を用いていること、第二に、チベット系仏教が程度の差こそあれ浸透していることである。第三の要素として、対象となる範囲がやや限定されるかもしれないが、チンギス・ハーンとモンゴル帝国の記憶を共有することも挙げられよう。この基準に沿って「モンゴル」を規定するならば、漠南モンゴル、漠北モンゴル(ハルハ)、西モンゴル(オイラト)諸集団(ホショート、ジューンガル、トルグートなど)、そしてロシア帝国の統治下に組み込まれたブリヤートが含まれることになる。ただし、この範囲の人々が同時代的に「モンゴル」と一まとめに呼ばれていたかどうかは、別の問題である。

では、清朝の勢力がモンゴル高原に本格的に伸張する直前、すなわち一六〇〇—二〇年頃の政治状況はどのようなものだったか。漠南モンゴルの東部では、いわゆる正統ハーンの地位を継承したチャハルのリグダン・ハーンが比較的まとまった勢力を保持していたが、その権威が及ぶ範囲は、旧左翼三トゥメンの一部に限られており、嫩江《のんこう》流域のホルチンや、興安嶺《こうあんれい》一帯に展開し、「アル」(北麓の意)と総称されていた諸集団は、独立傾向が強かった。中西部では、アルタン・ハーンの子孫を戴くトゥメトが、弱体化しながらもフフホト(帰化城)一帯を確保し、旧右翼三トゥメンのハラチン、オルドスとゆるやかな連携を保っていた。漠北のハルハの独立性が高まったことも、この時代の一つの特徴である。旧ハルハ・トゥメンのうち北方に展開した一部は、漠北で勢力を広げ、その中から、トゥシェート・ハンやジャサクト・ハンなど、ハンを称する有力な首長の家系が出現した。また、オイラトとの抗争はこの時代も続いていたが、かつてのダヤン・ハーンやアルタン・ハーンの時代は、六トゥメン全体、あるいは右翼三トゥメンが共同で遠征を行っていたのに対し、一六世紀末からはハルハが単独で行うようになり、漠南モンゴル諸集団の参加は見られなくなる。

なお、オイラト諸集団とブリヤートについては後述する。

二、清帝国の形成とモンゴル

漠南モンゴル諸集団と建国期の後金―清

漠南モンゴルのうち、後金―清と早期に密接な関係をもったのは、西隣の五オトグ・ハルハ(内ハルハ)と北隣のホルチンであった。特にホルチンとの間では、ヌルハチ時代の一六一〇年代から婚姻などを通じた関係が始まり、一六二四年にはチャハルを共通の敵とする同盟が結ばれ、続くホンタイジ期にも、通婚関係はさらに拡大した。順治帝の生母(孝荘文皇后)もホルチン出身であり、ホルチンの首長層は有力な外戚集団を形成することになる(楠木 二〇〇九:

七一―一一二頁）。一方、チャハルのリグダン・ハーンとの関係は、ヌルハチ時代から敵対的であったが、ホンタイジ期に入ると、後金はチャハルに従属する諸集団を切り崩して取り込みながら、しばしば対チャハル遠征を企図した。本格的な衝突には至らなかったが、後金の圧力を感じたリグダンは一六二七年から西方への進出をはかり、ハラチンやトゥメトを制圧して漠南中西部を確保した。しかし、一六三四年にリグダンが死去すると、求心力を失ったチャハルの属民は次々と後金に降伏した(1)。かくして、一六三六年にホンタイジが国号を大清（満洲語 Daicing）と定めて皇帝を称する頃には、漠南モンゴルの大部分の集団はその傘下に入っていた。

八旗モンゴルと外藩モンゴル

モンゴル諸集団の中には、本来の牧地を離れて後金―清の中心部に移住した人々もいた。彼らは複雑なプロセスを経て二つの旗（満洲語グサ gūsa／モンゴル語ホショー qosiɣu）にまとめられたが、さらに一六三五年、ハラチン、トゥメトの人々が大量に従属したことを受けて、その一部は外藩のハラチン三旗に、大部分は前述のモンゴル二旗と合わせて八旗に再編成された。これが八旗モンゴルの直接の起源である。ほぼ時を同じくして、漠南モンゴル各地に官員を派遣し、各集団を母体として旗を設置し、牧地の範囲を定め、旗内の牧民をニル（満洲語 niru／モンゴル語ソム sumu）に編成したことが記録に現れるようになる（岡 二〇〇七：四三―五九頁）。こうした形で統治されるモンゴル人は、八旗モンゴルと対比して「外のモンゴル」（ɣadaɣadu Mongɣul）と呼ばれ、漢文では「外藩蒙古」と表現される。以上のような経緯で、清朝治下のモンゴル人は、八旗と外藩という二つの大きなカテゴリーに区分された。

一六四四年、明朝の内乱に乗じた清朝は、山海関《さんかいかん》を越えて北京に向けて進軍するが、その隊列には外藩モンゴルの諸集団も加わっていた。三藩の乱（一六七三―八一年）の際にも、外藩モンゴル兵は江南や陝西などに大規模に出動している。この事実から、清帝国は、満洲人と漠南モンゴル人が連合し、一部漢人勢力の協力を得つつ、中国内地を併合するという過程を経て成立したことが浮かび上がる。ただし、帝国が安定期を迎えると、後述するように、外藩モンゴルの人々が他の地域ブロック——たとえば中国内地——の統治に関与することは、原則として見られなくなる。

漠北モンゴル(ハルハ)の清朝帰属

ハルハの諸首長は一六三〇年代からしばしば「朝貢」しており、一六五五年、清朝はハルハの主な首長八人にジャサグ(jasaγ)の称号を授与した。ただし、これをもって清朝の支配がハルハに浸透したということはできない。一六七〇年代に入ると、ハルハ内部でトゥシェート・ハンとジャサクト・ハンが対立し、これにジューンガルのガルダン・ボショクト・ハーンが介入した。一六八六年、紛争調停のために清朝とダライラマ五世の使者も加わって会議が開かれたが、不調に終わる。一六八八年、ガルダンはアルタイ山脈を越えてハルハに進攻し、トゥシェート・ハンのチャホンドルジと実弟のジェブツンダムバ・ホトクトをはじめ、ハルハの大部分の首長は南下して清朝の庇護下に入った。この動乱に対して、康熙帝は一六九一年にドローン・ノールにハルハの諸首長を集めて清朝への忠誠を誓約させ、ガルダンと対決する姿勢を固める。そして、一六九六年に漠北に親征し、ジョーン・モドの戦いでガルダンの勢力を撃退した。その結果、ハルハ諸首長は漠北に帰還することになった(岡田 二〇一三：五一—一七三頁)。

以上のような経緯で、ハルハは清朝の統治下に組み込まれ、清帝国とロシア帝国の勢力圏がモンゴルでも接触するという状況が生じた。東北のアムール川方面では、すでに一六八九年のネルチンスク条約によって国境が画定されていたが、モンゴル方面では、さまざまな外交的駆け引きの末、一七二八年のキャフタ条約によって国境が定まることになる。

「ブリヤート人」の形成

一七世紀前半、ロシア帝国の勢力がバイカル湖一帯に伸張すると、この地域の住民は、順次ロシアの支配下に組み込まれていった。彼らの中には、モンゴル系ばかりでなく、本来テュルク系の言語をもっていたと推定される人々も含まれていたが、ロシア人によってブラート人(браты)あるいはブリャート人(буряты)と総称され、次第に民族的なまとまりを形成していく。一七世紀には、ハルハの諸首長もこの地域の住民に対する支配権を主張して、ロシアとしばしば対立した。ハルハの清朝への帰属にともなって大きな紛争は終息するが、ハルハ側の属民が時として集団的にロシア側に逃亡する事件が起こり、外交上の懸案となった。彼らは、以前からロシア側に属していた前述の「ブラート／ブリャート人」と必ずしも同質ではなかったが、次第にブリャートという呼称の中に包摂されていく。一七二〇年頃にロシア側に逃亡したタブヌート(Tabunaγud)という集団の子孫が一九世紀に書き残した記録には、「モンゴルのブリヤト・オモグのタブヌート・オトグ」という表現があり(ИМБТ: MI-36)、最上位の「モンゴル」という範疇に含まれる「ブリヤト」(=ブリャート)というサブグループに属するという自己認識が成立していたことが知られる。

キャフタ条約によって、両国の支配する属民の範囲が明確化され、逃亡が厳禁されるにともなって、大規模な逃亡は減少するが、ロシア政府はそれでも、ブリャート人が清朝側の人々と密に接触することを警戒しており、一七六四年には、ブリャートの仏教を統括するパンディト・ハンボ・ラマという職位が設けられた(若松 一九八〇)。これは、ブリャートの仏教をモンゴルやチベットの教団組織から切り離すための施策であったが、ブリャート人のモンゴル・チベットとの連帯感を完全に断ち切ることはできなかった。

三、ジューンガルと西モンゴル諸集団

ジューンガルの興亡

一七世紀末以来、ジューンガルが長期にわたって清朝と敵対し、最終的に敗れ去ったことは、清朝が中央ユーラシア東部の広大な領域を包摂する大帝国に変貌するという結果をもたらした。

ジューンガルがオイラトを代表する勢力として台頭してくる過程は複雑で、未解明の部分も残されている。一六一〇－二〇年代において、オイラト諸集団の中ではドゥルベト、ホショートが有力で、ジューンガル(チョロス)は決して突出した存在ではなかったが、おおむね一六三〇年代に始まったオイラト諸集団の対外的拡張が、転機をもたらした。西方についてみると、一六三〇年、トルグートのホー・ウルルグを中心とし、ホショート、ドゥルベトの一部も加わった遠征軍が、ノガイなどのテュルク系遊牧民を駆逐して、ヴォルガ川下流域を確保した。ロシア史料では、彼らはカルムィク人(калмыки)と呼ばれる。一方、一六二〇－三〇年代のチベットでは、ゲルク派と他宗派の覇権争いにモンゴル諸勢力が絡んだ複雑な情勢が展開していたが、オイラトはこれにゲルク派支持の立場で介入し、ダライラマ五世による統一政権の樹立に寄与した。その際に中心的役割を果たしたのはホショートのグーシで、彼はダライラマからハーンの称号を受け、青海に留まって中央チベットへの影響力を維持した。以上のような経緯で、有力首長たちが活動拠点を他に移したため、天山北麓のイリ河谷～イルティシュ川上流域の本来のオイラトの牧地では、ジューンガルのバートル・ホンタイジが最有力の首長として浮上したのである。その後、バートル・ホンタイジとその子センゲは、オイラト連合軍を率いてカザフや天山以南のオアシス都市に遠征し、勢力を拡大していく。一六七〇年にセンゲの地位を継承した弟のガルダンは、ハミ、トゥルファン、カシュガルなど東トルキスタン一帯、西方のカザフ、

クルグズ、タシュケント、アンディジャンなどに遠征して勢力を拡大し、一六七八年にはダライラマからボショクト・ハーンの称号を授与された。こうして、一六八〇年代には、ガルダンを頂点とするジューンガル国家というべきものが成立した(宮脇 一九九五：一六三―二〇三頁)。

前述のように、ガルダンは清軍に敗れた後、一六九七年に死去するが、間もなくガルダンの甥(センゲの子)であるツェワンラブタンが君主としての地歩を固めた。彼と清朝との関係は、当初は緊張をはらんだ平和共存といったものであったが、一七一五年のハミでの衝突をきっかけに破綻し、康熙帝はアルタイと天山の二方面からジューンガルに攻勢をかけた。

一七一七年、ジューンガルはチベットに軍を送ってホショートのラサン・ハーンを破り、一時的にラサを制圧したものの、反対勢力の蜂起と清軍の遠征を前にして撤退した。そして、ダライラマの転生者として尊崇を集めていたリタン(カム地方)出身の少年が、清朝の後援の下にダライラマ七世として認定されるに及び、ジューンガルはチベットへの直接介入の道を封じられることになる。一方、アルタイ・天山方面では、清軍の対ジューンガル攻勢は進捗せず、一七三〇年代まで一進一退が続いた。一七三五年に即位した乾隆帝はジューンガルとの講和を進め、数年にわたる交渉の末、おおむねアルタイ山脈を境界とする形でまとまった。ジューンガル側は粛州などで貿易する権利を獲得し、チベットへの使節(熬茶使《こうちゃし》)派遣も実現した(澁谷 二〇一一)。しかし、一七四五年にガルダンツェリン(ツェワンラブタンの子)が死去すると、ジューンガルでは内紛が続き、国力が急速に弱体化する。この機をとらえた乾隆帝は、一七五五―五九年に遠征軍を送り、イリ河谷のジューンガルの本拠地だけではなく、天山以南のオアシス諸都市をも制圧した。このとき、旧ジューンガルの属民は、清軍の殲滅作戦と伝染病によって多数が死亡し、生き残った人々も徹底的に分散させられた。その結果、彼らの子孫は、早期に清朝に帰属していたドゥルベトなどの一部を除き、今日ではほとんど集団としての形を留めていない。

ジューンガルの統治と社会

ジューンガルの統治システムや社会について、ジューンガル側が自ら残した同時代記録はほぼ皆無であるが、清朝やロシアの史料からある程度窺うことは可能である。統治構造について、ジューンガル国家の崩壊後に清朝側がまとめた情報によると、オトグ、アンギなどの組織があったという。オトグは君主に直属する組織で、それぞれ一〇〇〇~五〇〇〇戸からなり、長として一名~数名のザイサンが統括し、イリの周辺に配置されていた。アンギは、君主の一族であるチョロスをはじめ、ドゥルベト、ホイトなどの諸集団の首長たちに属する組織で、たとえばチョロスには六個、ホイトには九個のアンギがあったという。また、中央の君主のもとにも、トゥシメルと呼ばれる高級官員がおり、ザルガと呼ばれる諮問会議のようなものがあった。これらの組織・役職の名称や機能に関しては、史料間に不一致が見られ、正確に再構成することは難しいが、総じていえば、ジューンガル国家は、首長と属民からなる部族的集団が単に寄り集まったものではなく、より体系的な統治構造を有していたことが窺える(小沼 二〇一四:二一一-四八頁)。

ジューンガル統治下のオイラト人は、基本的には遊牧民であったが、ツェワンラブタンの時代には、農業もかなり営み、小麦・キビ・大麦・メロンなどが栽培されていたという。また、天山以南のオアシス都市から取り立てる貢税や、清朝との貿易も、経済的に大きな意味をもっていたと考えられる。ロシアとの間でも、イルティシュ川沿いのヤムィシェフ塩湖などで大規模な交易が行われていた(佐口 一九六六:一三七-一六一頁)。

他の西モンゴル諸集団——青海ホショートとトルグート

前述のように、ホショートは一六三〇年代に青海に進出し、ダライラマ政権を支える役割を果したが、一六五五年にグーシ・ハーンが死去すると、後継者たちは統率力を欠き、中央チベットへの影響力も低下する。一七〇五-〇六年にかけて、ラサン・ハーン(グーシの曽孫)はチベットに入り、ダライラマ六世を廃位して傀儡ダライラマを擁立したが、チベット人の反発を買い、結局はジューンガルの介入によって殺害された。一方、青海の他の首長たちも、ジューンガルを駆逐するために前進してきた清軍に従わざるを得なくなった。一七二四年には、ホショートの有力首長の一人であったロブサンダンジンが清朝の支配に反抗して蜂起するが、たちまち鎮圧され、青海ホショートは漠南・漠北モンゴルに準ずる盟旗制による統治を受けることになる(加藤 一九八六、石濱 一九八八)。

ヴォルガ川下流域に進出したトルグートは、アユキ(在位一六六九―一七二四年)の統治のもとで安定期を迎えた。彼は一六九七年にダライラマ(実際には摂政サンゲギャツォ)からハーンの称号を得て威信を高め、ロシア帝国から圧力を受けながらも、完全に従属することはなかった。アユキが死去すると、後継者をめぐる内紛が発生し、ロシアの介入を招くことになったが、それでも、歴代君主はしばしばチベットへ使節を送って、チベット仏教世界の中でのプレゼンスを確保しようとした。一七六一年にアユキの曽孫にあたるウバシが即位した頃には、ロシアによる統制はさらに強まり、ヴォルガ川沿岸への農業移民も進展していた。そこで、一七七一年、トルグートの大部分はヴォルガ川を去って旧ジューンガルの牧地を目指し、途中多くの人口を失いながらも、イリ河谷の清朝の領域に入った。清朝は彼らを旗に編成し、数カ所に分散して配置した。乾隆帝が「あらゆるモンゴル諸部」が臣僕となったと詩に詠んだように、これによって、漠南・漠北モンゴルに次いで、旧オイラトのほとんどの集団も最終的に清朝に帰属することになった(宮脇 一九九五:二三四―二四五頁)。

四、清朝統治下のモンゴル

八旗モンゴルの位置づけ

清の「入関」(中国内地進出)にともなって、八旗モンゴルの大部分は北京の在京(禁旅)八旗を構成し、一部は中国内地や盛京(遼寧)の駐防八旗に配置された。モンゴル旗人の多くは、入関後のある時期まではモンゴル人としての意識、言語などを保持しており、清朝政府も、彼らのモンゴル人としてのアイデンティティを、モンゴルをはじめとする外藩の統治のために利用する方針をとった。理藩院には多くの「蒙古缺」(モンゴル旗人が就任すべきポスト)が用意され、尚書・侍郎にもモンゴル旗人が多く就任した。彼らは、モンゴル・チベット・新疆《しんきょう》など外藩各地の駐在官としても頻繁に起用された。しかし一方、すでに一八世紀前半から、彼らの中にはモンゴル語を操れない者も目立つようになってきていた。雍正帝・乾隆帝はそのことを憂慮し、さまざまな振興策を講じたが、モンゴル語能力低下の流れを止めることはできなかった。それでも、モンゴル旗人を「外藩」駐在官に充てるという方針は、清朝末期まで踏襲される(村上 二〇〇七:一〇一―一二九頁)。

八旗のモンゴル人は、モンゴル高原の一角にもいた。張家口《ちょうかこう》北の長城縁辺に展開していたチャハル八旗である。チャハル八旗は、後金―清によるチャハル制圧後に、その属民が再編成されたもので、中央の八旗から派出された官員によって管理された。一六四八年に行われた八旗の男丁数の調査において、八旗モンゴルについては「蒙古、察哈爾蒙古共二万八千七百八十五」という数字が挙げられているが、この書き方は、チャハル八旗が正規の八旗の範疇に位置づけられていたことを裏づける。チャハル八旗の官員・兵丁には、外藩モンゴルとは異なり、清朝から俸餉《ほうしょう》(銀建ての給与)が支給されていた。また、彼らは北京や東北の八旗と同様、一九世紀後半に至るまで、帝国各地の反乱鎮圧や対外戦争に動員されており、軍事力としての役割も、外藩モンゴルとは明らかに異なっていた。しかし、社会的・文化的側面から見れば、都市居住者となった一般の八旗モンゴルとは対照的に、チャハル旗人は、遊牧生活や言語など、モンゴル固有の文化を保持していた。清朝の側も、こうした状況を勘案して、チャハル八旗の司法においては「大清律」ではなく「蒙古例」を適用するなど、一般の八旗とは異なる対応をとった(達力扎布 二〇〇三：三〇一―三三三頁)。

外藩モンゴル統治の基本理念

清帝国の「多元的統治」の特徴は、帝国を構成する各ブロックにおける既存の社会秩序を保持し、各地域社会の上層をさまざまな回路を通じて皇帝と結びつける点にある。ただし、こうした回路はブロックごとに独立しており、あるブロックのエリートが他地域の統治に参与する機会は、きわめて限定されている。モンゴルも例外ではない。外藩モンゴルの貴族は皇族に準ずる爵位を与えられ、清朝帝室と婚姻関係を結ぶなど、清朝の身分秩序の中で高い位置づけを付与されたが、モンゴル以外の地域の統治に関与することは原則としてなかった。軍事に関しても同様のことがいえる。外藩各旗の兵力は、上述した清帝国の建設期を除き、その後は原則としてモンゴルとその周辺を舞台とする戦争に動員されるのみで、中国内地の反乱鎮圧などに駆り出されることはなかった。これに対して、八旗は帝国のいかなる地域にも派遣された。つまり、八旗が清帝国全体の常備軍であったのに対して、外藩モンゴル軍は地域限定の軍事力という、明確な役割の相違があった。

「盟旗制」の概要

清朝は、前述のように、外藩モンゴルに基幹的な行政単位として旗を設置した。モンゴルの旗は、八旗のように人々をおおむね一定規模の集団に再編成したものではなく、清朝への服属以前に存在した政治的まとまりに基礎を置くものであり、一つの旗が擁する人口には大きな幅があった。旗を統括するのはジャサグと呼ばれる旗長で、元来その集団を支配していた貴族＝タイジ(tayiji)の中から選任され、その地位は同一家系によって事実上世襲された。各旗が占有する土地(旗地)の範囲も定められ、越境は禁止された。ただし、旗の境界と越境禁止がどれほど厳密なものであったかは、議論の余地がある。盟(čiγulγan)は旗の上部組織であるが、常設の行政機関というより、隣接する旗の会議体(盟会)であった。盟会は三年に一回、固定された場所で開催され、各旗のジャサグや主要官員が参加し、主に軍事・司法に関わる事項を協議した。こうした盟・旗の編制は、漠南モンゴルでは一六三〇年代から、ハルハでは一六九〇年代から進められ、一八世紀後半の時点で、漠南には六盟四九旗、ハルハには四盟八三旗が存在していた。他に、青海や新疆などにも、ホショートや旧ジューンガル属民などを母体とする旗が設置された。

以上のような外藩モンゴル統治システムは、「盟旗制」と総称されるが、その内実は地域によって必ずしも一様ではなかった。たとえば、一つの旗の人口規模は総じて漠南では大きく、ハルハでは小さい傾向があった。盟と旗の関係にも違いが見られる。漠南の六盟は地理的に隣接する旗をまとめたものであって、清朝帰属以前から存在したホルチン、ハラチンなどの部(ayimaγ)の区分とは必ずしも一致しない。一方、ハルハでは部と盟が基本的に対応しており、各部の統率者であったトゥシェート・ハンなどの称号は、清朝帰属後も世襲が認められた。(2) また、ハルハでは、トゥシェート・ハン一族を初代とする転生僧(活仏)ジェブツンダムバ・ホトクトが、宗教的権威として大きな影響力を有していた。辛亥革命時にハルハが独立を宣言した際、ジェブツンダムバ八世を元首として擁立したことは、その存在がハルハ全体の統合の象徴と見なされたことを示している。

なお、盟旗制下において、各旗の行政運営はほぼ全面的にジャサグに委ねられていたが、一方で、清朝は一八世紀以降、漠南・漠北の要地に綏遠城将軍、フレー(庫倫)辦事大臣、ウリヤスタイ将軍(定辺左副将軍)、ホブド参賛大臣などを配置した。こうした駐在官は、次第に隣接する盟・旗の行政・司法に対しても関与を深めていくことになる。

旗の内部構造

清朝の成文化された規程集である『大清会典』や『理藩院則例』によれば、旗にはジャサグのほか、貴族中から選任され、ジャサグを補佐する協理タイジ(tusalaγči tayiǰi)二名が置かれた。平民の大部分は、一五〇丁からなるソムに編成され、これが清朝の課す軍役や卡倫《カルン》・駅站への人員・家畜等の供出といったアルバ(alba 公課)を負担する単位となった。アルバ負担者としてソムに登録される壮丁を箭丁《せんてい》(quyaγ)という。ソムの長である佐領《さりょう》(sumun-u ǰanggi)の地位は世襲ではなく、貴族である必要もなかった。一方、貴族は親王以下四等タイジ以上の爵位を付与され、爵位に応じて、清朝ではなく貴族に奉仕する義務を負う随丁《ずいてい》(qamǰilγ-a)が割り当てられた。清朝の設定した以上のような制度の意味するところを簡潔にまとめれば、一方で貴族―平民という身分秩序を温存しつつも、他方では平民の大部分を、清朝(皇帝)に対して軍役等のアルバを負担する存在(アルバト)として位置づけ、貴族による直接の支配から切り離したということができる。

しかしながら、清朝の規定したこのような制度が文字通りに機能したかどうかは、別の問題である。近年、清代の旗レベルの文書へのアクセスが容易になったことから、この問題をめぐる研究は大きく進展しつつある。たとえば、一八―一九世紀のハルハのある旗(セツェン・ハン部中末旗)では、貴族(タイジ)の血統分枝に基づくバグ(baγ)に、ソムの箭丁を含む平民やラマ(僧侶)が包摂された組織であるオトグ(otoγ)が、社会生活やアルバ負担の単位となっていたという(岡 二〇〇七:一〇九―一三〇頁)。そうだとすれば、ソムは、アルバ負担者を理藩院に届け出るための帳簿上の組織に過ぎなかったことになる。しかし、どの旗でも同様であったとは言い切れない。他の旗(トゥシェート・ハン部左翼後旗)では、タイジとソムが別個の単位としてアルバを分担しており、ソムが一定の実質を具えていたことが指摘されている(中村 二〇一一)。一方、漠南のハラチンでは、貴族の血統分枝に基づく六つの翼(γar)が、ソムに壮丁を供給する母体になるとともに、一部のアルバを独自に負担していたという(包呼和木其爾 二〇二〇)。これらの事例をいかに統合的に解釈するかは難しい問題であるが、大まかにいえば、制度と実態の乖離は、清朝帰属以前に遡る貴族―平民間の統属関係の残存と、清朝の明文規定を超えて現実に存在していた多種多様なアルバを旗全体で分担するための便法という、二つの側面から考えることができそうである。

司法

清朝は、入関前に制定した軍律を基礎として、「大清律」やモンゴルの慣習法等を参酌しつつ、「蒙古例」と総称される法典を整備していった。裁判に関しては、一審は旗、二審は盟で行われたが、案件の性質によっては、中央の理藩院や刑部でさらに審理が行われた。このような上申制や、「蒙古例」に対応条文がない場合は「大清律」を援用するという原則に加えて、雍正年間に監候《かんこう》・秋審《しゅうしん》の制度が導入されたことは(萩原 二〇〇六：五二―九〇頁、高遠 二〇一〇)、モンゴルに対する法支配が、基本的に中国内地に準ずる体系に整えられていったことを意味する。ただし、「蒙古例」が制定と同時にモンゴル全域において実効性を有したかというと、必ずしもそうはいえない。ハルハでは、一八世紀前半まで「蒙古例」とは異なる独自の法が制定され続けていた。その多くは「ハルハ・ジロム」(qalq-a ǰirum)に収録されており、そこには、「蒙古例」を部分的に取り入れつつ固有の法と折衷したような条文も見られる。しかし、一七九一年には、乾隆帝の勅に基づいて蒙古例の遵守が命じられ、こうした独自法・折衷法の適用は否定された(萩原 二〇〇六：九一―一一二頁)。

五、社会・文化の変容

都市の形成

一七世紀以前にも、モンゴルの首長が城郭都市を築き、貿易や手工業生産の拠点とする例は、必ずしも稀ではなかった。しかし、清代に入ると、軍事拠点や寺院を核とする比較的大規模な都市が発展してくる。たとえば、一六世紀のアルタン・ハーン時代に築かれたフフホトに隣接して、一八世紀には八旗の駐屯地として綏遠城が建設され、やがて両者は一体化して、現代に連なるフフホト(呼和浩特)の市街を形成した。漠北のウリヤスタイやホブドも、清朝の軍事拠点を基礎とする都市である。一方、漠南のドローン・ノールや漠北のイフ・フレー(現在のウランバートル)は、寺院を核として発達したものである。イフ・フレーの成り立ちは複雑で、元来はジェブツンダムバの坐牀するゲル(天幕)寺院とその付属施設からなるゲル群の駐営(フレー)であったが、一八世紀後半にはトーラ河畔に定着し、漢人商人の集住地区などが形成されて、大都市へと発展していった(佐藤 二〇〇九)。

文字文化

文字文化の面では、一七世紀以降、「年代記」と総称されるモンゴル通史が盛んに編纂されるようになったことが注目される。『アルタン・トブチ』(Altan tobči)、『エルデニイン・トブチ』(Erdeni-yin tobči 蒙古源流)などに代表されるこれらの年代記は、チンギス・ハーンに至る始祖の歴史、チンギス以降の歴代ハーンの事績、同時代の首長たちの系譜情報などを含む。興味深いのは、多くの年代記が、モンゴルのハーンの祖先について、インドからチベットを経てモンゴルに到来したと述べていることで、それらが仏教とチベット語文献の影響を受けて成立したことを示している

（森川 二〇〇七）。

清朝による統治がモンゴルの文字文化に対して直接に及ぼした影響として、文書行政の発達が挙げられる。清朝に従属する以前のモンゴルに文書作成の伝統がなかったわけではないが、盟旗制が整備されると、各旗・盟では、格段に多くのモンゴル語・満洲語の文書を日常的に発受するようになった。文書の処理のため、旗や盟にはビチェーチ（bičigeči）と呼ばれる書記が勤務し、書記を養成する学校が設けられることもあった（シーリン 二〇一一）。このことが一般モンゴル人の識字率を劇的に向上させたとは考えがたいが、文書というものが人々にとってより身近な存在になったとはいえるだろう。

チベット仏教の浸透

清朝の統治下に入る以前の一六世紀後半から、チベット仏教はモンゴルに再伝播し、フフホト一帯のイフ・ジョー（大召）をはじめとする諸寺院や、漠北のエルデニ・ジョーなどが建立された。清朝統治時代に仏教はさらに浸透して、モンゴル全域に、固定家屋の形態をとる一定規模の寺院が建てられるようになった。出家して僧侶となるモンゴル人の数も大幅に増加したと考えられる。また、一七世紀前半までは、チベットの各宗派が競ってモンゴルへの進出を試みていたのに対し、チベットでゲルク派のヘゲモニーが確立し、清朝とゲルク派との間にも提携の構図が作り出されたことにともない、モンゴルの仏教もほぼゲルク派一色に塗り固められた。主要寺院の高位のラマたちは、チベット出身か、モンゴル出身でチベットの大寺院で修行した者であることが多く、彼らを通じて、モンゴルとチベットを結ぶラマの人的ネットワークが形成された。

清朝の歴代皇帝は、北京、熱河、そして漠南・漠北モンゴルの各地に勅建寺院を建立し、仏教の擁護者としての立場を強調するとともに、信任に足ると判断されたラマを北京、ドローン・ノール、シレート・フレー（現在の庫倫旗）、フフホトなどの主要寺院に扎薩克喇嘛《ジャサグラマ》として配置し、仏教を統制するための要とした(池尻 二〇一三)。また、仏教が教育や医療などの面で一定の役割を果たしたことにも、注意を払う必要がある。当時のモンゴルには、寺院を離れて一般牧民とともに生活する僧侶が無数におり、彼らの中には医療に従事する者も少なくなかった。

漢人の進出と農業の普及

清朝時代のモンゴル社会におけるもっとも顕著な変化の一つは、漢人の進出が顕著に見られたこと、そして、少なくとも一部の地域では、モンゴル人自身の生活の中で農耕の占める地位が高まったことであろう。

モンゴルに進出した漢人は、大きく二つのカテゴリーに分けられる。第一は、商人である。彼らの多くは山西出身で、フフホトや張家口などに店舗を構え、ドローン・ノール、イフ・フレー、ウリヤスタイ、キャフタなどの人口密集地に赴いて取引を行った。漢人商人の存在は、日用品・奢侈品の供給という面で、モンゴルの一般牧民や貴族層にとって重要であった。しかし、一方で、彼らが掛け売りを通じてモンゴル人に負債を作らせ、利子を取り立てたことは、社会の不安定化を招いた。第二は、農業移民である。漠南の東南部(ハラチンなど)には一七世紀から漢人が進出して農耕を行っていたが、初期においては、永続的な移民ではなく、男性が単身で夏季に農耕を行い、冬季は長城内に帰るという形態が主であった。農民は地租を納めたので、彼らの到来は各旗のジャサグ・貴族等にもメリットがあった。また、華北が凶作に見舞われた場合、清朝政府が漢人農民の一時的なモンゴルへの避難を奨励することもあった。ところが、農民の進出が漠南東部・南部の広範囲に拡大したことから、一七四八年、乾隆帝は新規移民を禁止する「封禁」を発令する。しかし、この禁令は徹底されず、移民人口と耕地面積は漸次増大した(矢野 一九二五:九八一一八八頁)。

モンゴル人自身による農耕がいつから始まったかは、検証の難しい問題であるが、一九世紀以前において、大興安嶺東南麓やハルハの一部地域などでは、すでに農耕がかなり行われていた。ただし、それは牧畜と併存することを前提とした、灌漑をともなわず天水に頼ってキビなどを栽培する農法であった(吉田 二〇一九:四二九ー四六四頁)。一方、漢人農民の浸透がもっとも著しかった漠南の東南部では、モンゴル人の間にも中国式農耕が普及した。また、ジューンガルの中核部であるイリ河谷などでは、天山以南のオアシス地帯から移されたテュルク系ムスリム農民(タランチ)が灌漑農耕を営んでいたが、その影響を受けて、前述のようにオイラト人の間でも農耕が広く行われていた。

六、清帝国の動揺とモンゴル

一九世紀に入ると、清帝国の秩序は数度の対外戦争や反乱を経て動揺するが、こうした変動のモンゴルへの影響は、どちらかといえば限定的であった。漠南では、漢人農民の流入に歯止めがかからず、強制的な排除は不可能であったため、清朝はすでに一八世紀から、彼らを管理する中国式行政機関を各地に設置していたが、一九世紀にはその範囲がさらに拡大する。庁・州・県といったこの種の機関の設置により、モンゴルの旗の領域は事実上削減されたが、農民からの地租徴収権はなお旗側が保持していた。このような変化はあったものの、総じて一九世紀の間は、盟旗制の根幹が揺らいだわけではなく、「封禁」の原則が撤廃されたわけでもない。清朝が基本方針を転換して政策的な移民──いわゆる「移民実辺」──を推進し、社会秩序が大きく動揺するのは、義和団戦争後の「新政」期のことである。

一方、一八六〇年の北京条約によって、ロシアはイフ・フレーと張家口における領事館設置と通商権を獲得し、キャフターイフ・フレーー張家口を結ぶ通商路にロシア商人が進出するようになった。さらに、一八八一年のサンクト・ペテルブルク(イリ)条約では、ロシア人のモンゴル全域での商業活動が認められた。その結果、特に漢人商人の拠点から遠い漠北では、現地社会に対するロシアの経済的影響が次第に強まっていく。このことは、二〇世紀に入って、漠北モンゴルがロシアとの連携のもとに事実上の独立を果たすことになる背景の一つとして、注意に値しよう。

注

（1）この遠征の際に、チャハルのハーン家が所持していた「大元伝国璽」(制誥之宝)と、フビライ・ハーン時代に作られたというマハーカーラ像がホンタイジの手に落ちたことは、彼が翌年に即位式を行うにあたっての有力な根拠づけとなった。

（2）旧来の三部に加えて、雍正年間にあらたにサイン・ノヨン部が設けられた。これは、トゥシェート・ハン部の一部を分離する形で創設されたものである。

参考文献

池尻陽子(二〇一三)『清朝前期のチベット仏教政策——扎薩克喇嘛制度の成立と展開』汲古書院。

石濱裕美子(一九八八)「グシハン王家のチベット王権喪失過程に関する一考察——ロブサン・ダンジン(Blo bzang bstan 'dzin)の「反乱」再考」『東洋学報』六九巻三・四号。

岡洋樹(二〇〇七)『清代モンゴル盟旗制度の研究』東方書店。

岡田英弘(二〇一三)『康熙帝の手紙』藤原書店。

小沼孝博(二〇一四)『清と中央アジア草原——遊牧民の世界から帝国の辺境へ』東京大学出版会。

加藤直人(一九八六)「ロブサン・ダンジンの叛乱と清朝——叛乱の経過を中心として」『東洋史研究』四五巻三号。

楠木賢道(二〇〇九)『清初対モンゴル政策史の研究』汲古書院。

佐口透(一九六六)『ロシアとアジア草原』吉川弘文館。

佐藤憲行(二〇〇九)『清代ハルハ・モンゴルの都市に関する研究——一八世紀末から一九世紀半ばのフレーを例に』学術出版会。

澁谷浩一(二〇一一)「一七三四—四〇年の清とジューン＝ガルの講和交渉について——キャフタ条約締結後の中央ユーラシアの国際関係」『東洋史研究』七〇巻三号。

シーリン、ケレイドジン・D(錫莉)(二〇一一)「清代外モンゴルにおける書記の養成——東部二盟を中心に」『内陸アジア史研究』

二六号。

高遠拓児（二〇一〇）「清代秋審文書と「蒙古」――十八世紀後半～二十世紀初頭の蒙古死刑事案処理について」『東洋文化研究所紀要』一五七冊。

中村篤志（二〇一一）「清朝治下モンゴル社会におけるソムをめぐって――ハルハ・トシェートハン部左翼後旗を事例として」『東洋学報』九三巻三号。

萩原守（二〇〇六）『清代モンゴルの裁判と裁判文書』創文社。

宮脇淳子（一九九五）『最後の遊牧帝国――ジューンガル部の興亡』講談社。

村上信明（二〇〇七）『清朝の蒙古旗人――その実像と帝国統治における役割』風響社。

森川哲雄（二〇〇七）『モンゴル年代記』白帝社。

矢野仁一（一九二五）『近代蒙古史研究』弘文堂書房。

吉田順一（二〇一九）『モンゴルの歴史と社会』風間書房。

若松寛（一九八〇）「ブリヤート仏教史考証」『仏教の歴史と文化』同朋舎出版。

包呼和木其爾（二〇二〇）「阿勒巴体制下清代内蒙古喀喇沁地区社会結合――以喀喇沁右翼旗為例」『清史研究』二〇二〇年五期。

達力扎布（二〇〇三）『明清蒙古史論考』民族出版社。

Crossley, Pamela Kyle (2006), "Making Mongols", *Empire at the Margins: Culture, Ethnicity, and Frontier in Early Modern China*, Berkeley, University of California Press.

ИМБТ: Институт монголоведения, буддологии и тибетологии СО РАН（ロシア科学アカデミーシベリア支部モンゴル学・仏教学・チベット学研究所）

焦点｜*Focus*

近世後期の大陸部東南アジア

岡田雅志

はじめに

本稿は、「商業の時代」以降の一七世紀から一八世紀の東南アジア大陸部の歴史を扱う。本書「展望」弘末論文で述べられる通り、この時代の評価をめぐっては近年大きな見直しが進んでいる。当初、「商業の時代」の終わりを東南アジアの歴史の分岐点としたリード(Reid 1988 and 1993)に対し、ビルマの社会経済史家であるリーバーマンは、大陸部においては、島嶼部と異なって一七世紀後半の経済危機の影響は軽微であり、一六世紀の政治的混乱、分裂状況を経て、一九世紀前半にいたるまで国家が政治的・経済的・文化的凝集力を高めていく過程が見られるとし、それこそが近代以降の国家のありかたにもつながる部分であるとしている(Lieberman 2003)。そのような見方に立てば、この時代はむしろ大陸部と島嶼部の分岐の時代ということになる。くわえて、一八世紀には、中国市場の需要拡大とそれと結びつく形で東南アジアに展開された中国人商業ネットワークと中国からの移民労働力により、東南アジアの商業が再成長したことが注目されるようになり、リード自身もこの時代を「華人の世紀」として再評価している(Reid 1997)。

この時期の大陸部を論じるにあたって、島嶼部と異なる点として注意すべきなのは、リーバーマンが強調するような社会経済の基盤を農業におき統合を進める国家の存在(リーバーマンは、国内経済を刺激し、国家の財政基盤や政治エリートの経済権益となった対外交易の役割は重視するものの社会経済活動全体の中で占める割合は小さかったとする)に加えて、この地域が中国と陸続きであったという点である。通商と外交を切り離した清朝の政策により、島嶼部では、清朝の政治的プレゼンスはほとんどなかったが、大陸部では領域を拡大する清朝と東南アジアの諸国家との間で衝突が起こった。また、海上に加えて陸上から夥しい数の中国人移民が流入したが、その現象は、中国経済の圏的拡大を伴い、場合によっては海域世界以上に現地の社会や国家に大きな影響を与えるものであった。

そこで、本稿第一節で、「商業の時代」以降の国際商業のパターンの変化と広域の経済変動に対して、大陸部の国家及び社会がどのように対応したかを概観する。続く第二節では、一九世紀に最大の政治支配空間が姿を現す大陸部の三つの地域(今日のミャンマー、タイ、ベトナムにあたる地域)における諸国家、諸政権の政治統合の動きについて、「商業の時代」からの連続性に留意しながら述べる。また、その陰で政治統合が順調に進まなかった周辺政体の動きとその背景についても検討する。最後に第三節においては、内陸山地に視点をおいて、中国市場及び商業ネットワークの拡大と移民の到来に伴う経済・社会の変容を検討し、その変化が従来の政治秩序にどのような影響を与えたかを論じる。この内陸山地世界の歴史については、ジェームズ・スコットによって、山地民が国家統治を避ける技術を発展させた世界(ゾミア)として描かれ注目を集めているが(スコット 二〇一三)、本節では、近年の日本における研究に基づき、スコットが論じたものとは異なる、よりダイナミックなこの時代の山地社会像を示す。以上により、流動化と統合が交錯するこの時代の大陸部の特徴を描きだすことを目指したい。

一、辺境の躍動

域内交易の発展とフロンティア開発

清の安定した支配やメキシコ銀の安定的流入を背景に中国の経済が成長し、一八世紀に入ると清の人口は急激に増加してゆく。それに伴い、消費物資の需要が大きく拡大した。おりしも一七世紀末の遷界令解除により、互市体制の下、海上交易が開放され、大量の中国船が商品を買い付けに出海することになる。さらに、高まった人口圧は、海外や内陸のフロンティアへ人の流れを作っていったが、こうした流出人口の受け皿となったのが、土地、資源に比して人口が少ない東南アジアであった。

中国商業ネットワークの拡張と移民の増大は、既存の政治領域の周辺であったメコン・デルタからシャム(タイ)湾沿岸のフロンティア地域に新たな政治・社会空間を生み出した。既存の強力な政治権力が存在しないことが、むしろヒトとモノの自由な移動を促し、新しい発展を後押しした(Li Tana 2004)。従来の定住華人はアユタヤなどの(港市でもある)王都にコミュニティを築いていたが、一八世紀になると、ハティエンやソンクラーなどの港市が、中国市場向けの商品生産の集荷センターとして台頭し、そこに華人による新たな港市政体が生まれた。一七世紀末に広東出身の鄚《マク》《ばく》氏が治めたハティエン(中国史料で港口国として現れる)は、メコン上流域の森林産物や、華人が生産した商品作物、銀などの集散地として繁栄した港市で、地域内の国際関係にも大きな役割を果たすことになる。また、シャム湾沿岸に入植した華人集団は、同じく華人の父を持つタークシンがトンブリー朝を建てる後ろ盾となった。

中国市場と商業ネットワークの拡大に対して、資源の流出などを危惧した日本では、厳格な貿易管理、制限を実施したが、東南アジアの諸政権は、遷界令解除後、清が公認した中国商人の渡航を、落ち込んだ財政を立て直す機会として歓迎し、中国市場を意識した貿易政策、交易品管理の施策をとっていった。東南アジア華人社会での反清復明活動の高まりを警戒した清は、一七一七年より一時中国船の東南アジア渡航を禁止した。しかし、中国での人口増加による食糧不足が問題となり、一七二〇年代からシャムからのコメ輸入が奨励されるようになると、一七二七年、禁令が解かれ、中国船の渡航は益々盛んとなった(岩井 二〇一〇)。それに伴い、シャムの対外交易の比重は中国向けに傾いてゆき、プラクラン(国内外の交易や外交を司る大臣で宮廷内においても大きな政治的影響力を持っていた)など、それまでムスリムが多かった交易にかかわる官職に華人が就くことが増えていった。シャムでは、その後、華人の入植が増加し、コメに加えて彼らによる中国向けのサトウキビの栽培、砂糖生産が盛んになってゆく。

このような中国市場の拡大を背景とする商業の活性化は、中国以外の商人の活動も活発化させた。一七世紀後半以降、オランダの干渉もあって、インド・西アジア商人、ブギス人商人の活動は大陸部沿岸にも広がっていく。一八世紀後半からはカントリートレーダー(自由貿易商人)もそこに参画し、ペグー(バゴー)、テナセリウムなど環ベンガル湾地域の交易センターが繁栄した。一七世紀末以降のペグーの外港シリアムとマドラス間を往来する船舶数は、「商業の時代」のそれよりも圧倒的に多く、域内交易向けの造船業もさらなる発展をとげた。上ビルマのアヴァ(インワ)は、中国との内陸交易と海上交易の結節点の役割を果たした。チーク材などを集荷し、沿岸港市に輸送する拠点であると同時に、上ビルマで中国向けに栽培された綿花を雲南からの隊商が待つバモーへと送り出す集荷センターとなった(Lieberman 2003: 167-172; Symes 1800: 376-379)。

現地政権の対応

「商業の時代」以降の貨幣経済の浸透に伴い、一部の内陸地域も含め、土地担保、信用貸し、契約請負といった商業慣習の形成が進んでいった。それに対応した国家の徴税システムの変更が必要となり、現物納から現金納への転換や徴税請負が進んだ(Lieberman 2003)。物産収集においても、これまでの貢納、賦税に加えて、生産請負や商人を通じた政府買付による収集が進んだ。例えば、漢方薬の基本的な原料の一つである肉桂(シナモン)の需要が増えると、産地を抱えたベトナム北部の黎鄭《レー・チン》《れいてい》政権は、一七二〇年に肉桂及び銅を専売制の対象とし(榷桂《かくけい》、榷銅《かくどう》)、流通の独占を図ったが、これも専売の許可権を商人が買い取るものであり、一種の徴税請負である。なお、黎鄭政権下において専売制が実施されたのは肉桂、銅に塩を加えた三品目のみであり、当時においていかに肉桂が経済資源として重視されていたかがわかる。ただし、内陸からの密輸が容易であったため、肉桂の専売制は有効に機能せず、山地の首長に採集を請け負わすこととなった。広南阮《クアンナムグエン》《こうなんげん》氏政権は交易品毎に生産・採集の専門集団を置いていたが、一九世紀の阮朝下では、中国商人を通じた徴税請負や政府買付が増えていった(Okada 2021)。ソンクラーに華人政権を立てた呉《ご》氏も燕巣の徴税官であった。このように、貨幣経済の進展とフロンティアでの資源開発の増大を背景に、現地の政権が国内経済資源の掌握に華人を積極的に利用したため、華人の現地経済への関与は一層強まっていった。

二、近世国家の政治統合とその影

前述の通り、政治的統合の進展という視点から見れば、近世の東南アジア大陸部において、一六世紀後半の一時的崩壊を経て統合に向かうという流れは共通しており、島嶼部で起こったような「商業の時代」の終焉によるグローバルな経済変動による大きな政治的混乱はなかった。これは大陸部の諸国家が、財政面では海外貿易に依存しつつも、国内の社会経済活動領域全体についてみれば、農業が圧倒的であったことが主な要因であるとされる(Lieberman 2003)。そして、中核となる農耕地域を基盤に統合を続けたのが大陸部西部のビルマ、中央部のシャムであり、そして東部の大越《ダイベト》《だいえつ》では南北に分立した政権が統治領域を拡大し、国内の行政能力を拡張させ、集権化を進めた。

領域統合

大陸部各地域の領域統合の進展を大まかに述べると以下のようになる。大陸部西部のタウングー朝では、バインナウン王の時代(一五五〇―八一年)に、チェンマイ、アユタヤ、ウィエンチャン、シプソンパンナーを攻略し、アラカンを除く現在の上・下ビルマにほぼ匹敵する地域を支配するという大統合を実現した。バインナウン王は、上ビルマのタウングーから海上交易に有利な下ビルマのペグーに遷都した。しかし、バインナウン王の死後、拡張しすぎた領土を維持できなくなったタウングー朝は急速に弱体化し、アラカンとタウングー領主の軍によりペグーは破壊され崩壊する(一五九八年)。その後、バインナウン王の子ニャウンヤン(在位一五九七―一六〇六年)が建てたアヴァ王国(第二次タウングー朝)の下で、上ビルマの平原地帯を中核に、上・下ビルマの統合が復活する。

中央部では、一五九〇年にビルマからの独立を果たした後期アユタヤが、河川交通により南シナ海とベンガル湾を結ぶ内陸港市国家として、「商業の時代」に殷賑《いんしん》を極めた。ただし、北部ではビルマの政治的影響力が強かったことや、交易志向が強かったこともあり、ビルマのような目だった領域拡大は見られなかった。東部のナコーンラーチャ

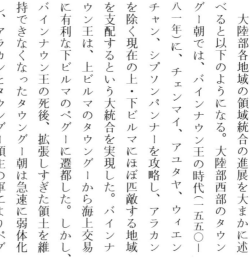

シーマーやマレー半島では、地方国主が大きな自律性を有していた(Lieberman 2003)。

大陸東部では、一六世紀の莫《マク》《ばく》氏による黎《レー》朝からの帝位簒奪に始まる政治混乱の中で、再興した黎朝を支えた武人勢力が対立し、北部ハノイで黎朝皇帝を奉じ実権を握った鄭氏(黎鄭政権)と、ベトナム中部に下り自立化した広南阮氏の二つの武人政権が並立し激しく争い、政治的な分裂状況が一八世紀まで続いた。北部、南部の統合が進まなかったのは、エーヤーワディ、チャオプラヤーのような南北を結ぶ主要河川が存在しなかったことや、南北の政権がともに海上にアクセスできたからではないかと考えられる。しかし、この間、キン(ベト)人の支配空間は、確実に広がっていった。阮氏政権は中南部のチャム人政体を圧迫しつつ南に拡大し、特に鄭氏との停戦が成立した一八世紀半ば以降、華人入植勢力も利用しながら、クメール人やマレー系住民の生活空間であったメコン・デルタへ本格的に進出していくことになる。北部では、ハノイを追われた後、高平《カオバン》に拠って対抗した莫氏や、黎朝再興時の功績により世襲支配することを許された武《ヴー》《ぶ》氏が紅河《ソンホン》《こうが》平原を取り囲む山間地域に割拠しており、鄭氏の支配域は紅河平原周辺にとどまった(八尾 二〇〇一)。

行政改革による集権化

このような領域統合が進んだ背景には、新式火器軍事力の配備に加えて、各政権において、王都に権力と資源を集中する行政制度の改革があったことが指摘されている(Lieberman 2003)。第二次タウングー朝と後期アユタヤ朝で共通して見られたのは、王の競争者となりうる王族の要地派遣を停止して王都にとどめ、代わりに中央から官僚を派遣するという改革である。ニャウンヤン王からタールン王の治世(一六二九—四八年)にかけての第二次タウングー朝では、高位王族(バイン)が事実上世襲統治を行っていた重要城市に、主に平民出身で中央から派遣される知事(ミョウ・ウン)を派遣し、かわりに王族らは、王都周辺の知行地を与えて宮廷の官職につく下位王族(ミョウザー)に再編された。さらにミョウ・ウンは、中央の国務院(フルットー)の管轄下に置かれ、さらに軍司令官(シッケー)・目付け(ナーガン)を派遣することで中央の統制から外れないようにした(石井・桜井 一九九九:二八五―二八七頁)。アユタヤ朝においても、従来、高位王族が地方国主(チャオムアン)となり、地方の人事権を握って自立化する傾向があったところ、後期アユタヤでは、高位王族は王都に留め、地方国主以下の役職を中央が任命し、形骸化していた目付け(ヨックラバット)を機能するようにすることで、地方の自立化を防ごうとした(Lieberman 2003: 247, 278-279)。

大陸部東部では、北部、南部ともに清化《タインホア》地方出身の武人集団が統治の中核を担ったため、黎朝の官僚機構は形骸化し、地方支配においても有力武人の幕営支配の性格が強かった。しかし、鄭氏、阮氏の停戦状況が成立した一七世紀中頃より、南北の政権ともに内政の拡充のために文人官僚の登用を進めた。北部では、紅河平原の文人層を鄭氏王府の官僚として大量に登用し、中央・地方の統治機構を充実させてゆき、中央には黎朝の六部にならった六番が置かれ、王府官僚が黎朝の官職を兼ねる形で、黎朝皇帝の権威と鄭王の統治が並存する二重構造が整序されていった。中南部の阮氏政権も、中央の三司(後に六部)や、営(軍営に由来する地方行政府)の書記官(記録・該簿)として文官登用を拡大していった(上田 二〇一九:七八―一七五頁、八尾 二〇〇一)。

また、政権が支配領域内の人的資源、経済資源を掌握するための努力も進んだ。ビルマとシャムの王権の下では、何らかの賦役労働力によって王に仕える王民(専門職能集団であることが多い)と、その他の住民という形で人丁把握が行われていたが、一七世紀前半に、王民の囲い込みと管理の厳格化が試みられた。第二次タウングー朝では、下級レベルの地域有力者ダヂーの世襲権力を承認する代わりに、彼らを通じて全平野地域の王民(アフムダーン)やその他の平民(アティー)などの人的資源や租税の管理が図られた(ダヂーに、出自、支配領域等を記したシッターンと呼ばれる調書を提出させた)(石井・桜井 一九九九:二八五―二九三頁、Lieberman 2003)。後期アユタヤ朝では、一七世紀初頭に、産物税、通行税、市場税を設けたほか、王国が徭役に徴発できるプライ・ルアン(王の壮丁)の丁数調査を行い、プライの統括責任者として、地域の有力者を丁長(ムンナーイ)に任命した。そしてプライは中央の王族が統轄するクロム(省)の管轄下におかれた(飯島・小泉 二〇二〇:一七五頁、Lieberman 2003: 279-282)。

大陸部東部の北部では、一七世紀後半以降、田地・人丁調査を行い、均田制度の復活が目指された。政権と村落の間で利を食《は》む中間権力を排除することが目的であったとされる。しかし、他地域に比べ、労働集約的な農業開発が進み、自律性の高い村落共同体が成立していた同地域では、事実上の村請けに近い形が取られたため、公田は事実上の村落共有田となり、私田と人丁税を中心とした徴税体系として再編された(八尾 二〇〇一:二四四—二四八頁)。そして特定村落の税収を官僚の俸給として割り当てることで(禄社制)、官僚機構維持の財政基盤とした(上田 二〇一九:七八—一七五頁)。以上のような改革に共通しているのは、当時増大していた識字エリートを下級官僚として活用したことである。それによって人的資源、経済資源が記録され、王に仕える官僚群を創出し、命令系統が明確化された文書行政により国政が運営されることによって、王(都)に権力と資源が集中することが目指された(第二次タウングー朝で中央の枢密院(ビエダイ)を基幹とした文書行政の整備が進められた)。

周辺政体の動向

以上のような、大国化してゆく三つの地域の陰で、周辺の諸政体の政治統合は干渉を受けることとなった。「商業の時代」のカンボジアは、アンコールではなくより交易活動に優位なメコン沿岸(トンレサップ湖からメコン川に流れるトンレサップ川の河口付近)のプノンペンが森林産物の集散地として繁栄した。しかし、そこには、メコン川を挟んで西側のウドン(トンレサップ川西岸)と東側のスレイ・サントー(メコン川東岸)の二つの政治経済中心があり、時代によっていずれかに王都が置かれる、あるいはそれぞれに王が並立する状態が存在した。一七世紀後半以降、メコン・デルタに入植した華人勢力と広南阮氏が結びつき、対外交易を押さえると、海へのルートを失った両勢力のうち、スレイ・サントー勢力は消滅し、ウドンも、王位を争う勢力がそれぞれ、交易の利害とも結びつき、メコン流域への進出を狙うシャムとベトナムの後援を得ようとして両国の干渉を招くことになった。その後、一八四五年のシャム−ベトナム戦争の講和によりベトナムがプノンペン周辺から撤退しシャムの後援の下アンドゥオン王がウドンで即位するまで抗争状態が続くことになる(カンボジアがフランスの保護国となったのは両国の影響力を排除するためでもあった)(北川 二〇〇一:一三九−一五六頁)。

タイ系の人々がムアンと呼ばれる盆地政体を形成していた内陸山地でも、大国の伸張の下、内部の政治分裂が進むカンボジア同様の状況があった。特に、王族の分封(タイ語で「ムアンを食《は》む」を意味するキンムアンという表現で史料上現れる)や姻戚関係によって緩やかにつながっていたムアン連合は、山間地という自然条件にあって内部統合はすすみにくく、各ムアン間は、しばしば、上位権力の認証庇護による安定を求め、多重帰属も当たり前であった。一四−一六世紀前半にかけてのラーンナーなどタイ系ムアン連合諸国の拡大と繁栄は、灌漑農業技術、内陸交易の活発化などとあわせて、こうした柔軟な政治的結びつきにより実現された。ムアン諸国の間では、上座部仏教を核とする共通の文化圏(タイ文化圏)が形成された。

しかし、周辺の国家が強大化する中で、多重帰属を是とする柔軟さは遠心力として働いた。一六世紀半ばにタウングー朝によりタイ系ムアン諸国の大部分が征服されて以降、(実質的支配は一時的であった地域においても)ビルマの政治的影響が大きくなった。ラーンナーなどはかつて明から伝わった火器によって軍事的に強勢を誇ったが、タウングー朝が海上より伝わったヨーロッパ式火器を大量に配備したことにより軍事力は逆転した。モーガウンなどサルウィン川以西のシャン高原の諸ムアンは以後、ビルマ王権の影響下に入り、ソーボワー(藩侯)と呼ばれた国主達の権力は次第に削減されていった(石井・桜井 一九九九:一三九−一四一頁、Lieberman 2003: 161)。

雲南西部のシプソンパンナーでは、タウングー朝に敗北して以降、従来の中国に対する朝貢に加えて、ビルマにも貢納を行うようになった（パンナーはビルマに対する貢納単位で、王国名は「一二の貢納単位」を意味する）。その後も、中国、ビルマ双方から現地支配者と認められ（中国を父、ビルマを母として敬慕したという表現が年代記に出てくる）、双方に朝貢する状況が続き、少なくとも初期において両属はチェンフンを中心とする安定化に寄与した。さらに一八世紀には漢人移民の進出の後を追うように清朝の干渉が強まり、清ビルマ戦争が起こり、両属の安定性は失われてゆく（加藤 二〇〇一、ダニエルス 二〇〇四）。

ラーンナーは、タウングー朝の征服以後、ビルマに臣従することとなった。ラーンナーの中心のチェンマイは内陸交通の要衝であり、ビルマは対アユタヤ戦の軍事拠点として、また内陸交易の利をビルマにもたらすためにもラーンナーの支配を重視した。また、当時、独立傾向を強めていた北部のチェンセーンと旧来の中心チェンマイのそれぞれがシャム、ビルマの権力を利用しようとして、両国の干渉を強めることになった。一七世紀後半には、チェンマイの太守に代わってビルマ人知事ミョウ・ウンにより統治されるようになり、一八世紀初めには、ビルマはチェンセーンを切り離し、ラーンナーの北部と南部を分割支配するにいたった。第二次タウングー朝の末期には一時自立し、モン人勢力と同盟してアヴァを陥落させるものの、コンバウン朝の攻撃を受け、一七六三年、再びビルマの支配下に入った。その後、トンブリー朝、バンコク朝の勢力が拡大する中で、ランパーン出身のカーウィラがシャムの朝貢国としてラーンナーを復興したが（カーウィラ朝）、バンコクへの依存を徐々に強めていくことになった（加藤 二〇〇一、飯島・小泉 二〇二〇：九〇—一三三頁）。

ラーンサーンは、タウングー朝の攻撃を度々退けたが、一五七五年のウィエンチャン攻撃により属国となった。タウングー朝が混乱した一六世紀末にその影響力から脱し、一七世紀にはスリニャウォンサー王の下で、安息香、金、ラックカイガラムシなどの稀少商品の交易により繁栄し、オランダ東インド会社の使節も訪れた。しかし、一八世紀に入ると、北部のルアンパバーン、南部のチャンパーサックが自立し、ルアンパバーンは清朝に朝貢を行い庇護を求めるようになる。さらに、カンボジアと同様、シャムとベトナムが影響力を競う中で、内部の勢力争いがさらなる干渉を呼び込んだ。タークシンによるメコン中・下流域の遠征により、チャンパーサック、ナコーンパノム、ウィエンチャンはシャムに服属し、ルアンパバーンも朝貢国となった（ただし、ルアンパバーンは同時にベトナム側にも庇護を求めて朝貢した）。その後、バンコク朝（ラタナコーシン朝）においても、メコン左岸（東岸）の住民を大量に強制移住させ、メコン右岸地域（現在のタイ東北地方）の「領域化」を進めてゆく。こうした動きに対し、アヌ王は、一八二八年に、バンコクに対して反攻に出るが、シャム軍に敗れ、ウィエンチャンは滅亡した（Mayuri and Pheuiphanh 1998）。

以上見てきた周辺政体においても、集権化や経済資源管理強化の試みが進められていた。しかし、森林産物など中国市場向け商品の生産地を抱えたこれらの地域が、近隣の強国の力を利用しながら、地域内の統合を進めようとしたとき、強国の干渉を強め、多重帰属は経済的にも負担となってのしかかることとなった。メコン流域の支配権を巡ってシャムとベトナムとが争った背景の一つにはカンボジアのカルダモン山脈に産するショウズク（カルダモン）やラオスの安息香など森林資源の交易利権の獲得があったとされる（Puangthong 2004）。他方、大国の圧迫により海上交易のアクセスを失ったカンボジアと異なり、内陸山地のムアン諸国は、華人の進出により対中陸上交易が一層盛んになっていたにもかかわらずその利を十分に生かすことができなった。そこには、周辺国家の伸張のみならず、次節で述べる内陸フロンティアにおける社会変動があった。

三、「華人の世紀」における内陸フロンティア

内陸山地の開発

亜熱帯雨林とモンスーン林が混交する内陸山地は、森林産物の宝庫であり、また、豊富な鉱産資源も眠っていたた

め、一八世紀には、多くの華人が流入し、鉱産資源、森林産物、茶、綿花などの流通や生産労働に携わった。中国と陸続きであるがゆえに、中国内地経済と一体となった開発が進展した。

特に、近世アジア最大規模の産出量を誇ったとされる聚竜《しゅりゅう》《トゥロン》銅山や送星《そうせい》《トンティン》銀山、ボードウィン銀山など貨幣素材を生み出す銅、銀鉱の存在は、広域の政治・経済と連動しながら、同地域の重要性を高めることとなった。中国市場の成長は、貨幣需要を増大させ、それに対して日本が一七一五年の長崎新令により銅の輸出制限を行ったことで、雲南〜内陸山地にかけての鉱山開発は急速に進展することとなった（上田 二〇〇六）。

大規模鉱山開発は多くの中国人鉱山労働者を惹きつけ、彼らの生活を支える各種職業の人々とともに各地に鉱山町が形成されていった。聚竜銅山、送星銀山、ボードウィン銀山ではそれぞれ数万から十万人以上の鉱山労働者が働いていたとの記録があり、くわえて鉱産資源を取引する商人、鉱山町で生業を立てる様々な職種の人々が、人口希薄な山地世界に流入した。鉱山開発に伴い、大量の鉱産物を輸送するための交通路の整備がなされたことで、恒常的な商業網が各地を結びつけ、鉱産物の取引だけでなく、ヒト、モノの移動が一層活発化した。また、鉱山社会の消費需要を満たすために、周辺地域における薪炭・食料・衣料品などの小規模交易も盛んとなった。さらに多くの商業資本が投入される中で、中国あるいは域内の需要に対応したさまざまな副次的事業が発生した（武内 二〇一〇）。内陸山地に雲南で需要が増大していた綿花栽培が急速に拡大していくのもこの時代である。

他方、鉱山開発は、森林破壊や、土壌流出、水質の汚染など、環境に大きな負荷を与えた。坑道建設や精錬に必要な燃料として大量な木材を消費した（野本・西川 二〇〇八）。聚竜銅山では銅廠から歩いて一、二日の距離に炭場を作らねばならなかったという。当地の社会にとって、鉱山開発と華人の移住は、経済的恩恵を生み出し、経済的交換を活発化させるものであっただろうが、山林や渓流を、資源収奪の場とみる移住集団と、そこから持続的に利益を享受し、社会環境の一部としている在来社会の間には深刻な価値観の対立が横たわっていた。

森林産物についても乱獲が問題となった。たとえば、最高級の肉桂(シナモン)が取れることで知られていたベトナムのタインホアの内陸山地では、華人商人が殺到したために、指の大きさほどの肉桂も残っていないと史料に書かれるほど徹底的に乱獲された。また、この乱獲でベトナム産肉桂の流通が減少したことにより、広州の後背地での肉桂栽培が拡大し、日本での肉桂国産化が進んだ(岡田 二〇二〇)。他方、山地社会の側では、森林産物の生産・流通に積極的に関与する集団も出る一方、森林保護や外部者の侵入を禁止する共同体規約を制定するなど、過剰開発に対抗する動きもみられた(野本・西川 二〇〇八)。このように、中国市場の拡大に伴う開発の進展は、各地の森林、資源利用にも影響を与えた。

新来山地民の台頭と山地社会の変容

華人の同地域への進出は、山地経済の活発化とともに山地資源の過剰開発をもたらしたが、この時期に内陸から移住してきたのは華人だけではなかった。華人の内陸地域への移住は清の領域内で先んじて進んでおり、その過程で華人(漢人)の経済進出や清朝支配の浸透の中で、よりよき居住環境を求め、あるいは政治的圧迫を逃れるために東南アジアへ移住してきた山地民(ミャオ、ヤオなど)も多かった。

新たな集団の移住により、従来の山地社会秩序の再編が促された。内陸山地の多くの地域では、盆地空間で定住水田耕作を営むタイ系住民と山腹において安定的な循環型焼畑耕作を行う非タイ系住民(モン・クメール系など)という高度による棲み分けに基づく共生関係が築かれていた。そこに新たに移住してきた華人や山地民は農業生産性の低い未開発の高地で生活基盤を形成せざるをえなかった。循環型の焼畑に適した耕地が残されていないため、彼らは、トウモロコシなどの新大陸作物を栽培したり、棚田を切り開き集約的農業を行うなどして対応したが必ずしも安定したものではなかった(一九世紀にアヘン需要が高まると雇用労働を用いた集約的なケシ栽培も行われるようになる)。東南アジアに移住してきたミャオ、ヤオの居住域がわずか一世紀程度のうちに東南アジア大陸山地の大部分に広がったのは残された居住空間が限られていたためよりよい環境を求めて移住を重ねたということが一因と考えられる。

また、新来山地民の中には早期の漢族との接触により、鍛冶、農業等の様々な技術に習熟した集団も多く、森林資源の交易などを通じて漢族の商慣習や貨幣経済になじんでいた。そのため、華人とともに、新来山地民も、同地の経済を中国市場と結びつけ、成長させる上で重要な役割を果たした。そして、そのことは、盆地を中心とした経済構造を侵食することにもつながった。従来、周辺の山腹の住民が採集した森林産物は、盆地の首長に貢納したり、外部の商人が訪れる盆地の市場に運び込まれるなどし、盆地を介して外部市場に搬出されるのが一般的であったが、新来の華人や山地民が多数移住し、中国商人が恒常的に訪れるようになると、小規模なマーケットタウンや定期市のネットワークが形成され、盆地権力による流通の掌握が困難になった。また、商人が山腹の旧住民を含め採集者から直接買い付けるパターンも増加することになる。このように域内の物産の集散地としての盆地に成立したムアン権力の商業上の(外部者と山腹の民との仲介者としての)役割は相対的に低下することになった。また、経済機会の拡大と社会不安の増大は盆地住民の域外移住も増加させた。さらに、鉱産資源が枯渇すると、失業した鉱山労働者が野盗化し、ひとたび反乱が起きると彼らが糾合されるなど治安状況は悪化していった(岡田 二〇一二)。

盆地政体の動揺と山地の新秩序

以上のような社会環境の変化に伴い、地域全体の政治秩序も大きく変化した。前述のように、従来この地域の政治秩序の中心であったムアン連合諸政体にとって、一八世紀は、中国から移住の波と、低地国家の伸張との間で対応を迫られる試練の時代であった。清朝がシプソンパンナーに対する政治的干渉を強めたのは、領内で山地民が開発していた茶樹園に入り込んで重利を搾取しようとした中国商人を山地民が襲殺するという事件に端を発し、シプソンパンナーの王族を巻き込んだ反乱が起こったためであった（ダニエルス 二〇〇四）。また、一七六五年に始まる清ビルマ戦争は、雲南とビルマの境界付近にあったムアンの一つ耿馬《こうま》の両属問題が発端であったが、そもそもはビルマで反乱を起こし当地に逃げてきた華人鉱山労働者の頭目宮裡雁《きゅうりがん》が失業者や山地民をあつめてシプソンパンナーを攻撃したことがきっかけとなり両属が問題視されたのであった（鈴木・荻原 一九七七）。このように、移住者流入による社会の流動化に対応できなかったムアン国家は、低地国家への従属あるいは依存を強めてゆくことになった。

当時の移住者達はマスケット銃などの火器によって武装した軍事集団でもあり、特に山地民は、早期の漢人との接触により、火器の扱いや火器製造に必要な鍛冶技術に習熟していた上に、地形を利用した戦術にも長けていた。ムアンの首長は、彼らを傭兵として雇い、軍事力を強化したが、一方、山地民による盆地の略奪も頻発し、前述のように経済利権をめぐって争いが起こり、政治混乱を招くことが多かった（岡田 二〇一六）。このような状況の中で、一八世紀の内陸山地には、それまでと異なる政治統合の動きが見られた。前述の宮裡雁政権、トンペーンと称する首領を戴く山地民ドァアーンの政権、雲南西南部のラフ族仏教徒の五仏《ごぶつ》政権、内陸交通の要衝ムアン・タイン（現ディエンビエンフー）を拠点としたキン人の黄公質《ホアンコンチャット》《こうこうしつ》の政権などである。いずれも、華人・山地民の移民集団が深く関わっている点、新たな経済変化を背景としている点で共通している。これらの政権はほとんどが短期間で消滅したが、山地民社会に王や国家の概念を植え付け、山地民が大規模な社会集団を編成する際の象徴的理念を提供した（片岡 二〇一四）。

おわりに

以上見てきたように、一八世紀の大陸東南アジアでは、中国市場の拡大により交易が活発化し、人口急増を背景とする華人の大量流入により、沿海及び内陸のフロンティアにおいて多くの中国市場向けの産品の開発が進展し、そのことがさらに交易を活性化させるという構造が生まれることとなった。一七世紀後半の経済危機を乗り切った大陸部の諸政権は、「商業の時代」から進展する貨幣経済化にも対応する形で、行政システムを精緻化し、中央集権化を進めることになる。こうした試みは一八世紀半ば以降の政治混乱で頓挫するものの、その後西山《タイソン》朝やトンブリー朝による短期の統合を経て、フロンティア地域も包摂する大統合を成し遂げたコンバウン朝、バンコク朝、阮朝に引き継がれてゆく。

他方、大国化する三地域の周辺、特に内陸のムアン政体は、大国の伸張に加えて、内陸フロンティアで生まれた新たな社会動態に直面していた。一八世紀の内陸山地で生じていた、華人商業ネットワークと結びついた新来山地民の台頭や、新興権力の形成などといった状況は、スコットが主張する国家を逃避する社会像とは大きく異なるものであった。そしてこうした諸変化に十分対応できなかったムアン政体の多くは衰退の道を歩むことになる。内陸フロンティアは、一九世紀以降も、中国経済と結びつき、ルアンパバーンなど各地のムアンを壊滅させたホーなどの、より暴力的な武装集団を呼び込んだ。今度は、この地域を統合していった大国が、不安定さをその内に抱えたまま、植民地化へと向かっていくことになるのである。

参考文献

飯島明子・小泉順子編（二〇二〇）『世界歴史大系　タイ史』山川出版社。

石井米雄・桜井由躬雄編（一九九九）『新版　世界各国史5　東南アジア史Ⅰ　大陸部』山川出版社。

岩井茂樹（二〇一〇）「「華夷変態」後の国際社会」荒野泰典・石井正敏・村井章介編『日本の対外関係6　近世的世界の成熟』吉川弘文館。

上田新也（二〇一九）『近世ベトナムの政治と社会』大阪大学出版会。

上田信（二〇〇六）『東ユーラシアの生態環境史』山川出版社。

岡田雅志（二〇一二）「タイ族ムオン構造再考――一八―一九世紀前半のベトナム、ムオン・ロー盆地社会の視点から」『東南アジア研究』五〇―一。

岡田雅志（二〇一六）「山に生える銃――ベトナム北部山地から見る火器の世界史」秋田茂・桃木至朗編『グローバルヒストリーと戦争』大阪大学出版会。

岡田雅志（二〇二〇）「肉桂と徳川期日本――モノから見るグローカルヒストリー構築へ向けて」秋田茂・桃木至朗編著『グローバルヒストリーから考える新しい大学歴史教育――日本史と世界史のあいだで』大阪大学出版会。

片岡樹（二〇一四）「山地民から見た国家と権力」クリスチャン・ダニエルス編『東南アジア大陸部 山地民の歴史と文化』言叢社。

加藤久美子（二〇〇一）「山地タイ人国家」『岩波講座 東南アジア史3 東南アジア近世の成立』岩波書店。

北川香子（二〇〇一）「ポスト・アンコール」桜井由躬雄編『岩波講座 東南アジア史4 東南アジア近世国家群の展開』岩波書店。

スコット、ジェームズ・C（二〇一三）『ゾミア――脱国家の世界史』みすず書房。

鈴木中正・荻原弘明（一九七七）「貴家宮裡雁と清緬戦争」『鹿児島大学史録』第一〇号。

武内房司（二〇一〇）「地方統治官と辺疆行政――十九世紀前半期、中国雲南・ベトナム西北辺疆社会を中心に」山本英史編『東アジア海域叢書1 近世の海域世界と地方統治』汲古書院。

ダニエルス、クリスチャン（二〇〇四）「雍正七年清朝によるシプソンパンナー王国の直轄地化について――タイ系民族王国を揺るがす山地民に関する一考察」『東洋史研究』第六二巻第四号。

野本敬・西川和孝（二〇〇八）「漢族移民の活動と生態環境の改変――雲南から東南アジアへ」クリスチャン・ダニエルス責任編集『論集 モンスーンアジアの生態史 地域と地球をつなぐ2 地域の生態史』弘文堂。

八尾隆生（二〇〇一）「収縮と拡大の交互する時代――一六―一八世紀のベトナム」石井米雄編『岩波講座 東南アジア史3 東南アジア近世の成立』岩波書店。

Li Tana (2004), "The Water Frontier: An Introduction", Nola Cooke and Li Tana (eds.), *Water Frontier: Commerce and the Chinese in the Lower Mekong Region, 1750-1880*, Singapore: Singapore University Press.

Lieberman, Victor (2003), *Strange Parallels: Southeast Asia in Global Context, c. 800-1830*, vol. 1: *Integration on the Mainland*, Cambridge: Cambridge University Press.

Mayoury Ngaosyvathn and Pheuiphanh Ngaosyvathn (1998), *Paths to Conflagration: Fifty Years of Diplomacy and Warfare in Laos, Thailand, and Vietnam, 1778–1828*, Ithaca: Southeast Asia Program Publications, Cornell University.

Okada, Masashi (2021), "The Link Between Global Market Change and Local Strategy: The Case of Vietnamese Cinnamon in the Eighteenth and Nineteenth Century", Shigeru Akita, Hong Liu and Shiro Momoki (eds.), *Changing Dynamics and Mechanisms of Maritime Asia in Comparative Perspectives*, Singapore: Palgrave Macmillan.

Puangthong Rungswasdisab (2004), "Siam and the Contest for Control of the Trans-Mekong Trading Networks from the Late Eighteenth to the Mid-Nineteenth Centuries", Nola Cooke and Li Tana (eds.), *Water Frontier: Commerce and the Chinese in the Lower Mekong Region, 1750–1880*, Singapore: Singapore University Press.

Reid, Anthony (1988 and 1993), *Southeast Asia in the Age of Commerce 1450–1680*, 2 vols, New Haven and London: Yale University Press.

Reid, Anthony (1997), "Introduction", "A New Phase of Commercial Expansion is Southeast Asia, 1760–1840", Anthony Reid (ed.), *The Last Stand of Asian Autonomies: Responses to Modernity in the Diverse States of Southeast Asia and Korea, 1750–1900*, London: Macmillan Press.

Symes, Michael (1800), *An Account of an Embassy to the Kingdom of Ava, sent by the Governor-general of India, in the Year 1795*, London: W. Bulmer and Co. Cleveland-Row, St. James's.

コラム | *Column*

近世ビルマの借金証文と訴訟文書

斎藤照子

半世紀も前のこと、駆け出しの研究者としてビルマに滞在していた時、知り合いにピクニックに誘われるとそれはほとんどがパゴダ（仏塔）巡りや僧院訪問だった。パゴダも僧院もビルマの風土に溶け込んで美しい景観を作っているし、パゴダの境内には仏像のみならず、様々な摩訶不思議な像や電飾が施され、独特な雰囲気が楽しい。僧院では朝の托鉢から戻ったお坊さんたちと一緒に食事を頂くこともあったが、板の間にずらっと並ぶ副菜の品数の多さと美味しさに驚かされた。

年齢を重ねた今は、僧院というとまず経典庫が気になる。経典庫に保管されていた文書には、経典類だけではなく、ビルマ近世の人々が書き残した様々な記録が含まれていることを知ったからだ。一八―一九世紀のビルマでは、シャン高原で作られる厚紙を折り畳んで持ち運べるようにした帳面（パラバイッ）が広く中央平野部の庶民の間に普及した。このパラバイッの中に人々は、暮らしに絡んだ大切な記録、借金証文、訴訟の顛末、相続をめぐる約束、税や水利費の分担リストなどを書き込んでいた。

それにしても地域の僧院の経典庫に経典ならぬ人々の暮らしに直結する世俗の記録が保管されていたのは何故だろう。証文は当事者のほかに証人、文書作成者、書記などの複数の立会人のもとで作成され、複数の写しが作られたが、その一部が僧院の経典庫に収められたこともあろうし、また世代を超えて残す必要がある記録を村人たちが経典庫に預けたと考えられる。僧院は地域で一番堅牢でしかも安全な場所だったから、僧たちの了解のもとに、文書館の役割も果たすようになったのではないだろうか。

一八―一九世紀のビルマは初期には対外戦争で勝利を重ねていたが、中期以降はその運勢が次第に下り坂となる。一七八五年の対シャム戦の大敗を皮切りに、旱魃と史上最大級の飢饉を経験し、三度の対英戦争に敗れつぎつぎに国土を失っていくが、こうした時代には借金証文が急激に増え、そこには人々が暮らしを守るため取った行動の軌跡が詰まっている。もっとも脆弱な無産の人々が困窮時に頼った方法の一つは、自分自身や家族を債務奴隷として提供し、借金することだった。この方法はしばしば父親、次に母親、そして娘、息子と、芋づる式に家族全員を債務奴隷化する結末を招いた。債務奴隷は、当時少数だがまだ存在した売買の対象となる奴隷と違って、借金さえ返済すれば自由民に戻れる立場にあるが、未返済の間の労働内容は奴隷とまったく差がなかった。つまり、主人の命令するあらゆる労働に従順に服することが要求された。

一八世紀の末ごろからは借金の担保として農地が急浮上し、債務奴隷の比重は少なくなる。とりわけ灌漑水田は債権者にもっとも好まれる担保になった。戦争や飢饉で日々の生活がどうにも立ちゆかなくなると、多くの人が、自分の耕作地が自由に処分できる私有地であるか、処分厳禁の下付地あるいは寺領地であるかにおかまいなく、それを質入れして借金したが、こうした動きは当時の土地制度の根幹を揺るがし、最終的にこれを崩壊させてしまう。下ビルマが英領化されたのち、エーヤーワディ・デルタに南下していった多数の上ビルマの農民の背景にはこうした耕地の喪失があった。

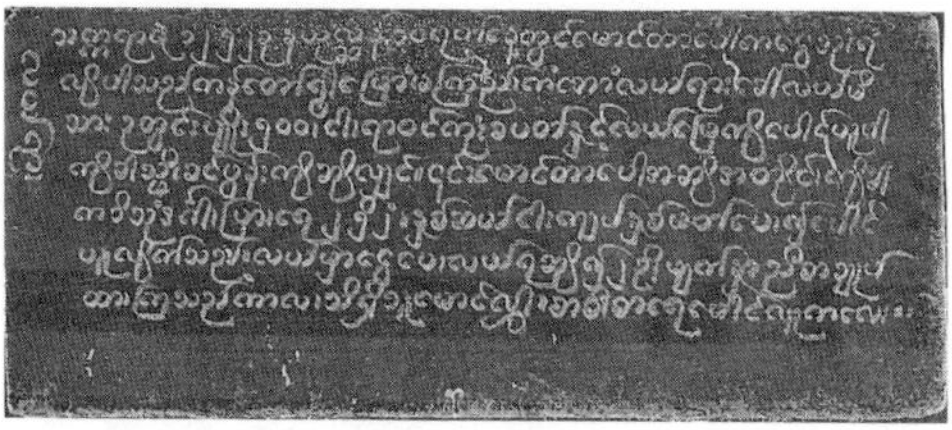

パラバイッに書かれた水田質入れ証文(1890年のもの)

このように数多くの借金証文は一八―一九世紀ビルマのソーシャル・ヒストリーを鮮明に浮かび上がらせる。また、家族に伝わった証文がまとまって残されているような場合には、特定の家族のファミリー・ヒストリーがそこから立ち上がってくる。

借金証文と並んで近世ビルマ社会のあり方をよく教えてくれるのが訴訟に関連する文書だ。生活の困窮という理由ではなく、訴訟費用が払えないので借金したいと書いている証文が少なからずあって、王朝ビルマの庶民たちは、争いを好まぬ信心深い仏教徒だろうという安易な先入観がまず砕かれる。たとえ借金が膨らもうとも血気盛んにとことん闘う人々でもあったのだ。いっぽう当時の民事裁判のあり方は、なんとも柔軟で庶民にとっても敷居の低いものだった。訴訟の当事者同士が合意した人物なら誰でも裁判官になれるという決まりもあり、法廷はしばしば裁判官として選ばれた人物の家の庭先などで開かれた。そこで思うさま双方は相手を責め立て、罵倒し、自己の主張を開陳し、両者がそれにくたびれ果てる頃、裁判官がおもむろに「争いを続けても費用がかさみ、時間も浪費するばかりである、これにて決着をつけるべし」と判決を出す。判決後には、必ず原告被告両者にお茶の葉の漬物が供されたが、これは舌戦を交わした両者を労わるためではなく、発酵茶葉には判決同様の重大任務があった。これを両者が食べればめでたく結審、どちらかが食べなければその判決が無効となったのだ。当然ながら茶葉を食べずに判決を拒否するのは敗訴に終わった方だ。これでは、裁判は有効ではなかろうと仰天する思いだが、それがそうでもない。どうしてかと興味を持ってくださった方がいれば、近世ビルマの借金証文についてまとめた拙著を読んで頂ければ嬉しい。

集点 | *Focus*

朝鮮時代の国家財政と経済変動

六反田 豊

一、朝鮮時代の時期区分

前後期二分法

朝鮮王朝は一三九二年の建国後、大韓帝国期を経て「韓国併合」により一九一〇年に滅亡するまで五一八年余りにわたり朝鮮半島を統治した。この期間全体をここでは朝鮮時代と呼ぶ。朝鮮時代の時期区分としては「前期」と「後期」に二分する方法が最も一般的だが、この前後期二分法において両時期を画するのは一五九二年に勃発した日本軍の侵攻(壬辰・丁酉倭乱/文禄・慶長の役。以下、近年の研究動向を踏まえ壬辰戦争と呼ぶ)である。この戦争により朝鮮王朝の統治体制は深刻な打撃を受け、滅亡こそ免れたものの政治・経済・社会は大きく変容した。前後期二分法の背景にはこうした歴史理解がある。

ただしこの二分法でも前期は約二〇〇年、後期は約三〇〇年であり、両時期ともに依然として大きな括りとなる。そこで前期の前半約一〇〇年と後期の高宗《コジョン》《こうそう》即位(一八六三年)ないし対日開港(一八七六年)以降の時期を、それぞれ「初期」「末期」とする場合が多い。初期は統治体制の確立期、末期は王朝滅亡に至る衰退期である。

こうした二分法が初めて登場した正確な時期は今のところ定かでない。管見の限り、朝鮮史研究を日本人がほぼ独占していた戦前期(一九四五年以前)には明示的に使用された形跡はない。一方、解放後の韓国の歴史学界では研究が次第に本格化する一九六〇年代初め頃から「前期」「後期」を題目に含む論文が発表されている。前後期二分法の登場は解放後の韓国の歴史学界の動向と無縁ではないと考えられるが、この点の検討は別の機会に譲る。

中期設定論の提唱とその意義

前後期二分法は長らく通説的な位置を占めてきた。ところが一九八〇年代に入ると韓国の歴史学界ではその再検討が始まり、九〇年代以降は「中期」という新しい時期の設定が提唱されるに至った。おおむね一五世紀末から一七世紀後半に至る百数十年間、成宗《ソンジョン》《せいそう》代(一四六九―九四年)末から粛宗即位(一六七四年)前後までの時期がこれに相当する。中期の提唱は政治史においてなされたものである(김 二〇〇九)。朝鮮では一五世紀末以降新興官僚層である士林勢力が中央政界に進出し始め、一六世紀後半になって勲旧勢力に代わり政治の実権を握った。しかしその直後に二派に分裂し、その後も出身母体の在地士族層を巻き込みながら分裂を繰り返し、朱子学の理論闘争を通じて主導権争いを繰り広げた。党争と呼ばれるこの争いは戦前期の日本人研究者により亡国の一因とされたが、解放後の韓国ではその肯定的評価が進み、「朋党政治」として把握しなおされた(李 二〇〇〇)。中期とは、士林勢力の伸張と朋党政治の展開という枠組みで把握される時期なのである。

中期設定論の斬新さは、前後期二分法とは逆に壬辰戦争の前後の時期を一つのまとまりとして把握するところにある。つまりそれは、従来の二分法で画期とされた壬辰戦争の影響を重視せず、むしろその前後の時期の連続性に注目する立場である。ここに中期設定論の意義がある。しかもそれと表裏をなすように、従来の二分法では連続的に捉えられていた初期と一六世紀以降との間の画期を強調した。そしてこの二点において、中期の設定は政治史のみならず経済史や社会史にも大きな刺戟を与えるものだった。

なんとなれば、中期の設定は前後期二分法とは異なる新しい歴史理解への道を開くものだったからである。朝鮮王朝の政治・経済・社会は壬辰戦争により大きく変容したのではない。変容は王朝建国後一〇〇年を前後する頃から始まっており、壬辰戦争はそれを促進させた契機の一つに過ぎない。中期設定論はこうした歴史像を強く示唆するものだった。

こうして朝鮮時代に中期を設定する考え方は韓国の歴史学界で徐々に受け入れられ、一九九〇年代後半以降韓国で刊行された通史でも朝鮮時代の時期区分として中期を採用するものがいくつか現れた。その代表例が、韓国の国家機関である国史編纂委員会が編纂・刊行した『韓国史』全五二巻である（국사편찬위원회 一九九三―二〇〇二）。同書では朝鮮時代（高宗即位以前まで）の時期区分として初期・中期・後期が採用され、二八―三二の四巻分が中期に割り当てられた。日本でも、近年刊行された通史で朝鮮時代を初期・中期・後期・末期に区分する方式が採用されている（李・宮嶋・糟谷 二〇一七）。

課題の設定

中期を新たに設定することで、朝鮮時代は初期（王朝成立―一五世紀末）・中期（一五世紀末―一七世紀後半）・後期（一七世紀後半―一九世紀後半）・末期（一九世紀後半―王朝滅亡）の四つの時期に区分することが可能である。そしてこうした時期区分が従来の前後期二分法に代わるものとして徐々に一般化しつつあるのが現在の状況である。

とはいえ、中期は前述のようにあくまで政治史において提唱されたものである。それを経済史や社会史に適用することの妥当性については、いまだ十分に議論が尽くされているとはいいがたい。政治史研究者のなかには、中期設定論を上部構造中心の歴史理解とし、下部構造中心の前期・後期二分法と併存しうると捉える向きもある（김 二〇〇九）。

また中期の設定が朝鮮時代を朝鮮史全体に位置づけるうえでいかなる意味を持つのかという点についても、検討の余地を残しているように見受けられる。

中期設定論にはこうした課題もある。しかしさきに指摘した意義に加え、従来の前後期二分法と比べて朝鮮時代の展開過程をより細分化して把握する点、なかでも一六―一七世紀における諸方面での変動とその重要性を強く喚起する点でも注目に値する。そこで以下では、このような中期設定論を意識しつつ、朝鮮時代の国家財政制度の変容過程をその背景にある経済面での変動との関連から跡づけてみることにしたい。

二、朝鮮王朝の経済体制と初期の収取制度

朝鮮王朝の経済体制

周知のように、社会科学者のポランニー(Polanyi, Karl)は「社会の統合の形(the patterns of integration)」として「互酬(互恵、reciprocity)」「再分配(再配分、redistribution)」「市場交換(market exchange)」をあげ、それらに基づいて経済社会を論じた。彼によれば、歴史的には互酬や再分配を中心とする非市場社会が一般的であり、市場交換が支配的な位置を占める市場社会はごく限られていた(栗本 一九七九、ポランニー 一九八〇)。

李憲昶はこのようなポランニーの所説を援用し、市場社会出現以前の前近代社会＝非市場社会における経済体制の特質を次のように整理する。すなわち、飢饉などの自然災害や敵対的な外部勢力の脅威を最小化して生存と安全を確保することが最優先された結果、親族や共同体においては互酬、国家においては再分配が発展した一方、私利の追求の場としての市場は副次的分配機構として限られた領域を占めるに過ぎなかった。私利の自由な追求は競争心をあおり、互酬と再分配を阻害して混乱をもたらすもの、生存と安全を脅かすものとされ、道徳的正当性をえられずに抑制

もしくは禁止された。これが道徳経済(moral economy)である。東アジアの前近代社会では、儒教の倫理・道徳がこうした非市場社会の道徳経済を支える理論的支柱の役割を果たした(이(헌) 二〇〇三)。

朝鮮半島に興亡した諸王朝においても互酬と再分配が経済統合の中核をなす非市場社会が形成され、道徳経済に立脚した経済体制が構築された。道徳経済の特徴として、国家による経済への管理・統制がきわめて強いことが指摘できる。朝鮮史上最も高度な中央集権的支配体制を実現した朝鮮王朝は、その傾向が他の諸王朝よりも一層顕著だった。実際、朝鮮王朝は成立当初から土地制度はもとより対外貿易や国内商業など経済の諸側面で国家の管理・統制を強化する体制の構築をめざした(須川 二〇〇〇)。その結果、市場での交換行為が抑圧されただけでなく私的権力機構も極度に弱体化し、国家が再分配の主体となる経済体制が形づくられた。そしてそれが朝鮮王朝の基本的な経済体制となる。

こうした朝鮮王朝の経済体制は一九世紀になると動揺を生じ、崩壊していく。それは、その間徐々に成長してきた市場経済を中心とする体制への転換、換言すれば近代への移行を意味する。しかしそうした転換・移行の過程については、一九世紀初めまでは国家による再分配を機軸とする経済体制が市場経済に優越していたとする見方(이(영) 二〇〇七、李・朴 二〇〇七)や、一八世紀には市場での取引量が国家財政の規模を上回り、再分配と市場の二大分配機構による経済体制が実現したとする見方(이(헌) 二〇〇九)などがある。

田税制度と土地制度

国家を再分配の主体とする経済体制が朝鮮王朝の基本的な経済体制だったとして、ではそれは具体的にいかなるものであり、時間の経過とともに体制内部ではいかなる変化が生じたのか。国家による再分配の中核をなすのは国家の財政行為なので、この問いに答えるには朝鮮王朝の国家財政に注目する必要がある。なかでも収取制度が重要である。

朝鮮初期の収取制度の根幹をなしたのは田税・貢納・賦役である。まず田税とは田地（農地）に課税するもので、具体的な課税対象地は民田だった。民田とは耕作を前提に所有が認められた田地で、全国の田地の大半を占めていた。朝鮮王朝は全国の田地を公田と私田に区分して把握したが、朝鮮初期の公田は王室・政府諸機関が所有する公有地とこの民田をさす。一方、同時期の私田は、国家が官人など特定の私人や私的機関に対し民田の収租権（田税と同額の租を所有者から徴収する権利）を与えたものである。

ちなみに当時の中核的な私田制度は科田法《クァジョンボプ》《かでんほう》である。それは王族を含む官位・官職保持者に対する位階・職に応じた所定面積の科田（科は等級のこと）収租権の支給を骨子とし、高麗（九一八－一三九二年）滅亡直前の一三九一年に易姓革命をめざす新興儒臣急進派の主導で制定された。その施行により高麗後期以降権勢家が独占していた私田収租権は国家に没収され分配しなおされた。その結果、高麗の既成勢力は経済基盤を失い、翌年の王朝交替へと繋がった。

さて田税は、水田が米、旱田（畑）が大豆その他の雑穀を税物とした。ただし田税布貨や田税貢物といって麻布・綿布や蜂蜜・油などの現物が課税される場合もあった。課税額は当初収穫の一〇分の一に当たる田地一結《キョル》《けつ》（結は収量を基準とした朝鮮独自の地積単位。肥沃度により実面積は異なる）当たり三〇斗（一斗≒約六リットル）だった（豊作時。作況に応じて逓減）。一四四四年制定の新課税方式である貢法《コンボプ》《こうほう》では、肥沃度に基づく田分《チョンブン》《でんぶん》（田地の等級区分）が従来の三等級から六等級に細分化されるとともに年分《ヨンブン》《ねんぶん》（毎年の作況等級区分）九等級（上上－下下年）が新設され、それに対応して課税額が設定された。田分改正に際して一結の実面積も変更され（一等田≒一ヘクタール、六等田≒四ヘクタール）、一結当たりの課税額は二〇（上上年。収穫の二〇分の一）－四斗（下下年）の範囲とされた。しかし一六世紀以降は最低額の四斗に事実上固定化された。徴収された田税は官人の禄俸や中央・地方の各官府における諸経費の財源とされたほか、軍糧穀や賑《しん》恤《じゅつ》穀として中央・地方に備蓄された。

貢納制度

次に貢納とは王室や政府諸機関で消費する多種多様な現物を徴収するもので、制度上は貢物と進上に区分される。このうち貢物は邑《ゆう》《ウプ》を賦課対象とする。朝鮮時代、全国は総数三三〇前後の邑という行政単位に分かれていた。邑は総称で、実際には府・大都護府・牧・都護府・郡・県のいずれかを称したが、県が圧倒的に多く郡がそれに次いだ。これらの邑に対し「任土《にんど》作貢《さっこう》」(邑の土産に応じて貢物を設定)の原則のもと農水産物・鉱産物・手工業製品などが貢物として分定された。邑を治める守令は地方官府所属の労働力を利用するか、邑内の民戸を徭役《ようえき》により使役してそれらの貢物を調達し、所定の中央官府に納入した。

貢物はその品目・数量および分定邑と納付先機関などの情報が貢案に記載された。貢案は貢物のみならず進上や田税その他の雑税等も網羅した国家の歳入予定台帳である。しかし品目の多様さと数量の多さでは貢物が他を圧倒していた。貢案は一五世紀前半までは比較的短期間で改訂されたが、作業の繁雑さもあってその後は改訂の間隔が開くようになり、結果として貢案に記載された貢物は長期間にわたり固定されることになった。

一方、進上は観察使(広域の地方行政単位である道の長官)や兵馬節度使・水軍節度使(道を単位とする地方軍管区の最高司令官)などの奉命使臣が国王・王族や宗廟に献上する礼物をいう。物膳進上や方物進上など種類は多く、貢物同様多様な現物が指定された。名目は礼物でも、実際には上記の奉命使臣が管下の邑・鎮(地方の軍事拠点)に分定して調達した。地方民の負担とされる場合が多く、民にとっては進上もまた定期的な税負担にほかならなかった。

賦役制度

賦役は労働力を徴発するものである。徴発対象の違いにより身役《しんえき》と徭役とに大別される。まず身役は国家が個別に指定した個人を徴発対象とした。朝鮮時代には法的身分制度として良賤制が施行されたが、身役の賦課対象者が良人なら良役、賤人＝奴婢なら賤役となる。奴婢は公的機関や私的機関・個人等に所有され、所有主のために労役や物資生産に従事した。よって賤役は公的機関に所属する公奴婢の場合も所有主のための労役の域を出ない。

　これに対し良役は良身分の壮丁（一六―六〇歳の男子）に課せられた。良役のうち最も一般的なのは軍役である。軍役にも様々な種類があったが、それぞれ立役（役務への従事）と非番の時期が定められていた。軍役負担は全般的に重く、そのため一部の兵種は徭役減免措置である復戸《ボクホ》《ふっこ》の対象とされた。また全ての壮丁を立役させず、一部の者には立役者を経済的に支援する負担（労役または綿布等の納付）を課した。立役する正丁（または正軍）に対し、これを奉足《ポンジョク》《ほうそく》という。幾度かの制度変更を経て、同一戸内の正丁は一名に限り、同居する他の壮丁は当該正丁の奉足とすることになり、さらに一五世紀末までに正丁への奉足割当てを奉足二名からなる「保」を単位としておこなうようになった。

　軍役のほか、地方官府の行政実務を担当した郷吏や陸上交通施設である駅の各種業務に従事した駅吏なども良役に含まれる。良身分であれば何らかの良役を負担するのが原則であり、実際に多数の人々がこの負担を課せられた。だがその一方で、官位・官職保持者やその出身母体である在地士族層、郷校・成均館《ソンギュングァン》《せいきんかん》や書院といった公私学校の学生など、良役免除の特権を付与された者も少なくなかった。

　次の徭役は民戸内の不特定の壮丁を徴発する戸役である。戸を構えていれば良賤を問わず賦課対象とされた。賦課基準については幾度かの試行錯誤ののち、一四三一年から各民戸の耕作地すなわち民田の面積に応じて当該戸から徴発する人数が定められることになり、さらに七一年には民戸の耕作地八結ごとに輪番で一名ずつ立役させ、一人の立役期間を毎年六日間とする役民式《えきみんしき》が制定された。ただしこれはほとんど遵守されなかった。

　田税穀の生産地から所定の収税地までの輸送、貢物・進上の調達と輸送、邑城の造成・修築、遣明使節や明の勅使の携行物資の輸送など、国家の重要な労役が徭役の形で民戸に賦課された。ほかに守令が必要に応じて地方官府関連の小規模な労役に民戸を使役する雑役もあった。ただしこの雑役は役民式の適用外であり、守令による任意の徴発が頻繁になされた。この雑役の免除措置が前述の復戸である。王族や特権的身分の者、特定の身役負担者、国家から褒賞された者、自然災害の被災者などが対象とされた。

現物主義と国家的再分配

以上のような朝鮮初期の収取制度の特徴として、収取対象物が多岐にわたる点を指摘できる。特に、当時の国家財政において最大の比重を占めた貢納が多種多様な現物納入制度であり、かつ賦役における労働力徴発も広義の現物徴収である点が重要である。朝鮮初期の国家財政には徹底した現物主義が貫かれていたのである。その結果、商業的な物資調達は抑圧された。高麗末期には権勢家による対明貿易を通じた私利追求が顕著だったが、新興儒臣急進派はこれを禁断し、商業を介した物資調達の道を塞いだ(須川 二〇〇〇)。そしてこの方針は朝鮮王朝建国後もそのまま維持された。

田税・貢納・賦役として収取された各種税物は、王室・政府諸機関の需要を満たしたのちに再分配される。まず田税では、徴収された米穀類のうち禄俸として官人に支給されたものは生活物資の入手と引替えに王都である漢城《ハンソン》《かんじょう》内に放出された。また軍糧・賑恤用の備蓄穀は国家の強い管理下に置かれ、定期的に新旧穀の入替えがなされたのに加え、春窮時に農民に貸与して収穫時に利子とともに回収する還穀として農民へも再分配された。

貢納における現物類は王室・政府諸機関で消費されたが、余剰物資は漢城所在の市廛《シジョン》《してん》(特定商品の独占販売権を持つ御用商人組合)への払下げや官吏の私的流用などを通じてやはり漢城内に放出された。それらは不振な商品流通を代替する機能を果たし、支配階層の間には互酬に基づく経済関係が築かれた。賦役は労働力の徴発ゆえにそのままの形では再分配の対象になりえなかったが、徭役により道路や堤堰《ていえん》(溜池)などが造営される、あるいは軍役に依拠して運営された漕運《そううん》(官営の税穀水運)により田税穀が漢城に集積され、それが結果的に還流する、という形で再分配の一端を担ったとみることは可能だろう。

三、一五世紀後半以降の経済変動と収取制度の変容

私田制度の消滅と私的土地所有の発達

高麗末期に制定され朝鮮王朝にも引き継がれた科田法は、一五世紀前半の時点で科田不足などが懸案となり、対応策が模索されることになった。その結果、一四六六年には支給対象者を現職者に限る職田法《チクチョンボプ》《しょくでんほう》に転換し、七八年には職田での収租と田主（私田受給者）へのその支給を国家が代行する官収官給制が導入された。これらは私田に対する田主権の抑制と国家の統制強化をも意味したが、私田制度の抜本的な改革とはなりえず、職田法が一五五六年頃に廃止されたことで官人等への収租権分給制度としての私田制度は消滅した。

一六世紀半ばにおける私田制度消滅は、制度自体に内在する要因に加え、私田の受給対象者である官位・官職保持者とその出身母体の在地士族層が地主として成長してきたことの反映でもある。農荘《ノンジャン》《のうしょう》とも呼ばれた広大な私有地を所有するようになった彼らにとって、国家からの収租権分給はさしたる意味を持たなくなったのである。

官人・士族層による私有地拡大は、一五―一六世紀に進展した農地開発の結果である。世宗《セジョン》《せいそう》代（一四一八―五〇年）以降、中小河川の氾濫原や後背湿地などの未開墾地の開発が本格化し、一六世紀になると西海岸沿海部一帯で防潮堤を設けて干潟を農地化する動きも活発となった。当初、開発は国家主導で進められたが、のちには士林勢力が大きな役割を果たした（李 二〇〇〇）。この過程で、一四世紀末には八〇万結ほどだった国家の把握する田地は、一五世紀半ば頃には一五〇万結を超えるまで増加した（『高麗史』食貨志。『世宗実録』地理志）。

防納の一般化と賦役の布納化

貢納は朝鮮初期の国家財政において最大の比重を占めたが、制度的には多くの不備や矛盾を内包していた。賦課対象品目が多岐にわたり、納入先機関も多く、品目ごとに納入元の邑と納入先機関との間で複雑な関係が築かれていた。そのため納入手続きは煩雑となり、それが担当官吏の不正を誘発した。規定不在により民戸間に負担の不均等も生じていた。加えて「不産貢物」(分定された邑内で産出しない貢物)の調達問題も無視できない。当初から不産の場合もあれば、時間の経過にともないそうなった場合もあるが、「任土作貢」の原則とは裏腹に調達困難な貢物が各邑に分定されることが少なくなく、民戸の負担を重くした。しかし貢案は長期間改訂されず、不産貢物の存在は容易には解消されなかった。

こうしたなか現れたのが防納である。貢物の調達と納入を請け負う行為で、一五世紀後半以降顕著となった。当初その担い手は現職官僚や守令・僧侶・商人など多様な階層におよんだが、一五世紀後半以降は貢物等の受納担当者である中央諸官府の胥吏《しょり》や公奴婢《コンノビ》《こうぬひ》が独占し、一六世紀にかけて専業化の傾向を強めた。彼らは権力者と結託して民から法外な額の米や綿布を代価として取り立てた。その額は貢物時価の一〇－一〇〇倍に達したとされる。国家はこれを禁じたが、貢納自体が防納なしでは成立しえないこともあり、やがて部分的公認に転じ、一四五五－五九年には全面的に公認した。六八年以降は再び禁止措置をとったが、防納を根絶することはできなかった。

注目すべきは、防納の一般化により民戸の事実上の負担が米や綿布に変化した点である。同様の現象は同時期の賦役にもみられた。身役中の軍役の場合、布納化は多様な形で進んだ。地方軍の指揮官が立役者から綿布を収賄して役負担を免除する放軍収布《ほうぐんしゅうふ》が一五世紀前半から一部の軍役でおこなわれ、違法行為であるにもかかわらず一五世紀後半に拡大したこと、綿布を代役価とする代役が一五世紀半ば以降徐々に公認され、一六世紀には常態化したこと、などである。こうして軍役は綿布を課す一種の人頭税と化し、その収入で兵士を雇用する給価雇立制に移行していく。徭役でも一五世紀末以降、同様の変化が進行した。

防納の一般化にともなう民戸負担の事実上の変化および賦役における布納化の進展は、様々な形態で賦課されていた税物が米・綿布へと一元化していく過程として把握できる。これは、当時それに見合うだけの米や綿布が生産可能であることが前提となる。米については、前述のように一五世紀前半以降各地で農地開発が進んだことがまずは指摘できる。朝鮮半島ではもともと水田より旱田の比率が大きかったが、開墾された田地の多くでは洑《ふくボ》(または川防。井堰)などにより灌漑が施されるか天水のみに依存する水田として利用された。水田の面積が旱田を上回ることはなかったものの、それらの水田では施肥法や除草法など農業技術の発達により稲の連年耕作とそれにともなう米の収量増加が実現した(宮嶋 一九八〇)。

一方、綿布の素材となる綿花は、一四世紀に当時の元から種子を入手して栽培が始まったといわれるが、一五世紀には南部地域で広く栽培されるようになっていた。それにともない農村での綿布生産も活発化した。従来の麻布に代わり綿布が衣料や現物貨幣に利用され、さらには対日貿易でも大量の綿布が輸出されるようになった。

こうして農地の拡大や農業技術の発達により一五世紀後半以降農民の小経営が発展し、米や綿布の生産量が増加することで、現物や労働力よりもそうした土地の生産物を徴収するほうが国家にとっても利益が大きくなっていった。従来の収取制度と当時の経済・社会のあり方との間に齟齬が生じていたことが窺知されるのである。

貢納制度改革論議と収米・収布法

防納が貢納制度に内在する構造的な不備・矛盾に起因する現象である以上、対症療法的な禁断措置だけでそれを抑え込むことは困難だった。防納の弊害を解消して民戸の負担を軽減するには、貢納制度自体の改革に踏み出す必要があった。こうして一六世紀に入ると政府内で貢納制度の改革論議が本格化する。当初はもっぱら記載項目の精査を踏まえた貢案の改訂がめざされた。「任土作貢」の原則を徹底することで民戸の負担軽減を図ろうとしたのである。

ところが一六世紀後半になると、これとは次元の異なる提案が現れる。貢納制度は維持しつつも民戸からは米または綿布を徴収し、貢物はそれを財源に地方官(邑または道)が調達し上納する。そうすることで田地の所有額に応じて民戸負担を均等化し、防納従事者による法外な代価取立てを防止しようというのである。李珥《イイ》《りじ》の「東湖問答」(一五六九年。『栗谷先生全書』巻一五所収)中での主張や金誠一《キムソンイル》《きんせいいつ》の「黄海道巡撫時疏」(一五八三年。『鶴峯先生文集』続集巻二所収)などがそれである。いずれも黄海《ファンヘ》《こうかい》道の一部の邑で当時実際におこなわれていた事例に触発され、その全国化を主張するものだった。

防納の一般化により民戸の負担が事実上米や綿布となっていたこの時期、防納の弊害を排除した民戸への新しい課税方式が一部地方で実際に試みられていたことは注目される。あくまで守令の個人的裁量による地域限定的な取組みにすぎなかったが、後述する大同法《テドンボプ》《だいどうほう》の先行形態とみなしうるものである。大同法が施行される一七世紀になるとそれは「私大同」とも呼ばれた。以後、貢納制度の改革論議は当時の社会の現状にあわせて民戸から米または綿布を徴収する収米・収布法への転換という方向に収斂されていった。

大同法の創始と施行地域の拡大

こうした貢納制度改革論議とは別に、壬辰戦争を契機として国家主導の貢物作米(米に換算)が一時的に実施されたこともあった。貢納を廃止して田地一結当たり米二斗を徴収し、これを財源として国家が王室・政府諸機関の必要物資を漢城の市廛から買い付けるもので、柳成龍《ユソンニョン》《りゅうせいりゅう》の提案(『西厓先生文集』巻五所収「陳事務箚」)により一五九四年秋から実施された。しかしそれは戦時における応急的な財源確保策の域を出ず、民戸の負担軽減にも直結しなかった。政府内に反対論者が多かったこともあり、所期の成果を収めないまま九九年に廃止され、従来の貢納制度が復活した。

柳成龍の貢物作米は失敗に終わったものの、重い防納代価にあえぐ民戸の負担の軽減と均等化は依然課題として残された。また壬辰戦争により危機に瀕した国家財政の再建も急がねばならなかった。戦争により国家が把握する全国の田地は戦前の一五〇万結から三〇万結にまで激減していたが、一六〇一年に始まる全国規模での量田(田地の測量)で五四万結余りの田地が確保されたのにともない、〇五年に久々に新しい貢案が作成された。恐らくこうした動きを受けてのことと考えられるが、〇八年になって李元翼《イウォンイク》《りげんよく》により貢物作米の実施があらためて提起され、都の周辺である京畿《キョンギ》《けいき》での試行が決定した。

これを大同法という。柳成龍の貢物作米と比べると課税額が大幅に引き上げられ、京畿の場合一結当たり米一六斗とされた。そのなかには従来の貢物・進上調達費だけでなく、徭役に代わる労働力の雇用費や、道内に留置して地方官府の財源に充てる分も含まれていた。上納された大同米を管理する中央官府として宣恵庁《ソンヘチョン》《せんけいちょう》を新設したこと、王室・政府諸機関の必要物資調達を市廛ではなく防納従事者中から国家が公認した貢人に請け負わせたこと、なども特筆される。民戸の負担のかなりの部分を米に一元化することで負担の軽減と均等化を図り、併せて特に疲弊の激しかった地方財政の再建を企図していたことがわかる。

京畿での試行はおおむね良好な結果をえたため、一六二三年、大同法の施行地域は江原《カンウォン》《こうげん》・忠清《チュンチョン》《ちゅうせい》・全羅《チョルラ》《ぜんら》の三道にも拡大された。しかし忠清・全羅二道では地主層の反対により二五年に施行中止となり、その後紆余曲折を経て、忠清道では五一年に、全羅道でも六六年までにそれぞれ復設された。慶尚《キョンサン》《けいしょう》道では七七年に施行が決定し、七九年から徴税が開始された。黄海道では他道とは課税方式を異にする詳定法が一七〇八年に施行された。北部の平安《ピョンアン》《へいあん》道と咸鏡《ハムギョン》《かんきょう》道でも貢納を地税化した大同法類似の税制が一七世紀後半から施行された。

大同法により徴収される米を大同米と称した。課税額は当初道ごとに異なっていたが、一部の例外を除き、最終的に田地一結当たり米一二斗に統一された。陸上輸送に不便な山間部では作木(綿布に換算)上納が認められており(大同木)、さらに常平通宝《サンピョントンボ》《じょうへいつうほう》の鋳造開始(一六七八年)以後は大同木の一部を作銭(銅銭に換算)上納するようにもなった(大同銭)。

大同法施行の意義

大同法は、京畿での試行から黄海道での詳定法実施まで実に一〇〇年をかけて段階的に施行地域を拡大していった。平安道と咸鏡道の貢納地税化も含めると、一八世紀初めまでに貢納制度の全国的廃止とそれに代わる新しい収取制度への移行が完了したことになる。

しかし大同法は単に貢納だけを地税化したのではない。徭役および従来は民戸に課せられていた地方財政関連の各種負担の多くも大同米に吸収された。その結果、民戸の負担は大幅に軽減された。地方官の側からみれば、それは多くの費用支出が大同米で賄えるようになったことを意味する。大同法は当初の意図どおり地方財政の再建にも大きく寄与した。

一方、中央に上納された大同米の多くは、宣恵庁から品目ごとに公認された貢人へ貢価として支給され、貢人はそれを元手にして所定の機関に指定品目を貿納(買い付けて納入)した。国家の物資調達が商業を介してなされるようになったわけだが、これは、商業的な物資調達が抑圧されていた朝鮮初期と比べると大きな変化である。と同時に、貢納その他の税役が地税化されたことで、大量の米(およびその代替品としての布・銭)が国家により物資購入費として放出された。それらは現物に姿を変えて再び国家に吸収されたが、その過程で商品流通経済をさらに強く刺戟することになった。

それにしても、大同法の全国化にかかった一〇〇年という期間はやはり長い。既得権益を侵される防納従事者や地税化で負担増を強いられる各地の地主層および彼らの意向を代弁する中央官僚等の反対がそれだけ強かったということだろう。しかしそれにもかかわらず全国化が実現しえたのは、すでに明らかなように大同法が当時の社会・経済の状況を反映した収取制度だったからにほかならない。収取制度と現実の社会・経済のあり方との間に生じていた齟齬を、制度を現実にあわせる形で矯正したものが大同法だった。

開発の進展にともなう農地の拡大や農業技術の発達は一五世紀前半から徐々に始まり、一五世紀後半から一六世紀にかけて本格化した。それにともない貢納や賦役における民戸負担の変化も一五世紀後半以降顕著になった。一六世紀になるとそうした動きが貢納制度改革論議へとつながり、一七世紀になって大同法の施行という形で決着した。大同法施行の前提となる経済面での諸変動が生じた期間の大半および貢納制度改革論議がなされた期間の全てが朝鮮中期とされる時期の前半にほぼ重なり、大同法の施行と全国化の過程がその後半に該当する。してみれば、一六世紀に始まる貢納制改革論議とその帰結としての大同法の施行は、朝鮮中期を象徴する財政制度改革といっても過言ではないだろう。

四、一八世紀の国家財政と経済

大同米の運用変化

最後に、大同法のその後を概観しつつ、一八世紀の国家財政と経済についても簡略に触れておく。大同法が民戸負担を軽減するとともに国家財政の充実にも貢献し、特に地方財政の改善に一定程度寄与したことは既述のとおりである。しかしそうした財政上の効果は長続きしなかった。施行当初は地方留置額が中央上納額を大幅に上回る形で確保されたが、中央財政の悪化にともない上納額が留置額を圧迫し始め、ついには留置額を超過するからである。

たとえば慶尚道の場合、当初五万三五〇七石(一石=一五斗=約九〇リットル)余りが中央へ上納されたのに対し、道内の留置額は八万三九四五石余りだった(『嶺南大同事目』)。留置額は全体の六割にもおよぶ。ところが一九世紀前半には地方留置額の上限が六万八〇〇〇—六万九〇〇〇石に減らされたうえに、当年度の調達可能な新穀は五万石余りに過ぎず、不足する一万八〇〇〇石は別の財源から補塡しなければならなくなっていた(『嶺南庁事例』)。逼迫する中央財政の充足が優先され、地方にそのしわ寄せがおよんだ結果、地方での大同米の運用に変化が生じたのである。

大同法はもともと、毎年必要な費用を全て支出してもなお当年度の収入に相当な余剰が生じるよう制度設計されていた。この余剰分は「余米」と称して各邑の雑多な支出に充当され、それでも残余が生じれば凶作時の不足補塡分として邑内に備蓄されることになっていた。しかし留置額の減少で当年度の収入だけで全ての需要が賄えなくなると、余米残余の備蓄規定を利用して毎年必ず一定額を備蓄し、累年積み立てられたその旧穀に他の財源からの転用穀を加えて不足分を補ったのである。この旧穀は「儲置米《ちょちまい》」と呼ばれると同時にかつての余米由来のために「余米」とも称された(六反田 一九九一)。

こうして地方における大同米由来の地方財源は、遅くとも一八世紀半ばまでには新穀と旧穀の二本立てとなった。地方官府ではそれらを適宜使い分けることで需要に対応したが、邑によっては次第に十分な額の儲置米を確保できなくなり、地方財政もまた悪化の一途をたどった。こうした動きと並行して、一八世紀になると中央・地方の諸官府では農民救済を本来の趣旨とする還穀が財政補塡の手段に転用され、農民への穀物貸与と利子回収が強制的におこなわれるようになった。また地方官府では独自に新たな税目を立て、大同米とは別途に民戸から徴収することもおこなわれた。民戸の負担は再び増大に転じたのである。ただそれでも、大同法は一八九四年の甲午改革により廃止されるまで維持された。

地税化の進展と農業生産力の発展

大同法は貢納をはじめとする各種負担を地税化したものだったが、このような各種負担を田地に課税する動きはほかにもみられた。早いものでは壬辰戦争時に軍事費捻出のため臨時措置として始まった三手米や、一七世紀初めに明将毛文龍《もうぶんりゅう》へ供給する軍糧穀確保のために徴収された西糧に起源する別収米（のち廃止。黄海道・平安道のみ存続）などがある。一八世紀の事例では、軍役軽減策として一七五〇年に施行された均役法において、従来の二疋（一疋は長さ三五尺・幅七寸。一尺＝四七センチ）から一疋へ半減された軍布（軍役負担者が納める綿布）の減額分の一部が、結作米という地税を新設しその収入で補填されたことをあげることができる。

本来の地税である田税は一結当たりの課税額が最低額の四斗に固定されたまま一六三五年にはそれが法制化されたが、その一方で、こうして大同米をはじめとする各種の税が田地に賦課されるようになった。その背景としては、一七一八－二〇年における大規模量田およびその後幾度かの小規模な量田により一八世紀前半までに国家が把握する田地面積が壬辰戦争前の水準をほぼ回復したことや、一八世紀における農業生産力の発展という事実が想定される。

後者の場合、洑を中心とする水利施設の発達を受け、稲作農法として従来一般的だった直播《チクパ》《ちょくはん》法に代えて、かつては南部の一部地域に限られていた移秧《イアン》《いおう》法（田植えをおこなう農法）が各地に広く普及した。また南部の忠清・全羅・慶尚道地方では水田二毛作もおこなわれるようになった。旱田においても二年三毛作や一年二毛作などがおこなわれた。

こうした農業技術の発達により農業の集約化が進んだ。穀物生産量の増大で食糧供給が安定すると、綿花その他の商品作物栽培も活発化し、農村で生産された綿布等の品物が各地の場市（定期市）を通じて市場に流通するようにもなった。こうして商品流通経済が浸透し、商業は活性化したが、そこには限界があったことも否定できない。漢城など一部を除けば大量消費の場としての都市が十分に発達せず、また物流の大半が国家による租税徴収と再分配で占められていたからである。もっとも既述のとおり一八世紀には市場での取引量が国家財政の規模を上回るようになるとする見解もある。すでに紙数も尽きたので、この時期の市場取引の評価をめぐっては諸説あることを確認するにとどめ、これ以上立ち入ることは差し控えたい。

参考文献

栗本慎一郎（一九七九）『経済人類学』東洋経済新報社。

須川英徳（二〇〇〇）「朝鮮初期における経済構想」『東洋史研究』五八巻四号。

田川孝三（一九六四）『李朝貢納制の研究』東洋文庫。

ポランニー、カール（一九八〇）『人間の経済Ⅰ　市場経済の虚構性』玉野井芳郎・栗本慎一郎訳、岩波書店。

宮嶋博史（一九八〇）「朝鮮農業史上における十五世紀」『朝鮮史叢』第三号。

李栄薫・朴二沢（二〇〇七）「一八世紀朝鮮王朝の経済体制――広域的統合体系の特質を中心として」木村拓訳、中村哲編『近代東アジア経済の史的構造』日本評論社。

李憲昶（二〇〇四）『韓国経済通史』須川英徳・六反田豊監訳、法政大学出版局。

李成市・宮嶋博史・糟谷憲一編（二〇一七）『世界歴史大系　朝鮮史1　先史～朝鮮王朝』山川出版社。

李泰鎮（二〇〇〇）『朝鮮王朝社会と儒教』六反田豊訳、法政大学出版局。

六反田豊（一九八九）「『嶺南大同事目』と慶尚道大同法」『朝鮮学報』第一三一輯。

六反田豊（一九九一）「大同法における「留置米」「余米」「儲置米」概念の検討」『東洋史研究』五〇巻三号。

六反田豊（二〇一三）『朝鮮王朝の国家と財政』〈世界史リブレット〉、山川出版社。

六反田豊（二〇一八）「朝鮮初期の財政制度と鄭道伝」『韓国朝鮮の文化と社会』第一七号。

국사편찬위원회（編）（一九九三―二〇〇二）『한국사』一―五二、국사편찬위원회。

김돈（二〇〇九）『조선중기 정치사 연구』국학자료원。

金玉根（一九八八）『朝鮮王朝財政史研究』Ⅲ、一潮閣。

이영훈（二〇〇七）「19세기 朝鮮王朝 経済体制의 危機」『朝鮮時代史学報』제四三호。

이정철（二〇一〇）『대동법 조선최고의 개혁―백성은 먹는 것을 하늘로 삼는다』역사비평사。

이헌창（二〇〇三）「유학경제사상의 체계적정립을 위한 시론」『국학연구』제三집、한국국학진흥원。

이헌창(二〇〇九)「조선왕조의 經済統合体制와 그 변화에 관한 연구」『朝鮮時代史学報』제四九호。

史料(本文中に註記したものに限る)

『鶴峯先生文集』韓国文集編纂委員会(編)(一九九九)『韓国歴代文集叢書』一九〇一—一九〇三、景仁文化社、所収。

『高麗史』延世大学校東方学研究所(編)(一九六一)『高麗史』延世大学校東方学研究所、所収。

『西厓先生文集』韓国古典翻訳院(編)(一九九六)『影印標点韓国文集叢刊』五二、景仁文化社、所収。

『世宗実録』国史編纂委員会(編)(一九八四)『朝鮮王朝実録』二—六、国史編纂委員会、所収。

『嶺南大同事目』韓国・ソウル大学校奎章閣韓国学研究院所蔵。

『嶺南庁事例』韓国・国立中央図書館所蔵。

『栗谷先生全書』한국학중앙연구원(編)(二〇〇七)『栗谷学術研究叢書資料編』一—八、한국학중앙연구원、所収。

コラム｜*Column*

琉球国から沖縄県へ

渡辺美季

一六世紀半ばになると、明の統制が緩み、倭寇やポルトガル商人による民間貿易が活性化した。これにより、東・南シナ両海域をまたぐ琉球の国営中継貿易は衰退に向かい、明・日本以外の諸外国との関係も失われる。一方、日本では豊臣秀吉が列島の統合を進め、一六世紀末に「唐《から》入り」(朝鮮出兵)を実施して明・朝鮮と敵対したが、この過程で薩摩の島津氏を介して琉球にも服属や「唐入り」への加担を求めた。琉球は「唐入り」の兵糧を供出しつつ、秀吉の情報を明に通報するなど、日明の間で二方面的な外交を展開している。

秀吉の死後、政権を掌握した徳川家康は、明との関係修復による貿易の実現を目指し、島津氏を通じて琉球に日明交渉の仲介を求めた。しかし琉球は応じず、一六〇九年、島津氏が送った「誅伐《ちゅうばつ》」の軍勢に敗北する。徳川政権(幕府)は島津氏に琉球の支配を認めたが、同時に王国の存立をも指示し、琉球を日本に併合することはなかった。日明仲介には明の朝貢国としての琉球が必要だったからである。ここに琉球は明・日本との二重の主従関係を有する王国となった。

軍事侵攻の後、島津氏は琉球に改めて日明交渉の仲介を命じたが、明の警戒と拒絶により交渉は不調に終わる。幕府は明との関係構築を放棄し、一六三〇年代から四〇年代前半にかけて外交・貿易を一元的に管理する状態(いわゆる「鎖国」)を成立させるとともに、日本を中心とする(かつ明から自立した)華夷秩序を国内向けに演出しはじめ、琉球を「日本に従う異国」として位置づけた。

それからまもない一六四四年、農民反乱によって明が滅亡し、ジュシェン人による清が中国の新たな支配王朝となった。琉球は、当初、明の残存勢力に朝貢したものの、清が琉球に帰順を求めると、明清どちらにも対処し得るような二方面外交を展開した上で、最終的には一六六三年に清の冊封を受け入れ、清を中心とした新たな華夷秩序のなかに再編された。

この過程で島津氏は、清から琉球に辮髪《べんぱつ》や清服が強制された場合、「日本の瑕《きず》」になるとして、幕府に対応を問い合わせている。これに対して幕府は、琉球は清の指示に従うべきであると回答し、自らの華夷秩序の体面よりも、清の秩序を優先する姿勢を示した。強大な軍事力で中国を制した清との摩擦回避がより重視されたのであろう。これにより琉球に併存する日清の秩序は衝突せずに「すみわける」ことが可能となり、琉球は二重の臣従という矛盾をはらんだ状態を比較的容易に維持できるようになった。なお清は結局、風俗を強制しなかった(これは他の朝貢国に対しても同様であった)。

一方、琉球においても「すみわける」を補強するしくみがと

首里城に登城する薩摩藩士．海防と監視のため20名弱が交替で那覇に駐在していた．琉球の役人に先導されている．左端は守礼門(沖縄県立博物館・美術館蔵「首里那覇港図屛風」部分)

とのえられた。それは一七世紀半ば以降、琉球政権(首里王府)が実施した清(および清に関わる全ての国)に対する琉日関係の隠蔽政策である。この政策は段階的に強化され、「中国に漂着したら日本のことを口外してはならない」といった示達によって国中に周知された。また清の使者が渡来すると、琉球在勤の薩摩藩士(上図)は身を隠すなど、琉清外交の現場から「日本」は徹底的に排除された。

隠蔽政策は、琉球に「忠実な朝貢国」としてのふるまいを求める清の意向にも沿うものであった。清は琉日関係を把握していたが敢えてこれを黙認し(そのことは琉球・島津氏も知っていた)、自らの華夷秩序の体面を保全しようとしたのである。

こうして琉球・清・日本は、隠し／隠されるという暗黙の了解を共有しながら約二世紀にわたる「無事」を維持した。この間、琉球は日清二秩序に同時に「従う」役割を引き受けることで、日清どちらにも完全には包摂されない独自の立ち位置を確保した。それは日清のはざまで自らが安定的に存続するための営みであったが、結果的に日清の秩序を安寧に隣り合わせる営みにも通じていた。その意味では二秩序の「境界」は琉球が主体的に運営・維持していたのである。

一九世紀に入り、近代的な国際秩序(主権国家体制)を掲げる欧米諸国が東アジア進出を本格化させると、琉球は彼らに対しても日本との関係を隠蔽し、清の朝貢国としてふるまった。一八五〇年代には米・仏・蘭と修好条約を締結したが、琉球を異国(外国)と位置づける幕府はこれを黙認した。

しかし幕府に替わって成立した明治政府は、近代国家としての領土画定(さらには拡大)をはかるなかで、琉球を「内国」化する方針を固め、一八七五年に清との関係の停止を命じた。首里王府は日清を「父母の国」として「幾万世《いくよろずよ》も忠誠を励みたい」と繰り返し嘆願したが、かつて二つの華夷秩序のはざまで確かな役割を有していた「両属の体《てい》」は、別次元の秩序を標榜する明治政府にとって「国権の立たざる最も大なるもの」に過ぎなかった。両者の主張は交わることなく、一八七九年、明治政府は軍隊と警察を動員して琉球を強制的に併合し、沖縄県の設置を宣言したのである。

焦点｜*Focus*

近世日本の対外関係と世界観

松井洋子

はじめに

一六世紀、日本列島周辺部では、在地の地域権力がそれぞれに外の世界との関係のなかで境界地域を形作っていた。境界の地の先には「中華」の担い手たる巨大な中国王朝が見えていた。

中世を通じ、北方では、北はサハリンからアムール川流域、南は本州北部までを生産と生活の場とし、活発な交易を行なうアイヌの活動があり、交易のため蝦夷島《えぞがしま》へ渡る和人も増えていた。津軽海峡を挟んで広がる北の世界は、和人とアイヌ集団が混住する境界の地として意識されるようになる(菊池 二〇〇三、浪川 二〇一三)。

一方シナ海域では、日明の公的関係である勘合貿易は杜絶し、「後期倭寇」と呼ばれる中国人密貿易商、日本・朝鮮・東南アジアの沿海勢力からなる多民族的な海上勢力が、貿易の主役となる。ヨーロッパ勢力の日本への到達も、この密貿易勢力への参入から始まった。中継貿易の中心として、南九州を影響下に置いていた琉球は、新たな勢力に取って代わられ、その力を失ってゆく(村井 二〇一三、二〇一九)。九州は一体化したシナ海域の貿易圏の北端に組み込まれ、福建・呂宋《ルソン》・九州を結ぶ貿易が活発化し、また日本人の渡航地もそれまでの寧波《ニンポー》・三浦《さんぽ》・那覇に加え、東南アジアの港市へと広がっていた。九州の大名たちも海外貿易に積極的で、ポルトガル船の拠点やシャム・カンボジアなどに来航を促す書翰を送る者もあった。

朝鮮との交易に依拠していた対馬の宗氏は、日明関係にも日朝関係にも大きな力を持っていた大内氏の滅亡後、日朝間の情報を独占できる位置にあり、沿海の海上勢力に対抗し、「偽使」を仕立てて公的通交の名目での貿易を維持していた。

列島中央部には、熾烈な境目争いを繰り返す地域勢力の中から、軍事力の強大化により上位の権力として「天下統一」を目指す織田・豊臣政権、徳川政権が現れた。本稿では、この時期中国周辺の辺境地帯に生まれた新興軍事政権(岸本 一九九八)の一つとされる日本の統一政権が、海の勢力と対峙しつつ、その勢力範囲の「内」と「外」を再度定置し、領土を基盤とする陸の国家としての対外関係を再編成する過程を見てゆく。

一、織豊政権

「天下統一」

織田信長が、宣教師たちの話を積極的に聞いたことは、宣教師側の記録によりしばしば語られてきたが、その結果彼が持った世界観を語る史料は少ない。「日本の全六十六カ国の絶対領主となったならば、中国に渡って武力でこれを奪うため一大艦隊を準備させること、および彼の息子たちに諸国を分け与えることに意を決していた」(一五八二年一一月五日付フロイス日本年報追信　松田訳日本報告集Ⅲ-六)という記述から、天下統一の延長線上に対外侵略、征服地域の分割が構想として存在し、豊臣政権に継承された(堀 二〇一二)とされる一方、全国統一を当初よりの自明の目標と理解することには疑義も出ている(1)。

織田信長は一五六七年以後「天下布武」の印を用いたが、史料上の「天下」の用語は、織田政権期には京都あるいは畿内を指すことが多く、豊臣政権後期から徳川政権初期に、日本全土を指す用法に変わっていくとされる（藤井 二〇二〇）。足利政権の現実的力の及ぶ範囲にまで縮小していた「天下」は、本来の意味の及ぶ限り拡大し得る言葉でもあった。

織田政権を継承した豊臣秀吉は、関白襲職の一五八五年、四国、さらに九州の島津氏・大友氏に、翌年には関東・奥羽の諸大名にも停戦を命じる。関白として天皇の権威を用いつつ、境目争いの一方の当事者としてではなく、より上位の公的権力として停戦・服属を命じ、従わない場合は武力で命令の実現を図る、というのが「天下統一」の手法であった。服属を示すためには出仕・人質が求められ、服属者に対しては働きにより領土が配分された。

九州平定戦を準備しつつあった一五八六年、秀吉は宗氏に対し「高麗国」への出兵の意図を示した。翌年九州平定後、秀吉は宗氏に対馬一国の支配を許す条件として、朝鮮国王が来日し朝廷に出仕するよう働きかけを命じており、朝鮮が応じない場合は誅罰として派兵すると言明している。九州平定戦の段階で、その先の大陸への出兵は構想されていた。

一五八八年七月には、豊臣政権は全国に向けて海賊禁止令を発した。その後も国内外における海賊行為の禁止を命じる一方、島津氏に明朝との「勘合」による公式貿易の交渉を求めている。海賊禁止令は、海上勢力に対する統制策であり、朝鮮出兵に不可欠となる船とその使い手を掌握するものであるとともに、外国船の安全を保障することで、明朝との通商再開をめざす対外政策でもあった。明朝の海禁緩和政策のもとでも、「倭寇」の根拠地である日本列島だけはいかなる貿易ルートも認められておらず、海賊の禁圧は必須だった。

間接的中国貿易の主要ルートになっていたシナ海域交易圏の諸地域に対して、豊臣政権は、海賊禁圧を成し得る唯一の公権力として交渉を独占し、日本への服属・入貢という関係を築こうとした。一五九一年から一五九三年にかけて呂宋(マニラ)へ、また一五九三年には高山国《こうざんこく》(台湾)にも服属・入貢を求める書翰を送っている。これらの書翰の中で秀吉は、日本全国を統一したのは「天命」であるとし、また自身を「日輪の子」とする生誕の奇瑞を語っている。列島の外への服属要求を正当化するためには、東アジアの広い地域に存在するこのような感生帝説《かんせいていせつ》を付け加える必要があったとされる(北島 一九九〇)。

シナ海域に参入したポルトガルの貿易は、構造的に布教と不可分のものだった。九州出兵中、長崎のイエズス会への寄進(一五八〇年)やキリスト教信者増大の実態を間近に見聞きした秀吉は、宣教師の布教を禁じ、国外退去を命じた。キリスト教に対峙する論理として、「神国」が持ち出された。この時点では、一般民衆の信仰は禁じておらず、また布教と貿易を区別し、貿易のための来航は許している。豊臣政権は長崎を直轄地とし、生糸や金の先買いや買い占めなどを試み、イエズス会からマカオ長崎間の貿易の主導権を奪おうとするが、宣教師の仲介のない取引は成功しない。朝鮮出兵の準備のためにも、軍需品や軍資金調達に必要なマカオとの貿易の存続は不可欠で、宣教師の長崎滞在についても、厳しい措置は取れないままになった。

朝鮮出兵(3)と講和

秀吉の命を受けた宗氏の再三の求めに応じ、朝鮮王朝の使節が一五九〇年に京都に到着した。使節は国内統一を賀すものであったが、秀吉は、使節を日本への服属を示す出仕と捉え、それを前提に、「征明嚮導《きょうどう》」すなわち明征服の先導を求める返書を与えた。この要求は、同行した宗氏の使者によって明に攻め入る道を貸す「仮途《かと》入明」として伝えられた。出陣に備えての掟書(天正二〇年〈一五九二〉正月付)では、軍事行動の対象は「大明国」と明示されている。国内で服属地に対して発給されそこでの乱妨狼藉を禁止する「禁制」が「高麗国」を対象に作成される(中野 二〇〇八)など、国内戦の延長としての準備がなされていた。

一五九二年、初戦での優位と漢城征圧の報を受けた秀吉は、「大唐都」(北京)に天皇を移し、秀次を「大唐関白」にする、「三国国割構想」を示す。日本帝位、日本の関白、朝鮮の支配者を適宜任じ、自身は寧波に居を構え、出陣した諸将には、天竺近き国を与え、天竺を切り取らせる計画という。日本軍が最も優勢だった状況で究極の理想を語ったものであろうが、明にかわって「中華」となる、という構想を支えたのは、自らを「日本弓箭《きゅうぜん》きびしき国」として「大明の長袖国《ちょうしゅうこく》」(長袖は公家や僧侶を指し文弱の徒と侮る呼称)に対置する、武の力で成り上がった政権の自負であった。しかし、権力構想は必ずしも明確ではなく、秀吉は天皇を超えて、「日本国王」から観念的な概念規定としての〈中華皇帝〉になることを目指していたとする見方がある(堀 二〇一二)一方、「大唐」の北京に天皇を置く発想は、旧来の秩序意識を脱していないとも指摘される(跡部 二〇一六)。

日本勢は一時平壌まで進んだが、明・朝鮮軍の反攻により撤退、戦局は膠着した。朝鮮の意向を無視した日明の停戦交渉は、複数のルート、双方の中央と交渉担当者の意思疎通不全等から複雑な過程をたどる。日本側の条件も、明の皇女を日本の妃とすること、勘合を復して官船・商船の往来を認めること、人質として朝鮮王子と大臣の来日、朝鮮半島南部での領土・拠点の確保等、局面により前面に出る要素が異なるが、ひとまず明の秩序のもとで、朝鮮を下に置き、体面を保てる成果のある妥協点を探ったとみられる。明側は日本の降伏表明を求めていたが、双方の交渉担当者の画策の末、一五九五年、明朝廷では日本軍の撤退と秀吉の日本国王冊封を条件とする講和が認められ、冊封の使節が派遣された。

本来中国を中心とする華夷秩序の理念の中で朝貢と不可分であるはずの「勘合」は、足利政権下ですでに、本来の文書形式や冊封関係を前提とする往来の使者の身分証明という性格を離れて、貿易の一形式と理解されており、冊封されることとの意味が国内で充分理解されていたとはいえない。かつては、秀吉が明の冊封に激怒し、講和が破綻したとするのが通説であったが、文禄六年(一五九五)九月一日、秀吉は明の使節に会い、冊封文と皇帝「下賜」の品を受納している。また、秀吉臣下に対しても、日本側の希望を踏まえつつ授職が決定され、箚符《さっぷ》が発給されており(須田二〇一七)、冊封を受けることは問題になっていない。しかし、すべての城塞の破却と軍勢の撤退を求める明側と、領土獲得にせよ朝鮮王子来日にせよ何らかの勝利の証を求める日本側の隔たりが露呈し、講和交渉は決裂した。

一五九七年、日本勢の再上陸の目標は朝鮮南部の征圧に絞られた。明・朝鮮軍との戦闘は一進一退で泥沼化し、同年の秀吉の死によって朝鮮出兵は終わりを告げる。

この出兵の原因・目的については古くから、秀吉の誇大妄想・功名心といった個人的要因、戦争体制を前提とする支配の構造的特質としての領土拡張欲求や国内矛盾の解消などの国内的要因、勘合貿易の復活、明帝国からの自立、あるいは自らを中心とする東アジア国際秩序の再建、イベリア勢力の世界侵略への対抗など国外的諸要因と、その相互関係が議論されてきた(津野二〇一四)。総勢三〇万ともいわれる軍隊の大陸への出兵は、朝鮮半島の荒廃と、明王朝の動揺を招いたが、これだけの人数が国外へ出、海外の軍勢と直接交戦し、軍事的成果を得られなかったことは、日本の社会にも政権にも大きな影響を与えた。

二、徳川政権

徳川政権初期の対外的課題

朝鮮半島からの撤退後、国家の体面を保ちつつ、明・朝鮮との関係を修復、再構築することが、後継政権の課題だった。シナ海域における交易を維持するためには、東南アジア地域と国家間の関係を持つことが望まれた。国内的には、関白秀頼を中心に豊臣政権が存在し続けており、徳川政権の統治の正統性を国内外に示す必要があった(藤井一九九四)。

朝鮮との関係回復交渉は、以前より関係を持つ対馬の宗氏に委ねられた。先に国書を送ることは相手国への恭順を意味するため、国家の体面と関わる困難な問題だったが、対馬は一六〇六年、家康の「国書」を偽造送達し、翌年朝鮮国王は家康の国書への回答と朝鮮人捕虜の送還を目的とする使節(回答兼刷還使)を送った。対馬はこの返書にも操作を加え(田代 一九八三)、日本側はこの使節を受け入れ、朝鮮との戦争状態は終結をみた[4]。一六〇九年(慶長一四)、朝鮮と対馬藩の間で交わされた己酉約条《きゆうやくじょう》により、宗氏が媒介する日朝関係が再形成された。朝鮮による明との仲介も期待されたが、朝鮮は応じなかった。

明との関係修復は、直接および琉球を通じても試みられたが、明側は交渉を拒絶した。一六一〇年、幕府年寄本多正純が福建総督に送った書状は、行き来が絶えたことを遺憾とし、勘合による往来の回復を求め、「益々中華を慕い」としつつ、家康が「日本国主」として国内の秩序を回復し、「其の化の及ぶ所、朝鮮・安南《アンナン》・交趾《コーチ》・占城《チャンパー》・暹羅《シャム》・呂宋・西洋《さいよう》(インドシナ方面)・柬埔寨《カンボジア》等蕃夷の君長・酋帥《しゅうすい》、各々書を上《たてまつ》り賓《みつぎ》を輸《いた》さざるはなし」(異国日記)と、日本を中心とした華夷的関係を主張している。明からの返答はなく、公式貿易再開はならなかった。

一五九九年以降、家康は、大泥《パタニ》・安南・柬埔寨・占城・暹羅などの王侯との書翰で統治権掌握を伝え、日本から渡航する商船に朱印状を発給することを伝え、その所持船の保護と不所持の船との交易禁止を求めた。国家間の関係を結ぶとともに、朱印船貿易によって、シナ海域を往来する人々による、日中間を媒介する出会貿易及び東南アジア各地との直接貿易を、政権が認証し統制を図った。

一六〇〇年のオランダ船リーフデ号の豊後臼杵湾への漂着を契機に、連合オランダ東インド会社(以下オランダ東インド会社)は家康から渡航許可の朱印状を得て平戸に商館を置いた。以後同社はオランダの日本貿易を独占するが、当初は日本で需要の高い中国商品を安定的に入手する拠点も手段も持たず、スペイン(及び同君連合のポルトガル)を相手に独立戦争を遂行しつつ、敵船からの略奪商品を持ち込み「海賊」と非難されていた。イギリス東インド会社は一六一三年に渡航許可の朱印状を得て平戸に商館を開くが、一〇年で撤退を余儀なくされる。貿易規模はまだ小さいものの、宣教師を伴わず利益追求に徹する両東インド会社の商人たちは、徳川政権に新たな選択肢を与えるものだった。

マカオのポルトガル人の日本貿易は、国王から航海権を与えられた司令官カピタン・モールが行なうものだったが、一六世紀の間はほぼ毎年、個人商船も日本に来航していたとされる。イエズス会宣教師と商人は強い相互依存関係にあり、貿易の仲介者としての宣教師の滞在は認めざるを得なかった。徳川政権は堺・京都・長崎の商人集団にポルトガル船が舶載する中国産生糸の一括購入権を与えること(糸割符《いとわっぷ》)で、交易の掌握を図った。

一五九〇年代、日本のキリスト教界の要請を背景に、スペイン系托鉢修道会士の活動が始まった。秀吉の死後、家康は潜伏していたフランシスコ会士を仲介に、マニラのフィリピン総督に和平と交易を求め、総督が求める海賊対策にも応じた。総督府は、布教のみならず海賊被害や来航日本人の暴動などの治安上の問題、食料や武器弾薬の獲得などの観点から日本との友好関係を維持した(清水 二〇一二)。徳川政権の望むメキシコとの通交や関東へのスペイン船招致は実現しなかったが、「呂宋国主」(フィリピン総督)と家康との書翰の往復は、一六一三年までほぼ毎年続いた。

選別と再編

徳川氏による将軍職の継承、豊臣氏の滅亡を経て、一六一六年に家康が死去すると、秀忠による継承は慎重に進められ、軍事力を背景としつつも行使せずに、徳川政権が公権力として権威を保ち、秩序を維持する体制への転換が図られた。列島周辺では、中国大陸での女真族の活動が活発化し、シナ海域では、スペイン・ポルトガル勢力とオランダ・イギリス勢力の対立が続いた。同じ海域を航行する朱印船の活動が、これらの勢力と競合し、また偶発的に紛争に巻き込まれる可能性が次第に現実化する。そのなかで、国家間の関係においても権威を損なわず、キリスト教や日本近海での紛争の可能性という危険因子を抑制する政策が取られた。

徳川政権は当初、貿易の振興と掌握を優先し、キリスト教布教を黙認していたが、複数の貿易ルートの成立、朱印船貿易の展開による宣教師の仲介への依存度の低下などを前提に、一六一二年、直轄領に一般信徒も含めた信仰の禁止を命じた。一六一三年には全国向けに「伴天連《バテレン》追放文」が出され、このあと、キリスト教を、垂迹《すいじゃく》説により一つである仏と神の「神国」日本に敵対する「邪法」と見る、排撃の論理が定着していく。

布教開始後一七世紀初めまで、キリスト教は仏教の一派と考えられており(藤井 一九九四)、教義そのものより、一向宗のように宗教的に結合した勢力が政権を脅かすことが問題だった。加えてマニラを拠点とするスペイン勢力は、侵略も辞さない軍事的脅威と認識されており、外国勢力と国内のキリスト教徒との結合への懸念が、禁教強化の要因となった。

一六一四年に宣教師と有力信徒の追放が実行され、一六一五年来日のスペイン使節に対し、将軍秀忠は謁見と進物受理を拒んだ。このあと使節来航は中断し、一六二三年に通交貿易回復のための使節が来航したが、一六二五年、最終的にマニラとの通交は終わる(清水 二〇一二)。マニラ向けの朱印状は発給され続け、マニラからの中国船や朱印船による宣教師の密航は続き、次の課題となった。

朱印船がマカオで起こした紛争を原因とする長崎でのポルトガル船襲撃(マードレ・デ・デウス号事件)を契機に、徳川政権は一六一〇年にポルトガル船の来航を禁止し、二年後に再許可した際には寄港地を長崎に限定した。以後マカオ行きの朱印状は発行されていないが、無許可の渡航船もあった。一六二〇年代には、政権は日本人からの投資、宣教師との通信や宣教師のための取引の禁止を命じ、マカオ船に対する取り締まりを強化した。マカオ側は、長崎との貿易を危険にさらす宣教師渡航の幇助を取り締まってはいたが、徹底しなかった。日本人商人によるマカオ貿易への投資も継続していた(岡 二〇一〇)。

オランダ東インド会社のアジア海域での活動の最大の目的は香料貿易であり、モルッカ諸島・アンボイナ方面で、スペイン・ポルトガルの船舶への攻撃を繰り返していた。一六一九年にはバタヴィアにアジア貿易の拠点をおき、さらに、域内貿易に必要な中国商品を獲得すべく、マカオからのポルトガル船やシナ海域から日本を目指す船への、海賊行為を活発化させた。徳川政権は一六二一年に、日本人を対象とする人身売買や連れ出し、武器の輸出、領海内での海賊行為を禁止する命令を出す。武器や、傭兵として評価の高かった日本人の輸出禁止は、国際紛争に巻き込まれる危険を回避するものであり、朱印船等許可を与えた船への海賊行為は政権の威信を損なう許せない問題だった。

オランダが日本貿易に必要な商品を安定的に確保できるようになり、日本において海賊から商人への転換を果たす条件が整うのは、一六二四年の台湾における拠点獲得以降であるが、それはすでに台湾で出会貿易を行なっていた朱印船との競合を招いた。バタヴィアからは、台湾行きの朱印状の停止等を要望する使節が派遣されたが、本国政府ではないバタヴィア総督は将軍に対等に使節を送る資格はないとみなされ、この使節は謁見も返書も与えられなかった。使節の失敗は双方の船の抑留(台湾事件)と貿易の中断を招いたが、オランダ東インド会社は国家の体面からは自由で、充分な利益が享受できる限り恭順の態度を取ることもいとわず、一六三三年に貿易は再開された。

国内体制の整備と並行して、国家間の関係においても、派遣者の地位や身分・資格、書翰の形式等が重視されるようになる。日本側が考える国家間の序列、相手国の国制内での派遣者の格付けなどが吟味され、政権の権威や体面を傷つけない対応が検討された。権威の源泉とする武力の国外への発動が現実化しないよう、紛争は慎重に回避された。

長崎——シナ海域への口

秀忠が一六二三年に将軍を家光に譲り、一六三二年の秀忠の死で家光の親政が始まると、一六三〇年代には、より明確に対外関係の選別と政権に適合的な編成が進む。

長崎では、一六一〇年代に開始された徹底的な強制によって、キリスト教徒のほとんどが棄教した。ヨーロッパ船の来航が平戸と長崎に制限され、朱印船の発着、各地に来航していた中国船についても、長崎の比重が増した。政権は直轄地長崎の奉行に対し、①日本人の異国への渡航と帰国の禁止、②キリスト教禁止の強化、③長崎貿易の統制強化を命じた(5)。

異国への渡航と帰国の禁止は、朱印船の渡航先での紛争を回避し、宣教師の潜入を防ぐものであり、シナ海域との交易を異国船(この段階ではポルトガル船・オランダ船・中国船)の来航によってのみ維持することが選択された。「日本人」の海外往来を禁止するには、地理的領域とともに、政権の支配に属する人の範囲の「内」と「外」の確定が必要となる。境界人的属性を持つ長期滞在者が排除された（荒野 一九八七）とされるが、その際、政権の支配に属する「日本人」と「異国人」を区別する指標となったのは、「住宅」する、すなわち住居や家族を持ち住み着いていることであった(松井 二〇一〇)。一六三六年には、ポルトガル人男性が日本でもうけた子供とその母及び関係者の追放が命じられたが、同様の措置は一六三九年にはオランダ人の子供とその母にも適用され、異国人男性が日本の女性と関係することも禁止された。こののち、政権の支配領域に住み続ける人々が、仏教寺院による非キリスト教徒であることの証明の制度化(宗門改・寺請)により、支配の対象として登録される仕組みが整備される。

貿易については、それまで九州地域の大名領が持ち得ていたシナ海域との交易関係を終わらせ、長崎に一元化し、政権の統制下におくことが目指された。武士が直接取引に関与することを禁じ、主力輸入品である中国産生糸における糸割符制度を中心に、都市商人を組織して貿易業務を担わせ監督する方針が取られた。

ヨーロッパ船の来航を伴うシナ海域交易の最大の問題はキリスト教だった。朱印船によるルートを絶ち、密告に賞金を出して宣教師の潜入・潜伏の根絶を図るとともに、出島を築造して来航ポルトガル船の乗員を隔離し、住民とキリスト教と関わるものとの接触を遮断することで禁教の強化が図られた。禁教貫徹のため、ポルトガル船の排除は早くから検討されていたが、生糸などの中国産品の供給の問題に加え、政権中枢も含めた広範なマカオ長崎貿易への投資者の利害もあり、政権の方針は揺れていた。一六三七年の島原天草一揆は、一揆勢が国外からの援軍を期待していたともみられ、国内の反乱と海外勢力との結合への警戒をさらに増幅させた。政権は、輸入商品確保や、来航船の安全等について熟慮を重ね、一六三九年に至ってポルトガル船来航禁止の結論を出した(山本 一九九五)。同時に沿岸防備の措置が命じられ、翌年貿易再興を願うマカオからの使節に対し処刑と乗船焼却という強硬策を取ったあと、政権は報復を警戒し、防備体制を一層強化した。一六四一年にオランダ商館は出島へ移され、貿易の長崎への集中が完成した。

「四つの口」

キリスト教対策を基軸に形成された長崎における シナ海域交易の管理・統制に加え、対馬を通じた朝鮮との関係、薩摩を通じた琉球との関係、松前を通じた蝦夷地との関係の掌握によって、徳川政権は周辺地域との関係を再構成した(四つの口)。それぞれの地域権力は、地理的位置に基づいて培ってきた相手との関係を、豊臣・徳川政権に臣従を表明することで保証され、大名として果たすべき「家役」として交渉や折衝を行なう役割を負うとともに、貿易の独占を得ていた。(6) 対外関係も、大名が果たす軍役に対して知行が与えられるという徳川政権の編成原理に組み込まれた。直轄地である長崎では、町人の「役」として貿易が担われ、長崎奉行は、長崎の支配とともに政権の出先として対外関係を統括した。

朝鮮との関係は、将軍に対し朝鮮国王からの使節が送られる形で実現し、一二回派遣があったが、日本側が使節を送ることはなかった。外交儀礼上は徳川政権と朝鮮王朝は対等とされた。己酉約条によって、宗氏は毎年使節船の派遣を朝鮮側から認められ、公私の交易を行なった。渡航先は釜山に限定され、渡航者は倭館への滞在が強制された。朝鮮側にとっては、中世以来の通交者である宗氏に朝貢貿易的性格の関係を再び許すという位置づけだった。

豊臣政権は島津氏を介し琉球に服属要求を繰り返し、全国統一を賀する使者を臣従の証と解した。琉球に対明関係の仲介を期待した徳川政権は、一六〇九年、島津氏に琉球王国征服を許可し、島津氏の支配を認める一方、琉球の王国としての存続を命じた。琉球は引き続き明との冊封・朝貢関係を維持し、来琉する冊封使一行との貿易と、朝貢船による貿易を継続した。島津氏は投資と、日本国内での輸出品確保や輸入品販売等を通じて貿易に間接的に関わった。一方で琉球は、将軍の代替わりを祝う慶賀使や国王代替わりの謝恩使を派遣しており、政権はそれを「異国の使節」として扱った。明清交替後も清との間に冊封・朝貢関係は維持された。琉球からみれば、それは中日の関係を活用して存立し、その関係を管理・調整する自律的国家のあり方だった。複数の大国に重層的に「従う」狭間の国家のあり方が、前近代アジアに共時的に存在していたことも指摘される(渡辺 二〇一二)。

渡島半島南部の地域権力に成長した蠣崎氏(のちに松前氏と改名)は、一五九〇年に秀吉の命に従い上洛し、一五九三年には朱印状を得、徳川政権下においてもアイヌとの交易管理権を保障された。それまでのアイヌとの関係は必ずしも蠣崎氏優位のものではなかったが、統一政権による討伐を脅しに、蠣崎氏はアイヌへの態度を強めた。当初の交易は、松前城下での目見えの挨拶儀礼を伴うものだった。一六三〇年代には、和人地と蝦夷地の区分が確定され、財政基盤の強化と家臣団の整備のなかで、交易は、特定の場所(商場《あきないば》)での交易権を知行に相当するものとして家臣に与える形態に変えられた。一八世紀には、家臣たちは、次第に与えられた商場の経営を商人に委託するようになる。アイヌとの交易に加え、漁業経営が行なわれ、蝦夷地は中国向けの輸出海産物の中心的産地として、長崎貿易や琉球貿易と結びついた。

関係修復が実現しなかった中国を中心とする華夷秩序の傍らに、もう一つの日本中心の華夷の関係が存立している、というのが政権の描く対外関係の枠組みであり、「四つの口」は政権と外の世界を媒介し、相手方とのギャップを埋める役割を果たすことになる。

結果的には、一六三〇年代前後に原型が確立したこの枠組みは、一九世紀半ばまで存続したことになるが、その定着と制度としての認識には、時間と経験が必要だった。

すみわける一八世紀へ

明朝滅亡と清の北京遷都後も、南明政権、台湾を拠点とする鄭氏政権、三藩の乱などの抵抗運動は、日本にも影響を及ぼした。徳川政権は、対馬や琉球、長崎の中国船を通しその情報を注視し続けている。一六四〇年代には、旧明系勢力からの援軍要請が何度か届いた。政権は援軍の可否について検討したうえで、不可との結論を出している。

鄭芝龍《ていしりゅう》・成功《せいこう》父子がシナ海域の一大勢力に成長し、一六四〇年代以降、長崎に来航する中国船の大半は鄭氏一族のものとなる。その出航地は福州・漳州・安海等に加え、カンボジア・シャム・クイナム・パタニ・トンキン等東南アジア各地に及んだ。父芝龍の清朝への降伏後も抗清活動を続けた鄭成功は、一六六一年台湾を攻撃し、翌年にはオランダ人を退去させ、台湾を手中にした。イギリスは、鄭氏と協定し、オランダ人の去った台湾に商館をおき、一六七三年に日本貿易再開を求める船を送った。徳川政権はオランダから情報を得ていたイギリスとポルトガルの王室の姻戚関係を理由にそれを拒絶し、翌年もたらされたデンマーク船来航計画の情報に際しては、事前に来航時の対応を検討し、以後ヨーロッパ諸国と新たな関わりは持たない方針を示している(木村 二〇〇九)。このころには、個々の状況に応じた検討と判断の蓄積が前例となり、原則と認識されるようになってきた。

一六八三年の鄭氏の帰順後、清朝が海上商業の開放に向かうと、徳川政権は、沿岸封鎖の解除に伴い来航が予想された多数の中国船に対して、貿易の上限額を設定し、船数も制限することで対応した。来航船の中には通商の可能性を探る清の地方官もいたが、徳川政権はもはや国家間の交渉を必要とせず、彼等の再渡来を禁じて帰国させた(荒野 二〇一〇)。銀流出抑制のため、貿易額の上限はオランダ船、朝鮮・琉球との取引にも設定された。同時期に主要輸出品の銀から銅への転換が図られ、銅が一八世紀の長崎貿易の主要輸出品となる。貿易制限は、長崎周辺での密貿易の多発、銅不足による貿易不振、長崎市中の困窮などの新たな問題を生んだ。密貿易防止のため、それまで市中に滞在していた来航中国人を収容する唐人屋敷と、貿易品を別に収納する新地《しんち》蔵《ぐら》が建設された。

一七一五年の正徳新令は、貿易とその担い手である都市長崎を持続可能なものにする試みの集大成といえる。来航する中国人の統制のために、中国船の船長と長崎の唐通事《つうじ》が取り交わす信牌を持参した船にのみ貿易を認める制度が考案された。これについては清朝側でも賛否の議論がなされたが、康熙帝は、信牌を受け取ることは商業上の認証行為で、問題にすべきことではないと判断し、信牌制度と正徳新令に伴う貿易規制は受け入れられた(松浦 一九八八、岩井 二〇〇七)。二つの陸の国家が、互いに直接の関係を持たないことで、それぞれの対外関係管理体制を両立させ、「すみわける」状態(羽田 二〇一三)が現出した。

制限貿易の下で、輸出品は銀から銅・海産物に変化したが、国内市場と流通の発展は、輸出品を優先する集荷体制の維持を困難にした。輸入品は、砂糖や薬種など大衆的需要のある商品が増加した。輸入の減少した生糸や朝鮮人参、砂糖などの国産化により、輸入品への依存度は低下した。中国市場圏からの自立(荒野 二〇一〇)と評される過程で、「四つの口」での公的な貿易は衰退し、変質を余儀なくされる。

アメリカ大陸北西岸とアジアを結ぶ毛皮貿易、次いで太平洋捕鯨が活発化し、日本近海に異国船が出没するようになると、一八世紀末以降の対外政策は、新たな局面を迎える(横山 二〇一三)。その中で、「海外との通航は厳禁」「通信は朝鮮・琉球、通商はオランダと中国に限り、新たな国とは行なわない」という一七世紀末までにはほぼ確立していた実態が、「祖法」として定式化され、表明された(藤田 二〇〇五)。

おわりに

余りに広く「鎖国」と括られてきた徳川政権期の対外関係は、政権が構築した①「四つの口」を通じて人・モノ・情報を管理統制するシステムと、その全体を編成する②自己を中心とする華夷の論理で、説明されるようになった(荒野 二〇一三)[7]。一七世紀前半の事情に合わせて形作られた管理統制の仕組みは、シナ海域の状況を試金石としつつ整えられ、一八世紀には海域の沈静化とともに安定する。

政権の世界観は、対峙した中国王朝やキリスト教国に対して政権の行動を正当化するための論理として練り上げられた。それは、列島社会の秩序を再編した武の力の優位に依拠し[8]、国外に対しても将軍を頂点とする儀礼的上下関係が成り立っているとみなすものであった。一七世紀後半には、漢籍の輸入は拡大し、その翻訳や日本で編集された刊本も普及した。四書五経や史書、漢詩文などの書物を通し、中国文化への理解が深まり、地理書や地図を通し、地球規模での国々や民族についての知識が受容された。漢学的教養のもとにそれらを読みといた知識人の世界観は一様ではないが、「華夷変態」と捉えられた明清交替を経て、日本を「夷」とする伝統的な「中華」観念の相対化が模索された。普遍的価値としての「中華」の存在は現実の中国王朝と分離され、その価値が日本にこそあると考え、日本を「華」とする種々の言辞がみられる(荒野 一九九四)。

こうした思惟の底流にはなお「中華」を価値基準とする自他認識の枠組みが存在し続けていた。その根底的変容をもたらしたのは、ロシアの接近に始まる西洋世界の新たな形での登場だった。

注

（1）史料に即した政治史的研究の多い近年の織豊政権の研究動向については跡部（二〇一六）、織豊期研究会（二〇一七）、平井（二〇一七）など参照。

（2）秀吉の「天下統一」の性格については、「惣無事令」あるいは「豊臣平和令」によって国内外に「秀吉の平和」実現をめざしたものとする説（藤木 一九八五）が広く共有されてきたが、近年は見直されている（藤田 二〇〇一、藤井 二〇二〇）。

（3）この戦争については評価と関わる様々な呼称がある（北島 一九九〇、津野 二〇一四）。

（4）これまでも国書偽造、偽使節派遣を駆使して朝鮮との関係を維持してきた対馬は、こののち、一六一七年（元和三）、一六二四年（寛永元）にも改竄を続け、国書改竄問題が解決を見るのは一六三〇年代となる。偽使については橋本（二〇〇五）参照。

（5）長崎支配の方針を示す年寄衆（後の老中）連署の下知状（命令書）は、着任する長崎奉行に一六三三、三四年には同文が、さらに三五年、三六年には一部を改訂したものが与えられている。かつて一六三九年のポルトガル船来航禁止とともに「鎖国令」と呼ばれ、「鎖国」の段階的強化とされたこれらは、全国の大名に伝えられた一六三九年令とは性格が異なる（山本 一九九五）。

（6）他ルートの貿易は「密貿易」として排除され、渡航者は「漂流民」として送還された。

（7）「鎖国」は、研究上の概念としては文字通り「国を鎖す」ことそのものではなかったが、逆に多くの意味を込められ、一般用語としての独り歩きも著しい。①を「海禁」、②を「日本型華夷秩序」とする荒野の提言（荒野 一九八八）については、種々の議論がある（近年の整理としては木村 二〇〇四、池内 二〇〇六、藤井 二〇一七、松方 二〇一七参照）。「鎖国」の見直しにおいては、ヨーロッパとの関係偏重の視点や日本の特殊性を強調する見解への批判ばかりでなく、「開国」の対概念としての「鎖国」という概念での歴史の見方が、言説として分析・批判されている（大島 二〇〇九、荒野 二〇一七、二〇一九）。

（8）強力な軍事力保持から生じる権威を指す「武威」の語も、武力そのものと象徴的権威の側面を含めた概念で、論者により用法に幅がある（木村 二〇〇四、池内 二〇〇六）。

参考文献

跡部信（二〇一六）『豊臣政権の権力構造と天皇』戎光祥出版。

荒野泰典（一九八七）「日本型華夷秩序の形成」『日本の社会史1 列島内外の交通と国家』岩波書店。

荒野泰典（一九八八）『近世日本と東アジア』東京大学出版会。

荒野泰典（一九九四）「近世の対外観」『岩波講座　日本通史13　近世3』岩波書店。

荒野泰典（二〇〇三）「江戸幕府と東アジア」『日本の時代史14　江戸幕府と東アジア』吉川弘文館。

荒野泰典（二〇一〇）「近世的世界の成熟　通史」『日本の対外関係6　近世的世界の成熟』吉川弘文館。

荒野泰典（二〇一三）「海禁・華夷秩序体制の形成」『日本の対外関係5　地球的世界の成立』吉川弘文館。

荒野泰典編（二〇一七）『近世日本の国際関係と言説』渓水社。

荒野泰典（二〇一九）『「鎖国」を見直す』岩波現代文庫。

池内敏（二〇〇六）『大君外交と「武威」――近世日本の国際秩序と朝鮮観』名古屋大学出版会。

異国日記刊行会編（一九八九）『影印本　異国日記――金地院崇伝外交文書集成』東京美術。

岩井茂樹（二〇〇七）「清代の互市と〝沈黙外交〟」夫馬進編『中国東アジア外交交流史の研究』京都大学学術出版会。

大島明秀（二〇〇九）『「鎖国」という言説――ケンペル著・志筑忠雄訳「鎖国論」の受容史』ミネルヴァ書房。

岡美穂子（二〇一〇）『商人と宣教師――南蛮貿易の世界』東京大学出版会。

岡美穂子（二〇一四）「キリシタンと統一政権」『岩波講座　日本歴史10　近世1』岩波書店。

桂島宣弘（二〇〇八）『自他認識の思想史――日本ナショナリズムの生成と東アジア』有志舎。

神田千里（二〇一四）「「天道」思想と「神国」観」島薗進・高埜利彦・林淳・若尾政希編『シリーズ日本人と宗教――近世から近代へ2　神・儒・仏の時代』春秋社。

菊池勇夫（二〇〇三）「蝦夷島と北方世界」『日本の時代史19　蝦夷島と北方世界』吉川弘文館。

岸本美緒（一九九八）「東アジア・東南アジア伝統社会の形成」『岩波講座　世界歴史13』岩波書店。

北島万次（一九九〇）『豊臣政権の対外認識と朝鮮侵略』校倉書房。

木村直樹（二〇〇九）『幕藩制国家と東アジア世界』吉川弘文館。

木村直樹（二〇一四）「近世の対外関係」『岩波講座　日本歴史11　近世2』岩波書店。

木村直也（二〇〇四）「近世対外関係史研究の現在」『歴史評論』六五四号。

佐島顕子（一九九四）「壬辰倭乱講和の破綻をめぐって」『年報朝鮮学』四号。

清水有子（二〇一二）『近世日本とルソン――「鎖国」形成史再考』東京堂出版。

織豊期研究会編(二〇一七)『織豊期研究の現在』岩田書院。

須田牧子(二〇一七)「原本調査から見る豊臣秀吉の冊封と陪臣への授職」黒嶋敏・屋良健一郎編『琉球史料学の船出――いま、歴史情報の海へ』勉誠出版。

高木昭作(二〇〇三)『将軍権力と天皇――秀吉・家康の神国観』青木書店。

武田万里子(二〇〇五)『鎖国と国境の成立』同成社。

田代和生(一九八三)『書き替えられた国書――徳川・朝鮮外交の舞台裏』中公新書。

津野倫明(二〇一四)「朝鮮出兵の原因・目的・影響に関する覚書」高橋典幸編『生活と文化の歴史学5 戦争と平和』竹林舎。

鶴田啓(二〇一三)「徳川政権と東アジア国際社会」『日本の対外関係5 地球的世界の成立』吉川弘文館。

トビ、ロナルド(二〇〇八)『全集日本の歴史9「鎖国」という外交』小学館。

豊見山和行(二〇〇四)『琉球王国の外交と王権』吉川弘文館。

中島楽章(二〇〇四)「封倭と通貢――一五九四年の寧波開貢問題をめぐって」『東洋史研究』六六巻二号。

中島楽章(二〇一三)「福建ネットワークと豊臣政権」『日本史研究』六一〇号。

永積洋子(二〇〇一)『朱印船』吉川弘文館。

中野等(二〇〇八)『戦争の日本史16 文禄・慶長の役』吉川弘文館。

浪川健治(二〇一三)「松前藩の成立と北方世界」『日本の対外関係5 地球的世界の成立』吉川弘文館。

橋本雄(二〇〇五)『中世日本の国際関係――東アジア通交圏と偽使問題』吉川弘文館。

橋本雄(二〇一一)『中華幻想――唐物と外交の室町時代史』勉誠出版。

羽田正編(二〇一三)『東アジア海域に漕ぎだす1 海から見た歴史』東京大学出版会。

平井上総(二〇一七)「織田信長研究の現在」『歴史学研究』九五五号。

藤井譲治(一九九四)「一七世紀の日本――武家の国家の形成」『岩波講座 日本通史12 近世2』岩波書店。

藤井譲治(二〇一七)「「鎖国」の捉え方――その変遷と現在の課題」辻本雅史・劉序楓編『鎖国と開国――近世日本の「内」と「外」』国立台湾大学出版中心。

藤井譲治(二〇二〇)『日本歴史私の最新講義 天下人秀吉の時代』敬文舎。

藤木久志(一九八五)『豊臣平和令と戦国社会』東京大学出版会。

藤田覚(二〇〇五)『近世後期政治史と対外関係』東京大学出版会。

藤田達生(二〇〇一)『日本近世国家成立史の研究』校倉書房。

彭浩(二〇一五)『近世日清通商関係史』東京大学出版会。

堀新(二〇一一)『織豊期王権論』校倉書房。

堀新(二〇一二)「織豊期王権の成立と東アジア」『歴史評論』七四六号。

真栄平房昭(二〇二〇)『琉球海域史論』(上)貿易・海賊・儀礼、(下)海防・情報・近代)、榕樹書林。

松井洋子(二〇一〇)「ジェンダーから見る近世日本の対外関係」『日本の対外関係6 近世的世界の成熟』吉川弘文館。

松浦章(一九八八)「康熙帝と正徳新例」箭内健次編『鎖国日本と国際交流』下、吉川弘文館。

松方冬子(二〇一五)「一七世紀中葉、ヨーロッパ勢力の日本遣使と「国書」」同編『日蘭関係史をよみとく 上巻 つなぐ人々』臨川書店。

松方冬子(二〇一七)「2つの「鎖国」——「海禁・華夷秩序」論を乗り越える」『洋学』二四号。

松田毅一監訳(一九八七—九八)『十六・七世紀イエズス会日本報告集』同朋舎出版。

三谷博・李成市・桃木至朗(二〇一六)「「周辺国」の世界像——日本・朝鮮・ベトナム」秋田茂他編『「世界史」の世界史』〈MINERVA世界史叢書〉、ミネルヴァ書房。

村井章介・荒野泰典(二〇一三)「地球的世界の成立 通史」『日本の対外関係5 地球的世界の成立』吉川弘文館。

村井章介(二〇一三)『日本中世境界史論』岩波書店。

村井章介(二〇一九)『古琉球——海洋アジアの輝ける王国』角川選書。

村井章介・荒野泰典編(二〇二一)『新体系日本史5 対外交流史』山川出版社。

山本博文(一九九五)『鎖国と海禁の時代』校倉書房。

横山伊徳(二〇一三)『日本近世の歴史5 開国前夜の世界』吉川弘文館。

渡辺美季(二〇一二)『近世琉球と中日関係』吉川弘文館。

焦点｜*Focus*

グローバル貿易と東南アジア海域世界の「海賊」

太田 淳

はじめに

本稿において「海賊」とは、主に水上（公海に加え港湾や河川も含む）で活動し、暴力または脅迫によって相手の同意なく財を獲得したり要求に従わせたりする行為、およびそれを行う人々と定義する。このような行為（者）がなぜ本講座の一章のテーマに値するのだろうか。注意が必要なのは、海賊とはほとんどの場合他称であり、しかも一定の権力を有する者が、自ら定める秩序に従わない者をそう呼ぶ場合が多いことである。国家が抵抗勢力を海賊と名指すといった例は、歴史上枚挙に暇がない。権力者は、自らの正統性や相手の違法性がどのようなものであれ、自分の敵対者を海賊と名指せることを考えると、海賊なるものがどれだけ実在したかもあまり明確ではない。そこで本稿では、海賊行為の程度や法的根拠にかかわらず、誰が何のために誰を海賊と名指したか、そして両者の間でどのような展開が生じたかを検討する。このような検討は、海上活動が活発で支配関係が絶えず流動的であった東南アジア海域世界の歴史的ダイナミクスの一面を示すであろう。

本稿は、一八世紀後半から一九世紀初めに、東南アジア海域世界で特に海賊が活発化し多くの記録が残された要因を検討する。本稿で強調することの一つは、この時代における政治経済のリズムが海賊と呼ばれる人々の活動を必要としたことであり、もう一つは、この海域に影響を及ぼしたヨーロッパ勢力が、この時代に特に海賊の存在を強調する必要があったことである。この海域は当時もグローバル経済の一部であり、その展開にヨーロッパ人もアジア人も対応したことで、この時代に特有の海賊活動が生まれたことを論じたい。

これらを検討するために、第一節では、一八世紀東南アジア海域世界における貿易構造の変容をグローバルな展開に位置づける。第二節ではマレー海域を例にあげて、海賊と呼ばれた集団の活動とヨーロッパ人の対応を検討する。第三節では植民地体制の開始において海賊が果たした役割を、シンガポールを含むマレー海域において明らかにする。(1)なお、本稿に出てくる地名は、巻頭地図を参照されたい。

一、貿易構造の転換

「商業の時代」からオランダ東インド会社の覇権へ

一四五〇年頃から一六八〇年頃は東南アジアの「商業の時代」と呼ばれ、貿易の発展やそれに基づく王権の強化で特徴づけられる。この時代にもっとも求められた商品は、マルク(モルッカ)諸島で得られるクローブ、ナツメグ、メースという高級香辛料、胡椒(インド原産だが一五世紀から東南アジアで生産が急増)、そして熱帯の森林で取れる竜脳などの樹脂類や沈香や白檀といった高級香木であった(Reid 1993)。このように稀少で高価な商品が取り扱われたのは、それらがこの時代の長距離貿易に適していたためである。

一八世紀までの長距離貿易は造船・航海技術と市場の性格に規定された。大型船の建造は技術的に困難で資金集めにも苦労したため、国家やそれに準ずる組織であれ民間商人であれ、船を大型化し数を増やすのは限界があり、また小型の船ほど遭難の可能性も高かった。さらに各地の市場における輸入品の購買者は王侯貴族や富裕な商人層などに限られたため、小さな市場で利益を得るには稀少で高価な商品を扱う必要があった。

高級香辛料や高価な木材の産地（主にインドネシア諸島東部）は中国とインドを結ぶ主要航路から遠く離れていたため、主に東南アジアの商人が主要航路沿いの中継港まで商品を運び、外来商人に届けた。そうした中継港がビルマ南岸からマラッカ海峡、シャム湾、インドシナ半島沿岸、ジャワ北岸などに台頭し、その多くが港市政体へと発展した。一五世紀には多くの政体が並立し競合したが、一六世紀からはタウングー朝ビルマ、アユタヤ、アチェ、バンテン、マカッサルといった少数の政体が強大化した（リード 二〇二一）[2]。

一五九六年、このような時期の東南アジアに初めて来航したオランダ人は、一六〇二年にオランダ東インド会社を設立し、一六一九年にそのアジア本部をバタヴィア（現ジャカルタ）に設置した。会社は一七世紀の大半の間バンテンやマタラムといった強力な現地国家と抗争を続けたが、最終的に一六八〇年代までにマカッサルとバンテンという二強国を武力制圧し、残る強国であるアチェとマタラムも内部抗争から弱体化し長距離貿易から撤退したことにより、貿易の覇権を握った。オランダ東インド会社の特徴的な戦略の一つは、各地の支配者と条約を結んで独占取引を認めさせ、産品をバタヴィアに集中させたことである。もう一つは、中国南岸や東南アジア各地から中国人をときに強制的にバタヴィアに移住させ、中国船を来港させたことである（Blussé 1986）。このように会社は様々な強制力によって、オランダ船と中国船のネットワークをバタヴィアに一極集中させた。

こうして会社は、貿易支配という当初の目標をかなりの程度達成したが、まさにその頃から停滞が始まった。会社は支配下の地域で生産管理を強め、支配者との条約に基づき、ときに地方有力者に協力させて、生産者に一定価格で産品の大半またはすべてを提供するよう強要した。しかし低価格が設定され厳格な生産統制が行われた産地では、生産意欲が失われ供給量が低迷した。さらにヨーロッパで香辛料の価格が暴落し、一八世紀からヨーロッパで人気の輸入商品は、コーヒー、茶、砂糖、綿布などに変化した(後述)。

グローバルな「異境の品の消費」と貿易構造の変容

東南アジアでオランダ東インド会社が停滞する一七四〇年頃からの約一世紀は、「華人の世紀」と呼ばれる。中国では統治が安定して人口が増加し都市部の経済が成熟したことから、東南アジアからまず米の輸入が始まった。さらに、経済力をつけ拡大する中間層の間で、フカヒレ、ナマコなどの食用海産物、籐や樹皮(漢方薬の原料)などの林産物、さらに錫、胡椒、燕の巣などの輸入が増えた。清朝が海禁政策を緩和すると、これらを求める多数の中国船が東南アジアに向かった。東南アジアでは錫や胡椒などの生産に必要な技術や労働力が不足したことから、中国人労働者が移住して鉱山やプランテーションで働いた。こうした中国人商人や労働者の貢献により、東南アジアの商業は再び拡大したと考えられている(Reid 1997a: 11-14; Lieberman 2009: 868-871)。

このように一八世紀から中国で新たな産品が求められるようになった背景は、グローバルな文脈で捉えられるべきである。というのは、富裕層や新興中間層において外来産品に関心が高まる現象は、中国に限らず一八世紀に世界で広く見られたからである。一七世紀後半から西ヨーロッパでは、紅茶、砂糖、コーヒー、カカオ(チョコレート)などが大量に輸入され顕示的で過剰な消費が行われた(ミンツ 二〇二一)。さらに加えて、インドや中国の手工業品にも強い需要が生まれた。色鮮やかで細かな意匠を持つ更紗などのインド綿織物がヨーロッパ式のドレスに仕立てられ、優美な中国磁器で宮殿や自宅の陳列棚を埋め尽くす者も現れた。マキシン・バーグは、このような一八世紀における外来品の消費は、伝統的な王侯貴族による退廃的な奢侈品消費と異なり、中間層の新たな生活様式や都市的な消費文化と結びついた「贅沢」であったと論じる(Berg 2004: 94, 97)。一九世紀に至るまでインドの染織品や中国磁器が技術的にも意匠面でも優位にあったことから、ヨーロッパ社会はアジアの手工芸品に対して憧憬の念を抱き、ヨーロッパで模倣生産が発展したことをバーグは強調する。しかし輸入されたインド布には、刺繡などヨーロッパの技術で制作できるものも含まれていたことから(Riello 2009)、この需要には「奇妙で異国的な他者」(Berg 2003: 228)への関心という側面が強かったであろう。

こうした一八世紀の「贅沢」品やインド綿布をグローバルに扱った研究は、主にヨーロッパにおける消費や模倣生産を論じ、日本や中国は主たる考察対象とされていないが(Berg and Eger 2003; Riello and Roy 2009)、これらの地でもヨーロッパと類似した現象が起きていた。一八世紀の日本では都市住民の間でインド更紗などの舶来布が好まれ、鍋島更紗をはじめとする国内模倣生産が行われた(小笠原 二〇〇五)。砂糖が中国、ジャワ、ベンガルなどからますます輸入されるにつれ、砂糖自体の輸入代替生産のほか、内外の砂糖を利用した和菓子が発展した(八百 二〇一二)。中国では、外来品への関心は東南アジアの一次産品に強く向けられた。新興中間層は、都市部で発展した外食産業を通じてそれまで宮廷料理用であった食材を口にし、自らの地位や経済力にふさわしい外来の珍奇な品を消費した。東南アジアの海産物は同時に医学的効果も着目され(Xu 2021)、中間層の健全な消費という発想と結びついた点でヨーロッパの大衆的贅沢品と類似する。東南アジア産品では他に錫が儀礼で燃やす模擬紙幣(紙銭)の錫箔などに用いられ、籐は家具の原料とされた。これらも拡大する中間層の大衆的消費の一部といえよう。かつては稀少であったナマコや燕の巣なども供給が増えるにつれて、大衆的贅沢品となった。

本稿ではこうした現象を、グローバルな「異境の品の消費」と呼ぶことにする。世界の経済先進地域で、経済力や社会的地位を向上させた富裕層や新興中間層が、異境性を持つ商品を新たな消費の対象としたのである。この現象が世界でほぼ同時発生した理由は、環境や経済の変化から説明できるだろう。北半球の温帯地域では一七世紀の小氷期が終わり、一八世紀には農業に適した温暖期が訪れた。農業革命はヨーロッパだけの現象ではなく、中国では山間地で新大陸作物生産が増加し、日本でも勤勉革命や農業の商業化にともない生産性が向上した。商品作物の生産は分業を促し、都市化が進み貨幣流通が増加した。こうした経済ブームのなかで、贅沢品の消費が王侯貴族を越えて中間層に広がり、「異境の品」が北西ヨーロッパ、中国、日本の都市部において共時的に求められたのである。

「異境の品の消費」ブームは東南アジアでも貿易の拡大を促したが、オランダ東インド会社の一極集中型独占貿易はそれに対応できなかった。「商業の時代」の貿易品は、限られた産地で得られ少量で取引されたために生産や流通の管理が可能だった。ところが一八世紀の中国で人気を博した「異境の品」——主に東南アジアの海産物や林産物——は、産地が限定されず独占はほとんど不可能だった。小規模な産地や取引地を数多く訪れて集荷することは、少数の大型船に依存する会社は不得手であった。バタヴィアでは一七四〇年に華人大虐殺が発生して多くの華人が退避したこともあり、中国や東南アジアの商人はバタヴィア以外の取引港を求め、会社の覇権は動揺し始めた。

「異境の品の消費」はグローバルな現象であったため、東南アジア海域世界にも世界から多様な商人が参入した。イギリス東インド会社は広州(当時中国で西洋人に唯一開かれた港)から国内および近隣国向けに大量の茶を持ち帰ったが、対価となる商品を持たず、銀の流出が問題となった。しかしイギリス人はすぐに、中国人の求める「異境の品」が東南アジアにあること、そこでは彼らの持つ火器とインドのアヘンに需要があることに気づいた。こうした半合法的な商品の取引は、勅許会社であるイギリス東インド会社でなく、カントリートレーダー(インド政庁の許可を得てアジア各地の間で貿易した民間商人)に任された。インドから来るカントリートレーダーも、さらに一八世紀末から参入したアメリカ人商人も、オランダ東インド会社支配下の港を避けて東南アジアや中国の商人と取引した(Reid 1997a: 11, 19-20; 1997b: 60-62, 66-76; Lieberman 2009: 869)。

「異境の品」を求める商人の需要に応じて、東南アジアの小型船が多くの産地を訪れ、海産物などを集めた。それらを集荷して外部からの商人に売り渡す拠点として多くの港が台頭したが、なかでも主要な働きを担ったリアウ諸島(マレー海域の貿易中心地)とスールー王国の都ホロが、海賊の猖獗《しょうけつ》する地としても知られたことは偶然ではない。

二、中国市場志向型貿易と東南アジア海域世界の変容

リアウの興隆と陥落

本節は、この時期の海域東南アジア世界で海賊と呼ばれた人々が活躍したいくつかの中心のなかでも特にマレー海域を取り上げる。この時代のマレー海域の貿易を主導したのはブギス人である。先述のようにマカッサルがオランダ東インド会社との抗争に敗れた後、マカッサル人やマカッサル北方に住むブギス人(この二集団とさらに北方のマンダル人が、島外ではブギス人と総称された)の多くが、一七世紀末から東南アジア各地に離散した。彼らは既存の政体の影響が及ばない僻地に定住地を作ることが多かったが、既存の王国と協力関係を結ぶことや、自身の政体を作ることもあった。そうしたブギス人たちのある集団が一八世紀初めにジョホール王国にたどり着き、その内部抗争に加担した。支援を受けて勝利を得たスルタンは、ブギス人リーダーの一人に副王の地位とリアウ諸島を授けた(Andaya 1995: 125-127)。一七六〇年代からはブギス人集団がマレー人のスルタンや首相(トゥムングン)の家系を圧倒し、国内に支配的地位を確立した。彼らの台頭の要因は、ブギス人商人や中国人移民との緊密な関係にあった。各地に点在するブギス人定住地は中国向け海産物などの集荷に有利であり、ブギス人商人がそれらをリアウ諸島へ運んだ。中国人移民は胡椒などの栽培を始め、貿易の振興にも貢献した(Trocki 2007: 32-35)。

一七八〇年代に入るとリアウ諸島のビンタン島は、海域東南アジアの一大貿易中心地に発展した。ブギス人はシャム湾のジャンク・セイロン(プーケット)からアラフラ海に及ぶ広大なネットワークを作り上げ、中国向けのナマコやフカヒレなどをもたらした。それらを求めて中国人商人やカントリートレーダーが訪れ、彼らと取引するために、周辺のジャンビ、パレンバン、バンテンなどから、本来はオランダ東インド会社に販売されるはずの錫や胡椒が運びこ

まれた(Vos 1993: 121-125)。一七八〇年代前半のビンタン島には年間五〇〇〇一一万ピコルの胡椒が集められ、そのほぼすべてをカントリートレーダーが広州に運んだ。広州に輸入される胡椒は一七七〇一一八〇〇年に毎年五〇〇〇一三万ピコルほどであり、ビンタン島以外からもたらされるものも含め、大半をカントリートレーダーが支配した。これに対しオランダ東インド会社が広州に運んだ胡椒の量は三〇〇〇一一万ピコルであり(太田 二〇一四:二五五一二五九頁)、リアウ諸島はバタヴィアの商品と中心性を奪いながら繁栄したといえる。

リアウ諸島の貿易を敵視したオランダ東インド会社は、一七八四年にビンタン島を攻略し、その後の協定でスルタンに、会社軍の駐留を認めブギス人有力者を追放するという屈辱的な条項を受け入れさせた。ところがスルタンは三年後、近海で活動していたイラヌン人海賊の協力を得て、駐留していた会社軍を奇襲して追放した。しかし報酬をめぐる不満から、イラヌン人はまもなく立ち去った。そのためスルタンをはじめとするリアウの有力者たちは、会社からの報復を恐れてマレー海域各地に亡命した(Vos 1993: 179-185)。

西カリマンタンの商業軍事集団とその貿易

しかしリアウ陥落は、ブギス人の貿易衰退にはつながらなかった。ブギス人集団のリーダーであるラジャ・アリは、従者とともに、カリマンタン西岸のスカダナに亡命して要塞を備えた定住地を形成し、貿易を促進した。この地には様々な商人が訪れ多くの移民が定住し、中国人移民は毎年やって来るジャンク船と取引した。あるイギリス人商人は、スカダナが北方のポンティアナック以上に素晴らしい貿易港で、錫、胡椒、金が入手でき、フランスやオランダの商人も引きつけたと述べた。つまりスカダナは、リアウ陥落後にその貿易ハブとしての機能を一部引継いで発展し始めたといえる(太田 二〇一六:四二一四三頁)。

このようなラジャ・アリをオランダ東インド会社のポンティアナック商館長は海賊と呼び、彼がスカダナで「川を封鎖している」と非難した。しかし先述のイギリス商人の記録からは、そうした貿易妨害は読み取れない。むしろ彼らは、スカダナの繁栄がオランダ人の嫉妬を招いたと見ていた(Leyden 1814: 27-28; 太田 二〇一六：四二―四三頁)。会社職員は商売の障害となる存在を海賊と記し、その違法性を会社上層部に対し強調することで、貿易不振の責任を他者に転嫁したのである。

ポンティアナックはオランダ東インド会社の提携相手となったが、それはこの政体が海賊と無縁であったからではない。それどころか、この政体はあらゆる面で海賊国家であった。建国者シャリフ・アブドゥル・ラーマンは西カリマンタン沿岸ムンパワ出身の海賊リーダーで、若くしてカリマンタン南東のバンジャルマシンに移住して、様々な出自からなる従者と大型の武装船を率いた。彼は従者とともに一七七一年にカプアス川の分流の一つとランダック川が合流する要衝の地ポンティアナックに移住して拠点を築き、スルタンを名乗った。まもなくこの地はカプアス川およびランダック川貿易の主導権をスカダナから奪い、ダイヤモンドや金など上流の貴重な産物を提供したため、会社は一七七八年に商館を開設した。その後もこの地では暴力が頻繁に行使され、スルタン自身がしばしば従者とともに周辺地域を襲撃し、商船を襲った。トルコ人やマレー人のリーダーが率いる集団もここに拠点を置き、「海賊からの保護」を名目に沖合を通る商船から貢納を求め、応じない船は襲撃して積荷を奪った。こうした活動は、オランダ人の視点に拠らずとも本稿冒頭に示した定義からして海賊に相当するが、会社がそれを問題とした形跡はない。ブギス人や中国人などの移民集団が上流地域からダイヤモンド、金、蜜蠟、籐などを運び、布、磁器、鉄器などをもたらすシャム、カンボジア、中国、マレー海域各地、マカッサル等からの商人と取引した。海賊と商業活動は明確に区分されず、両者が相互に取引しただけでなく、同じ集団が海賊行為と商業活動の両方に携わることも多かった(太田 二〇一六：四〇―四一頁)。このような集団を商業軍事集団と呼ぶことができよう。

このように海賊行為と商業活動が混然とした小規模な港市が、この時期の西カリマンタンには数多く出現した。オランダ東インド会社とポンティアナックの連合軍が一七八六年にスカダナを攻撃し壊滅させると、その上流にあるシンパンが一七九〇年頃から林産物や海産物の輸出拠点として繁栄し始めた。一八二二年には、成年男子だけでシンパンとその周辺に、三五〇〇─三八〇〇人のマレー人、三〇─四〇人のブギス人、四─五人のアラブ人、二五─三〇人の華人、一〇〇─一二〇人の海賊、八〇─九〇人の奴隷から成る移民と、三〇〇〇─三六〇〇人のダヤック人(西カリマンタン内陸部に先住する人々の総称)と二五〇─三〇〇人のオラン・ブギット(マレー人とダヤック人の混血)が住み、人口は一万六〇〇〇─一万九〇〇〇人と推定された。「海賊」と「奴隷」は各地から集結した(させられた)雑多な人々であっただろう。中国人移民は公司《コンス》と呼ばれる組織を作り、中国で需要の高い籐、薬用の樹皮や植物の根、沈香、野生動物の胆石などの林産物や、鼈甲やナマコなどの海産物といった「異境の品」を輸出した。彼らは周辺で活動する海賊とも取引し、奴隷にする人間を含む彼らの略奪品を売買した(Müller 1843: 270-279; 太田 二〇一六:四三─四五頁)。海賊たちの求めた武器は、略奪以外にも、国家の保護を得られない僻地で商品や人員を守るのに必要だった。

このような商業軍事集団をオランダ東インド会社は海賊と記しているが、彼らには商業を促進する面もあった。その顕著な例が、スマトラ最南端のランプン地方(バンテン王国の領土)で生産される胡椒の取引である。ランプンは東南アジアの主要な胡椒産地の一つで、一八世紀半ばからは会社が得る胡椒の五─八割を供給した。ランプンの胡椒は条約により全て会社に販売されることになっていたが、リアウ陥落後はランプンからの船は商業軍事集団の格好の襲撃対象となり、一七九〇年には生産された胡椒のうち、記録にあるだけで年間三四〇〇ピコル、すなわち会社取引分の約三六パーセントが強奪された。彼らはその胡椒を商人たち──資料に現れるほぼ全ては華人とイギリス人──に売っており、そのほとんどが中国市場に運ばれたであろう。「海賊」たちは、胡椒を強奪するだけでなく、ランプンの生産地を訪れ住民から買うこともあった(太田 二〇一四:二六四─二七九頁)。実際のところ彼らは商業軍事集団であり、より多くの利益を長期的に得るために、場合によって略奪か購入かを選んだのであろう。彼らは衰退する会社に代わり、需要のある東南アジア産胡椒を中国市場に届ける役割を果たしていたともいえる。

三、植民地体制と海賊

オランダによる支配の開始

こうした東南アジアの海賊に、一八一〇年代末からオランダ人とイギリス人は、新たな発想に基づいて対処するようになる。オランダは一七八〇年代から戦争と政治的混乱に苦しみ、財政難のオランダ東インド会社は一七九九年に解散させられた。実質的にフランスの支配を受けた一七九五年以降にオランダはアジアの海外領土をほとんど失ったが、ナポレオン戦争後にフランスの復活を恐れるイギリスの後押しで、一八一六年にジャワに復帰した。彼らはイギリスがマレー海域に進出し、自らの伝統的勢力圏であるインドネシア諸島にその影響が及ぶのを警戒した。そのためオランダは、スマトラやボルネオ(カリマンタン)などまだあまり影響力を扶植できていない地域に進出し始めたが、その際に海賊が重要な鍵となった。それを如実に示す「ボルネオ領有の目的」というオランダ植民地政庁作成の文書(一八一九年)は、以下の三項目から成っていた。

a. オランダ政府の保護を求める諸王の地にオランダ国旗を掲揚させる。

b. 貿易を促進するために海賊を鎮圧し、海賊と殺人集団が弱き民を苦しめているこの地に、平和と秩序をもたらす。

c. 住民には負担を課すが、それが過重にならないよう留意する。

ここで海賊の鎮圧は、貿易促進のためであると同時に、この地に平和と秩序をもたらすという使命感と結びついている。「負担」(lasten)とは税や労働負担に用いられる語で、東インド会社時代と異なり、オランダ人が貿易でなく領域支配によって収益を得る意志が示されている。「平和と秩序」は法と武力によって支えられる近代文明の一環であり、それを未開の地にもたらすことは、植民地支配を正当化する重要な原理と考えられた。海賊はいまや、近代ヨーロッパの文明化使命の障害となったのである(Ota 2018: 126-127)。

そのような海賊に対する政策を示すのが、パレンバン、バンカ島地域の理事H・W・ミュンティンへが一八二一年に作成した海賊調査報告書である。ここでは興味深いことに、オランダ政庁が現地の「独立国と同盟を結ぶこと」が推奨されている(3)。オランダ国家を代表する植民地政庁にとって、交渉相手は国家である必要があった。しかし実際には、先述のように商業軍事集団が貿易・襲撃拠点となる定住地を各地に築いていたものの、「独立国」と呼べる確固とした基盤を持つ政体はほとんどなかった(*Ibid.*: 128)。

それでも現地国家との「同盟」が必要であったのは、オランダが直ちに海賊を鎮圧する力を持たなかったためである。ミュンティンへは上述の調査を通じてカリマンタン西海岸沖のカリマタ島に拠点を置くシアク人商業軍事集団のリーダーであるラジャ・アキルと親交を持ち、一八一九年のパレンバン攻撃ではその軍事協力を得た。現地政体が自律的な商業軍事集団から軍事協力を得ることは東南アジア海域世界では一般的だったが、オランダ植民地当局も同じ行為を取ったと言える。つまりオランダの行為は、「近代的」であるどころか現地の習慣そのものであった。戦後オランダ当局はその功績に報いるため、彼をオランダ海軍の少佐に任じた(Barth 1896: 12; Ota 2018: 131)。つまりオランダは、海賊活動で知られた現地有力者とその従者を、彼らの「近代的」体制の中に取りこんだのである。

オランダ政庁は一八二三年にはラジャ・アキルをカリマタ知事に任命し、海賊取締りの任務を与えた。彼は六隻からなる船隊で従者とともに各地を哨戒し、その費用はオランダ政庁が負担した。西カリマンタンのある理事はこれに強く反対したが、バタヴィアの副総督は、これは海賊やその隠れ場に関する彼の知識のゆえに重要であり、その予算削減は海賊の跳梁を許すだろうと評した。さらにスカダナを治めるマタン国と一八二七年に抗争になると、オランダ政庁はスルタンを廃位し、代わりに翌年ラジャ・アキルを新たに設立したスカダナ国のスルタンに任命した。この国は後にオランダ領に取りこまれるが、ラジャ・アキルは没するまでスルタンの地位を維持した(Ota 2018: 131-136)。

こうしてオランダは海賊鎮圧のために、協力的な商業軍事集団に「独立国」を作り与えることまでしたのである。ラジャ・アキルには海賊鎮圧が義務づけられ、実際に近海で哨戒を行ったが、成果は稀にしか伝えられず、むしろ彼の海賊との協力について噂が絶えなかった。オランダ政庁はシンパンなど他の現地政体とも同様の条約を結んだが、その支配者たちが海賊を鎮圧する武力を持たず、密かに海賊を支援していることも承知していた(Barth 1896: 25-27; Ota 2018: 135-136)。恐らくカリマンタンの当局者にとってこうした条約は、実際の海賊鎮圧の効果よりも、費用をかけずに努力する姿勢を政庁上層部に示すために機能したのであろう。

しかしオランダ統治が次第に浸透するにつれ、現地支配者の側に積極的にオランダの海賊統治に協力する姿勢が示される。オランダとの関係悪化を懸念させる武力的衝突などがあると、その後にスルタンや他の有力者たちが、海賊を鎮圧するための船を派遣する提案を行った(Ota 2018: 137-140)。これはオランダとの関係改善を図るためのポーズとしての性格が強いものの、その目的のために海賊鎮圧が有効と現地支配者に考えられたのである。

イギリス支配と海賊

イギリスは一七八六年にペナンを獲得して以来、東南アジアで領域支配よりも中継港を通じた貿易支配を試みた。さらなる貿易港を求めたイギリスはシンガポールに着目し、その地のトゥムングン(初代)と交渉して、その地位の保証および年金と引き替えに一八一九年にシンガポールの支配権を得た。(4)この二つの港と、一八二四年の英蘭協約で英領となったムラカ(マラッカ)を合わせた海峡植民地が、イギリスの東南アジア支配の拠点となった。

まもなく貿易が急拡大したシンガポールでは、港を出入りする船が頻繁に襲撃された。トゥムングンが、影響下にある周辺のマレー系小首長たちによる海賊行為を支援しているのは周知の事実であった。一八二〇年代にトゥムングンは、港に出入りする船の積荷、装備、入出港日などの情報を首長たちに知らせ、彼らはそれに基づき高価な商品を積み装備の貧弱な船を港外で襲撃した(Trocki 2007: 68-70)。さらに一八三〇年代にイギリスが奴隷貿易を禁止したことにより、ムラカ等での強い需要に対応してリアウ諸島のガラン島が奴隷狩りの拠点となったことも、近海を危険にしていた(Ota 2010: 133-135)。

しかし一八三三年からシンガポール総督となったサミュエル・ジョージ・ボナム(一八三六―四三年は海峡植民地総督)は、海賊に対処するのに現地有力者との協力を選んだ。彼が二代目トゥムングンに海賊鎮圧への協力を合意させた背景としては、イギリス当局が鎮圧に必要な予算を持たない一方、商人たちがその費用を捻出するための臨時課税に反対した(Trocki 2007: 76-80)ことが重要であっただろう。予算不足のイギリス政庁にとって、協力的な地域有力者に海賊を制御させることは、現実的な手段であった。

一方、周辺地域のマレー系小首長たちは、海賊行為に関与しながらも一八三〇年代からイギリスの持つ蒸気船とその豊富な火器に脅威を覚えていた。そこで彼らは一八三七年に、当局と親密なトゥムングンからの保護を求め、シンガポールへの移住を望んだ。この時トゥムングンはボナムに対し、彼らを受け入れれば彼らを自らの監視下に置くことができると進言した。ボナムはこれを受け入れ、彼らに居住地を提供することを約束し、トゥムングンに海賊行為の撲滅を約束させた。しかしこの政策は、海賊撲滅よりも彼の勢力強化に貢献した(Ota 2010: 139-140)。

一方で、オランダが海賊鎮圧活動を通じイギリス領海に影響力を及ぼすのを恐れたイギリス当局は、一八三六年に本格的な海賊鎮圧作戦を遂行した。オランダと交渉して合意を得たのち、イギリス艦隊はガラン島の海賊拠点を攻撃し、トゥムングンも自らの艦隊を率いて参戦した。もっともこの軍事行動の成果はあまり定かでなく、その後も海賊の襲撃は続いた(*Ibid*.: 138)。

シンガポール周辺の海賊活動が一九世紀後半にようやく下火になったのは、鎮圧の結果というよりも偶然の所産であった。トゥムングンは、当時ほぼ無人のジョホール(マレー半島南端)の開拓に努め、一八四一年にジョホールのトゥムングンの地位を承認された。間もなくそこで樹脂の一種グッタ・プルチャが発見されたのは、まさに天恵であった。当時開設が始まったばかりの海底ケーブルの絶縁材にそれが利用できることが分かると、グッタ・プルチャの需要は爆発的に拡大し、トゥムングンはそれをほぼ独占して主収入を得るようになった。するとトゥムングンは、グッタ・プルチャの増産に加えて胡椒などの栽培に努め、従者を海賊業から引き離してイギリス当局との共存を図るようになった。三代目トゥムングンは一八六〇年代から権力基盤をジョホールに移し、一八八五年にはジョホールのスルタンに任命された(Trocki 2007: 83, 86-90, 121-123)。その後ジョホール王国は、マレー諸王朝のなかで最後まで自律性を維持していく。

おわりに

一八世紀には好調な経済のもとで、世界各地の富裕層や中間層のあいだで「異境の品」への関心が高まった。これにより、アジアからヨーロッパへコーヒー、茶、砂糖、そしてインド更紗や中国磁器をもたらす貿易が促進され、海域東南アジアから中国へはナマコ、フカヒレ、燕の巣、胡椒、錫などが大量に運ばれた。このように東南アジアからの輸出品は、一七世紀までの特権階層向けの稀少な奢侈品から一八世紀には中間層向けの大衆型贅沢品に変化したが、これはマキシン・バーグが論じるヨーロッパにおける消費の変容と軌を一にしていた。海産物や林産物の貿易にオランダ東インド会社の独占・生産管理体制が対応できない一方で、小規模で機敏な商業軍事集団が海域東南アジア一帯で海産物や奴隷労働力の確保に重要な役割を果たした。つまり海賊とは、市場の変化に応じて形成された新たな貿易構造に適応した商業軍事集団であったのである。同じ構造は、本稿で取り上げなかったスールー海域などにも見られる(Warren 1981)。会社はしばしば利益追求のためにそうした集団とも積極的に提携したが、商業的ライバルとなる集団は海賊と呼んだ。

一九世紀には、自由貿易や領域支配といった新たな思想的武器を身につけたヨーロッパ国家が、この海域で影響力を増した。ヨーロッパ人は貿易の振興と植民地支配の正当化のために「海賊の排除」を掲げたが、実際には資金や知識の不足から現地有力者と提携して彼らに海賊鎮圧を要請した。英蘭植民地当局はどちらも、現地有力者を正式な交渉相手とするために、彼らの海賊とのつながりにもかかわらず公的な地位を与え、最終的に彼らを国家の支配者に任命した。植民地支配は異質な「近代」なるものを被支配者に押しつけるのではなく、現地のシステムを自らに取り入れながら始まったのである。海賊をめぐる交渉のなかで、為政者による海賊の取締りが国家の責任として現地側にも認識され実践されるようになった。東南アジア海域世界の「近代」は、この面ではヨーロッパとアジアの協働から立ち上がった。

バーグは、ヨーロッパにおける消費主義は一八世紀後半までのグローバルな結びつきの牽引役であり、産業革命を引き起こす要因の一つとなり、さらにその後のアジアに対するヨーロッパの優位につながったと主張する(Berg 2004: 86, 91)。中国における「異境の品の消費」は、一八世紀東南アジア海域世界に新たな貿易構造を作り出し、それはその後、中国も含めた現地国家の凋落にもかかわらず生き延びた。中国向け「異境の品」の貿易は、一八二〇年代からはシンガポールを中心として基本構造を維持し、新たな主要輸入品となったイギリス綿布が、「異境の品」の積み出し港で海産物などと交換された。国境やエスニシティを越えたネットワークは古くから存在したが、それは本稿で扱った国家の弱い時代に強化され、現代まで東南アジア海域世界の緩やかなつながりを形成している。

注

（1）こうした議論の一部は、別稿（太田 二〇一八、Ota 2019）で論じたものを発展させている。

（2）アンソニー・リードによると、一部の港市国家が強大化したのは、貿易で得られた富を投入して火器や傭兵を備えた軍隊を強化したこと、世界宗教を導入して支配者の絶対主義を正統化したことなどが要因であった（リード 二〇二一）。

（3）この部分の一節は次の通りである。「海賊と戦う政府の影響力を拡大するために、サンバス北方からポンティアナック南方にあるいくつかの小さな独立国と同盟を結ぶこと［が重要である］。それらの国々はしばしば海賊たちに隠れ場を提供している」（Ota 2018: 128）。

（4）オランダとの交渉のために擁立されたシンガポールのスルタンは、その後も常に名目的な存在だった（Trocki 2007: 61-62）。

参考文献

太田淳（二〇一四）『近世東南アジア世界の変容――グローバル経済とジャワ島地域社会』名古屋大学出版会。

太田淳（二〇一六）「マレー海域の貿易と移民――一八―一九世紀における構造変容」『中国――社会と文化』三一。

太田淳（二〇一八）「東南アジアの海賊と「華人の世紀」」島田竜登編『一七八九年　自由を求める時代』〈歴史の転換期8〉、山川出版社。

小笠原小枝（二〇〇五）『更紗（別冊太陽）』平凡社。

ミンツ、シドニー・W（二〇二一）『甘さと権力――砂糖が語る近代史』川北稔・和田光弘訳、筑摩書房。

八百啓介（二〇一一）『砂糖の通った道――菓子から見た社会史』弦書房。

リード、アンソニー（二〇二一）『世界史のなかの東南アジア――歴史を変える交差路』太田淳・長田紀之監訳、名古屋大学出版会。

Andaya, Leonard Y. (1995), "The Bugis-Makassar Diasporas", *Journal of the Malayan Branch of the Royal Asiatic Society* 68-1.

Barth, J. P. J. (1896), "Overzicht der afdeeling Soekadana", *Verhandelingen van de Bataviaasch Genootschap van Kunsten en Wetenschappen* 50.

Berg, Maxine (2003), "Asian Luxuries and the Making of the European Consumer Revolution", Berg and Eger 2003.

Berg, Maxine (2004), "In Pursuit of Luxury: Global History and British Consumer Goods in the Eighteenth Century", *Past & Present* 182.

Berg, Maxine and Elizabeth Eger (eds.) (2003), *Luxury in the Eighteenth Century: Debates, Desires and Delectable Goods*, Basingstoke and New

York: Palgrave Macmillan.

Blussé, Leonard (1986), *Strange Company: Chinese Settlers, Mestizo Women and the Dutch in VOC Batavia*, Dordrecht etc.: Foris.

Leyden, J. (1814), "Sketch of Borneo", *Verhandelingen van het Bataviaasch Genootschap van Kunsten en Wetenschappen* 7.

Lieberman, Victor (2009), *Strange Parallels: Southeast Asia in Global Context, c. 800–1830*, Volume 2, *Mainland Mirrors: Europe, Japan, China, South Asia, and the Islands*, Cambridge : Cambridge University Press.

Müller, G. (1843), "Proeve eener geschiedenis van een gedeelte der weskust van Borneo, Matan en andere etablissementen op de westkust van Borneo", *De Indische Bij* 1.

Ota, Atsushi (2010), "The Business of Violence: Piracy around Riau, Lingga, and Singpore, 1820–40", Robert J. Antony (ed.), *Elusive Pirates, Pervasive Smugglers: Violence and Clandestine Trade in the Greater China Seas*, Hong Kong: Hong Kong University Press.

Ota, Atsushi (2018), "Trade, Piracy, and Sovereignty: Changing Perceptions of Piracy and Dutch Colonial State-Building in Malay Waters, c. 1780–1830", Atsushi Ota (ed.), *In the Name of the Battle against Piracy: Ideas and Practices in State Monopoly of Maritime Violence in Europe and Asia in the Period of Transition*, Leiden and Boston: Brill.

Ota, Atsushi (2019), "Role of State and Non-State Networks in Early-Modern Southeast Asian Trade", Kaoru Sugihara and Keijiro Otsuka (eds.), *Paths to the Emerging State in Asia and Africa*, New York: Springer.

Reid, Anthony (1993), *Southeast Asia in the Age of Commerce 1450–1680,* vol. 2: *Expansion and Crisis*, New Haven and London: Yale University Press.

Reid, Anthony (1997a), "Introduction", *The Last Stand of Asian Autonomies: Responses to Modernity in the Diverse States of Southeast Asia and Korea, 1750–1900*, Basingstoke and London: Macmillan Press.

Reid, Anthony (1997b), "A New Phase of Commercial Expansion in Southeast Asia, 1760–1850", *Ibid.*

Riello, Giorgio (2009), "The Indian Apprenticeship: The Trade of Indian Textiles and the Making of European Cottons", Riello and Roy 2009.

Riello, Giorgio and Tirthankar Roy (eds.) (2009), *How India Clothed the World: The World of South Asian Textiles, 1500–1850*, Leiden and Boston: Brill

Trocki, Carl A. (2007), *Prince of Pirates; The Temenggongs and the Development of Johor and Singapore 1784–1885*, Singapore: NUS Press.

Vos, Reinout (1993), *Gentle Janus, Merchant Prince: the VOC and the Tightrope of Diplomacy in the Malay World, 1740-1800*, Leiden: KITLV Press.

Warren, James Francis (1981), *The Sulu Zone, 1768-1898: The Dynamics of External Trade, Slavery, and Ethnicity in the Transformation of a Southeast Asian Maritime State*, Singapore: NUS Press.

Xu, Guanmian (2021), "Pepper to Sea Cucumbers: Chinese Gustatory Revolution in Global History, 900-1840", Ph. D. dissertation, Leiden University.

【執筆者一覧】

中島楽章(なかじま がくしょう)
1964年生．九州大学大学院人文科学研究院准教授．中国社会史・東アジア海域史．

岡本隆司(おかもと たかし)
1965年生．京都府立大学文学部教授．近代アジア史．

岩井茂樹(いわい しげき)
1955年生．京都大学名誉教授．東アジア近世史．

大木 康(おおき やすし)
1959年．東京大学東洋文化研究所教授．中国文学．

杉山清彦(すぎやま きよひこ)
1972年生．東京大学大学院総合文化研究科准教授．大清帝国史．

柳澤 明(やなぎさわ あきら)
1961年生．早稲田大学文学学術院教授．近世アジア史．

岡田雅志(おかだ まさし)
1977年生．防衛大学校人文社会科学群准教授．東南アジア大陸山地史．

六反田 豊(ろくたんだ ゆたか)
1962年生．東京大学大学院人文社会系研究科教授．朝鮮中世・近世史．

松井洋子(まつい ようこ)
1957年生．東京大学史料編纂所教授．日本近世史．

太田 淳(おおた あつし)
1971年生．慶應義塾大学経済学部教授．インドネシア近代史・東南アジア史．

宮田絵津子(みやた えつこ)
1970年生．法政大学兼任講師．歴史学・考古学．

新居洋子(にい ようこ)
1979年生．大東文化大学文学部准教授．東西交渉史．

岸本美緒(きしもと みお)
1952年生．お茶の水女子大学名誉教授．中国明清史．

斎藤照子(さいとう てるこ)
1944年生．東京外国語大学名誉教授．ビルマ社会経済史．

渡辺美季(わたなべ みき)
1975年生．東京大学大学院総合文化研究科准教授．琉球史・東アジア海域史．

【責任編集】

弘末雅士(ひろすえ まさし)
1952 年生．立教大学名誉教授．海域東南アジア史．『海の東南アジア史――港市・女性・外来者』(ちくま新書，2022，近刊)．

吉澤誠一郎(よしざわ せいいちろう)
1968 年生．東京大学大学院人文社会系研究科教授．中国近代史．『愛国とボイコット――近代中国の地域的文脈と対日関係』(名古屋大学出版会，2021)．

【編集協力】

上田　信(うえだ まこと)
1957 年生．立教大学文学部教授．中国社会史．『海と帝国――明清時代〈中国の歴史 9〉』(講談社，2005／学術文庫版，2021)．

岩波講座 世界歴史　12　　第 6 回配本(全 24 巻)

東アジアと東南アジアの近世 15～18 世紀

2022 年 3 月 25 日　第 1 刷発行

発行者　坂本政謙

発行所　株式会社 岩波書店　〒101-8002 東京都千代田区一ツ橋 2-5-5
電話案内 03-5210-4000　https://www.iwanami.co.jp/

印刷・法令印刷　カバー・半七印刷　製本・牧製本

ISBN 978-4-00-011422-6

岩波講座

世界歴史

A5 判上製・平均 320 頁（黒丸数字は既刊，＊は次回配本）

全㉔巻の構成

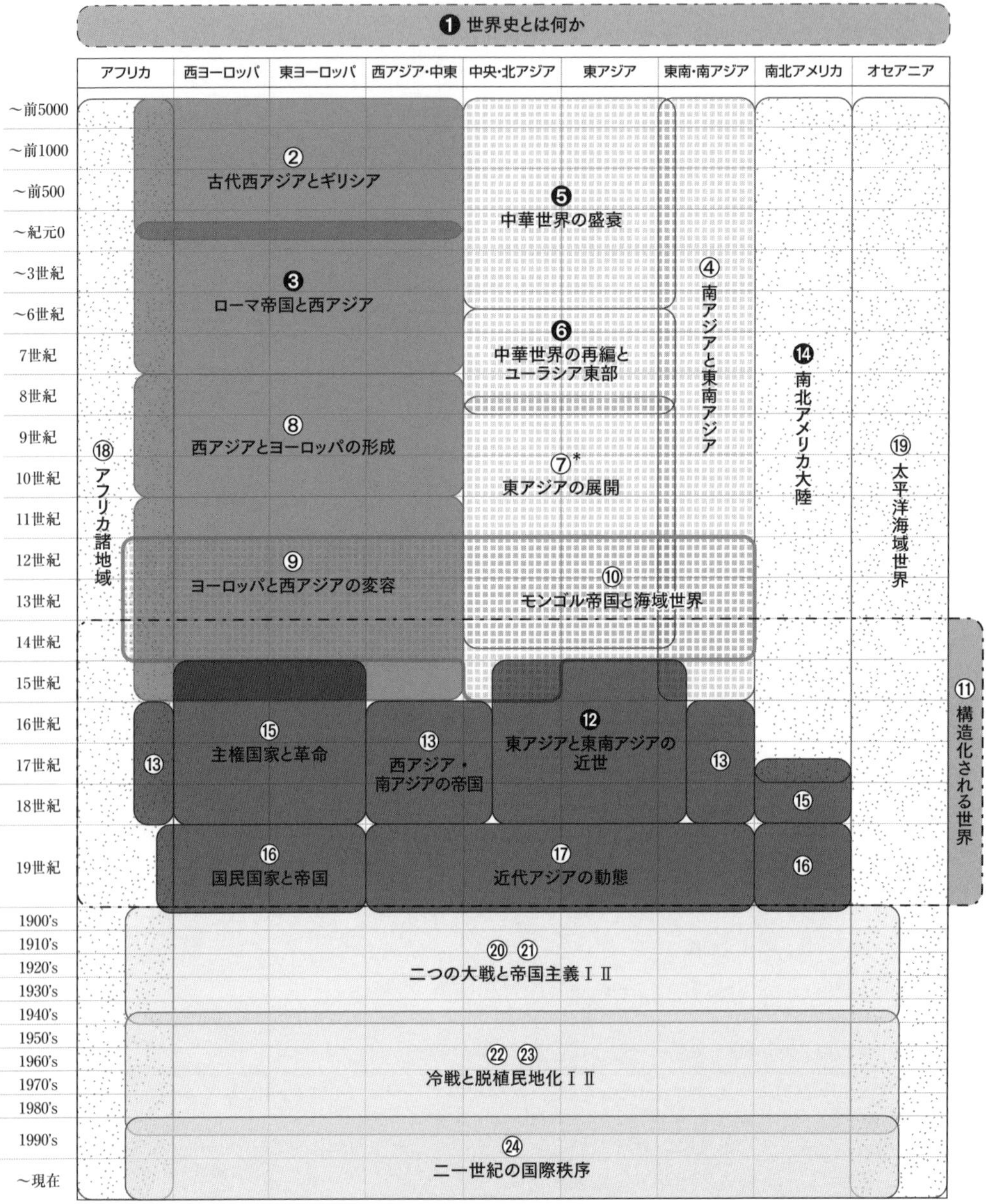

※本図は各巻の内容を厳密に反映したものではなく，便宜的に図示したものです．